L'ÂME

INTRODUCTION

CHOIX DE TEXTES

COMMENTAIRES

VADE-MECUM

ET BIBLIOGRAPHIE

par
Élie During

GF Flammarion

DANS LA MÊME COLLECTION

© Flammarion, Paris, 1997.
ISBN : 978-2-0813-0994-4

SOMMAIRE

IV
LES MONDES DE L'ÂME

V
LES USAGES DE L'ÂME

INTRODUCTION

« Si tu avais l'idée de ton âme, tu ne pourrais plus penser à autre chose » (Malebranche).

Le siècle ne croit plus à l'âme. Le projet même d'y penser, donc de prendre son concept au sérieux, suscite nécessairement une certaine méfiance : que veut-on encore nous servir ? Quand le mot est toléré dans les conversations ordinaires, c'est pour désigner l'ineffable, ce je-ne-sais-quoi de mystérieux qui fait la grâce d'un pas de danse ou la beauté d'un paysage, l'aura, la chaleur, le souffle ou le cœur vivant d'une œuvre, le principe directeur d'un groupe (comme l'on dit l'« âme du complot ») ou, encore, quelque chose de vague qui relève de l'intime et du privé, avec une nuance indéfinissable d'émotion et de sensibilité (l'« état d'âme », le « vague à l'âme »). C'est une sorte de signifiant flottant, de mot-valise, un « quelque chose », un « ça » que l'on fait intervenir quand les autres mots disponibles (« cœur », « grâce », « esprit », « vie ») nous semblent à la fois trop précis et trop larges pour dire ce qui se passe. L'âme vient en plus, comme ce « supplément d'âme » que Bergson appelait de ses vœux pour soulager un monde dominé par la technique. Mais tout change dès qu'il s'agit de parler de l'âme elle-même au lieu de la convoquer pour parler d'autre chose. De cet objet, l'âme tout court, on ne veut plus rien savoir : cela sent trop son catéchisme et ses classes de métaphysique. « L'âme : donner un sens à ce vieux nom du souffle », cette formule que Valéry consigne dans ses *Cahiers* en dit long sur l'état de délaissement dans lequel se trouve aujourd'hui la notion. Non pas que, comme le laisse croire le poète, le nom ne nous fasse plus rien entendre ; c'est plutôt que ceux qui devraient penser l'âme ne veulent plus rien avoir à en dire. Au milieu de la profusion d'ouvrages et d'articles sur la question des phénomènes de l'esprit ou de la conscience, qui aurait aujourd'hui l'envie ou le courage d'écrire un *Traité de l'âme* ?

À quoi faut-il attribuer le discrédit – pour ne pas dire l'opprobre – dont les doctrines de l'âme semblent faire l'objet ? D'abord, évidemment, à leurs fréquentations douteuses, à leurs origines mythologiques ou religieuses, autant dire « irrationnelles ». L'âme, c'est *anima,* le souffle qui sort par la bouche ou l'orteil au moment de la mort, c'est *psyché,* le papillon, mais surtout, dans l'imaginaire contemporain, cette part invisible et immortelle de l'homme en lutte ici-bas avec le corps et la chair, promise à l'enfer ou au paradis, et à laquelle la liturgie catholique elle-même fait de moins en moins de place depuis Vatican II. On pense aux âmes des morts pour lesquelles il faut prier ou à Faust qui vend son âme au diable. La notion d'âme est donc grevée, saturée de références « compromettantes ».

Il y a ensuite tout le poids d'une métaphysique qui n'a plus cours aujourd'hui, celle qui voit partout des formes substantielles qui animent les corps (l'âme comme principe de vie) ou encore celle qui s'interroge, dans le cadre d'un dualisme dont Platon et Descartes sont généralement tenus pour les responsables historiques, sur la substance immatérielle et sa relation aux corps. On songe aussi à une sorte de rigorisme éthique qui découlerait de tous ces présupposés métaphysiques ou qui les commanderait secrètement : le corps et l'âme dressés l'un contre l'autre comme des frères ennemis, c'est l'apanage des « contempteurs du corps » (Nietzsche), de ceux qui y voient le « tombeau de l'âme » (Platon, *Cratyle,* 400c). On se détourne de cet angélisme suspect pour parler de l'homme entier, corps et âme. Or c'est toute une série de notions connexes qui sont par là rejetées : la substance immatérielle, l'immortalité, et peut-être aussi, du même coup, l'idée d'un autre monde en général. On voudrait se défaire de l'âme comme symbole vivant de tous les arrière-mondes qui viennent doubler le nôtre (comme le principe vital double le corps en l'animant, comme l'intériorité tapisse la conscience et lui donne un dedans), symbole aussi d'une sorte d'ordre moral où les valeurs trouveraient leur fondement dans un principe plus haut que toutes les conventions humaines – Platon le laisse entendre dans le texte des *Lois* où l'âme est convoquée pour lutter contre le blasphème et la menace de sédition. Il y a aussi, à côté de cette irruption de la transcendance, un schème hiérarchique qui n'a pas très bonne presse : l'âme, force directrice et organisatrice, a quelque chose du chef d'armées, le corps lui est soumis comme l'esclave au maître, le domestique à la famille (Aristote, *Politiques*, I, 5), et l'on a longuement glosé sur le caractère fondamentalement politique de la structure tripartite de l'âme au quatrième livre de la *République*. Même lorsque Descartes précise que l'âme n'est pas dans le corps comme un pilote en son navire, il maintient l'idée d'une direction volontaire des mouvements par une âme qui ne laisserait pas d'être ce qu'elle est essentiellement (une « chose qui pense »), encore que les corps ne fussent pas vivants. L'âme, fondement d'une biologie « réactionnaire »... Mais au fond, si l'on rejette l'âme avec tant de vigueur, c'est peut-être simplement parce que l'on y voit immédiatement l'ombre portée de Dieu lui-même, qui la crée, la maintient dans l'être et rend possible son salut (« Dieu ait son âme »). Si « Dieu est mort », l'âme n'est pas orpheline : elle a, elle aussi, cessé d'exister pour l'homme.

Surtout, la science semble nous dispenser complètement du recours à l'âme ou à un quelconque « principe vital » pour l'explication du vivant. L'homme, dit-on, n'est qu'un corps, il n'a besoin que de la nature pour s'animer, parler et penser. Quant à la psychologie, elle n'a de *psyché* qu'un vague souvenir matérialisé dans son orthographe : la psychologie sans âme ne s'occupe plus que de la vie intérieure, tandis que la psychanalyse explore les profondeurs qui nous ramènent au corps. Et si certaines interrogations jadis associées à l'âme demeurent encore vivaces – par exemple, celles que suscitent les relations du cerveau et de la pensée –, on a recours, comme dit Souriau, aux « succédanés les plus subtils » : conscience, esprit (*mind*), psychisme. Hegel en faisait déjà le constat : « On parle peu aujourd'hui de l'âme dans la philosophie, mais plus volontiers de l'esprit » (*Encyclo-pédie*, §34 add.). Aux problèmes « classiques » de l'âme, on a substitué ceux de l'intériorité, de l'identité person-nelle, du sujet et de la subjectivité, de l'aliénation ou, encore, de la conscience et de la possibilité de son incor-poration au discours de la science.

Avant de voir ce qu'il en est, en fait, de ce concept tant décrié, quelques remarques s'imposent concernant cette suspicion générale, dont on voit bien que les raisons allé-guées ne sont pas toutes d'égale valeur philosophique. En premier lieu, l'origine mythique ou poétique d'une notion n'a rien qui doive inquiéter. Les idées de nature, d'univers ou de matière perdent-elles leur crédit à s'être trouvées longtemps mêlées aux discours sacrés ? Et pour ce qui concerne les questions et les outils « dépassés » de la métaphysique, rien ne nous dit, justement, qu'ils aient épuisé le champ d'investigation ouvert par l'âme. Sans doute, il ne s'agit pas de se battre pour un mot. Il serait absurde de chercher à réhabiliter l'âme à tout prix, quitte à la rendre à nouveau populaire en la revêtant d'oripeaux plus attrayants. Il s'agit seulement de dire qu'elle ne se réduit pas à un nom vénérable qu'il faudrait conserver pieusement comme une part de notre patrimoine cultu-rel, un objet de musée, une curiosité ; elle n'est pas non plus seulement un objet de foi qu'il faudrait laisser au libre choix des consciences. Elle est un concept de plein droit que la philosophie a construit et reconstruit durant toute son histoire, et avec lequel elle n'a pas fini de s'expliquer, même si elle a choisi de rayer le mot de son lexique. Il est légitime de penser, en ce sens, que l'âme est le foyer invisible d'un certain nombre d'interrogations philosophiques contemporaines : la philosophie dite « de l'esprit » (*philosophy of mind*) qui cherche à élucider les rapports de la conscience et du monde physique rejoint ainsi, souvent à son insu, les questions soulevées il y a plusieurs siècles dans le cadre de ce que l'on appelait alors les « doctrines de l'âme ».

Pour finir, il y a l'attitude qui consiste à dire que l'on ne peut plus, que l'on ne veut plus croire à l'âme. L'expérience, médiatisée par le savoir scientifique, se passe très bien d'elle, et même, croit-on souvent, dément son existence. Mais il faut avouer que c'est se donner là de bien mauvaises excuses. S'il fallait jauger les idées au degré d'intérêt que leur porte la science, il y a longtemps que la philosophie serait morte. S'agit-il bien d'ailleurs de *croire* ou de ne pas croire à l'âme ? Ne s'est-il pas toujours agi d'y *penser*, pour voir ce que cela donne ? Le problème de l'âme, ce n'est pas essentiellement celui de son existence — problème empirique, trop empirique, qui la place immédiatement aux côtés des esprits, des loups-garous, des soucoupes volantes, de toutes ces entités douteuses à propos desquelles l'expérience et la science, dit-on, doivent « trancher ». Sous son scalpel, Broussais (l'inventeur de la médecine physiologique) avoue n'avoir rien trouvé qui ressemble à l'âme. Il n'y a pas de quoi se vanter, ni rien qui doive étonner, et cela en dit bien plus long sur la démarche des sciences de la vie que sur l'âme elle-même. Car toute la question, que la science ne pose jamais, est justement de savoir à quel genre d'existence on est en droit de s'attendre. Le matérialisme du scalpel appelle des réponses proportionnées à sa bêtise. On ne saurait mieux dire que cet ouvrier qui, assistant par hasard à une dissection à la morgue de Marseille, répond au professeur qui explique à ses élèves qu'il n'a jamais trouvé l'âme : « Monsieur le docteur, si vous ne l'avez pas vue, c'est qu'elle n'y était plus. » La question de l'existence de l'âme passe par la construction de son concept, elle doit d'abord être posée — sinon décidée — *a priori*, et si le tranchant du scalpel est d'une quelconque utilité dans ce travail, il s'agira de celui d'Occam, non de Broussais.

Les doctrines de l'âme

Il n'est pas sûr, du reste, qu'il y ait un sens à parler de l'âme en général, comme d'un « objet » commun à toutes les doctrines de l'âme. Il y a des discours de l'âme, qui ne sont pas nécessairement des discours *sur* l'âme. Il y a des figures de l'âme, convoquées à l'occasion de problèmes singuliers, dont rien ne nous dit qu'elles convergent vers un lieu commun. Mais avant toute chose, il y a des usages de l'âme, qui doivent être évalués à partir des besoins et des intérêts auxquels ils répondent. On ne saurait donc faire l'économie d'un examen préalable, si sommaire soit-il, de l'histoire des doctrines. Cette dernière est toujours en même temps une histoire des problèmes ; les lignes de force et les fractures qu'elle révèle doivent permettre de cerner, sinon la consistance de la notion, du moins la manière dont s'agencent les dimensions hétérogènes, les lignes de tension qui menacent d'en rompre l'unité.

Il faut bien comprendre, en premier lieu, la situation intermédiaire de l'âme, entre le divin dont elle conserve la nostalgie – et sans doute aussi quelque chose de son essence – et la nature où elle s'insère et où la philosophie cherche généralement à la ressaisir. Les théories de l'âme naissent en Grèce de la volonté de comprendre l'unité de la nature. Ainsi Aristote, en définissant l'âme comme « substance au sens de forme », forme d'un corps ayant la vie en puissance, s'appuie sur une définition de la nature comme ce qui possède en soi-même le principe de son mouvement et est doté d'une finalité immanente. L'âme appartient donc au domaine de la physique, elle est appréhendée « objectivement ». Principe de vie, acte pre-mier ou réalisation du corps organique, elle ne s'oppose pas au corps. Elle ne lui est même pas unie, c'est-à-dire adjointe du dehors, puisqu'elle n'a de sens qu'à être une avec lui. Cette âme « naturelle » peut être caractérisée par un certain nombre de fonctions générales : (1) elle est fac-teur de totalité, d'harmonie, d'unité, de cohérence systé-matique (ce que l'on trouvait déjà avec Platon dans la définition de l'Âme du monde comme organisation idéale de l'univers sous la forme du Tout et de l'Un) ; (2) elle est source ou cause réelle du mouvement (là encore, Platon, dans le *Phèdre* et les *Lois*, définissait déjà l'âme comme « mouvement qui se meut lui-même », principe de tout mouvement dans l'univers) ; (3) en associant les deux points précédents, elle introduit la finalité dans les processus biologiques (Aristote identifie la cause formelle et la cause finale dans l'explication scientifique). En bref, l'âme est la source de vie, sinon la vie elle-même, et c'est sa présence ou son absence qui marque dans la nature les grandes divisions entre le règne de l'animé et de l'inanimé.

La rupture fondamentale avec cette façon de poser la question de l'âme intervient avec Descartes, mais à l'occasion d'un remaniement radical de la philosophie de la nature : si tout doit pouvoir s'expliquer en termes de figure et mouvement, si toute la matière est ramenée à l'étendue mathématisable (mécanisme), l'âme devient superflue pour toute une série de fonctions d'animation. Elle se réduit tout entière à l'esprit (intellect), qui chez Aristote n'était que sa partie suprême ; elle est substance immatérielle, « chose qui pense ». Descartes prépare ainsi le terrain pour le retournement matérialiste qui consiste à se débarrasser de l'âme elle-même, en même temps que de toutes les entités superflues et incertaines qui sont censées gouverner les phénomènes du vivant (formes substantielles). Mais en approfondissant aussitôt la nature de l'âme comme substance spirituelle, radicalement séparée de la substance étendue (ce sont les termes d'un dualisme des substances), Descartes ouvre l'espace de l'union de l'âme et du corps en même temps que le problème de son explication. Ses successeurs (Malebranche, Spinoza, Leibniz) n'auront de cesse de retraduire ce problème de l'union dans des systèmes qui contournent tous l'incompréhensible interaction de la matière et de l'esprit (occasionnalisme, parallélisme, harmonie). Dans tous les cas, ils ne feront que prolonger une tendance inscrite au cœur même de la situation métaphysique dessinée par Descartes : déliée de la nature et aussi bien de l'Âme du monde, l'âme est comme seule face à Dieu, en qui se résout ultimement l'union (cf. Hegel, *Encyclopédie*, §389, add.).

Ce premier parcours n'est pas le seul possible. Il n'est pas certain, en effet, que la pensée de l'âme se joue tout entière dans le passage de la philosophie de la nature à la philosophie de l'esprit. Du reste, il n'est pas tout à fait correct de classer toute la pensée antique sous le chef de la philosophie de la nature. C'est que, depuis ses origines, le concept d'âme a signifié à la fois la vie et la pensée. D'abord respiration et souffle, chaleur et mouvement, air et feu chez les Ioniens, l'âme est définie, dès Anaxagore, comme activité spirituelle, faculté de discernement. Chez Platon, cette dualité est encore là : l'âme est principe de mouvement (*Lois*), de vie (*Phèdre*) et d'organisation (*République*), mais elle a aussi la puissance de l'Idée à laquelle elle est « apparentée » (*Phédon*). Elle est une réalité spirituelle autant qu'un principe vital, et sa vocation est précisément de se détacher progressivement du corps, des passions, des sensations troubles, pour se spiritualiser et atteindre l'universel. Invisible et simple, elle aspire à se rendre immortelle par la fréquentation des essences – en quoi la philosophie se trouve définie essentiellement comme méditation de l'âme sur elle-même. Chez Aristote même, l'intellect (*nous*) semble ne pas périr avec le corps, et renferme la possibilité d'un état divin de pure contemplation. L'âme humaine dépasse donc d'emblée infiniment les puissances du corps, qui, comme l'indique Plotin, n'est que ce qui manque à l'âme pour actualiser toutes ses richesses. Dès lors, la vraie question pour les Grecs, c'est de pouvoir penser une âme qui soit réellement *individuelle*, c'est-à-dire l'âme de quelqu'un. La solution d'une individualisation par le corps et la vie corporelle n'est pas entièrement satisfaisante, puisqu'elle laisse en regard des fonctions vitales de l'âme une activité de pensée apparemment déliée de tout rapport spécifique au corps, et qui apparente l'esprit à un acte universel et impersonnel. Averroès fondera sur cette base sa théorie d'un esprit universel unique chez tous les hommes.

À cet égard, c'est encore Descartes qui marque un tournant, non pas tant parce qu'il abandonne l'idée d'animation en fondant le mécanisme, mais parce qu'il commence par adopter le point de vue de l'intériorité en reconnaissant comme une caractéristique fondamentale de l'homme cette faculté d'intuition intérieure qui se manifeste dans la conscience. C'est là que l'on touche à l'individualité réelle de l'âme, au-delà de son rapport particulier à la matière d'un corps. Ce n'est pas la pensée universelle qui caractérise l'esprit pour Descartes, mais l'acte d'une pensée singulière, individualisée, pénétrée de sensibilité. L'âme comme chose qui pense est d'abord saisie dans l'activité d'un sujet pensant : « Qu'est-ce qu'une chose qui pense ? C'est-à-dire une chose qui doute, qui conçoit, qui affirme, qui nie, qui veut, qui ne veut pas, qui imagine aussi, et qui sent » (Seconde Méditation). On passe ainsi d'une problématique de la raison et de l'esprit entendus comme facultés de connaître les Formes et les Idées (Platon, Aristote, saint Thomas), à une problématique de la conscience et de l'intériorité dans leur irréductibilité aux mouvements de la matière, problématique qui a ses prolongements jusque chez Bergson, et plus près de nous dans le débat anglo-saxon sur les rapports de l'esprit et du corps.

Les problèmes de l'âme sont donc légion, et aucune évolution n'est absolument irréversible, comme on le voit par exemple dans les reprises chroniques – par la philosophie ou les sciences de la vie – de la problématique de l'animation ouverte par Aristote. On peut, très schématiquement, distinguer plusieurs directions, plusieurs champs où le concept d'âme s'est trouvé mis à profit : le problème de la vie et du vivant, celui du passage de la nature à l'esprit, l'intériorité et la question du moi, les rapports de l'esprit et de la matière (spiritualisme, matérialisme) ou, encore, l'éthique et la spiritualité, en bref, la destinée humaine dans cette vie et dans l'autre. Comme on le voit, l'intérêt pratique (moral, spirituel), ce « souci de l'âme » dont Platon nous entretient sans cesse, interfère constamment avec l'intérêt théorique et spéculatif qui nous porte à sonder le mystère des existences, le mode d'être des choses, la possibilité de leur communication.

Qu'est-ce que l'âme ? : figure majeure et figure mineure

Nous sommes maintenant en mesure de dégager à gros traits les dimensions qui sont généralement associées au concept d'âme. Il est facile de montrer que de la profusion des doctrines se détachent, à condition d'amplifier certaines tendances, d'une part une figure majeure ou impériale de l'âme-substance, celle que l'on a retenue comme caractéristique de la pensée métaphysique, et d'autre part une figure mineure qui la hante et la double, qui semble défaire son caractère d'unité et d'identité, de support et de substance, et qui pointe en direction de l'altérité, du multiple, de la révolution.

Sans doute l'âme est-elle associée en premier lieu à l'idée du fondement ou de l'origine : l'âme, explique Platon dans les *Lois*, a une priorité ontologique sur tout le reste, elle vient en premier. En ce sens, elle est facteur de stabilité, d'ordre, d'unité. Elle est substance et forme. Mais dans le moment même où elle anime un corps (ou l'univers entier dans le cas de l'Âme du monde), elle est principe d'échange, elle fait communiquer les ordres. Source du mouvement, elle s'insère immédiatement dans le règne sensible des choses mues, elle donne le branle au monde en s'y répandant partout. Le cercle du Même et le cercle de l'Autre qui la composent (*Timée*, 35a-b, 36b-d) font de l'Âme du monde une réalité ambiguë : par le premier cercle, elle contemple l'intelligible, par le second elle pénètre dans le sensible originairement indéterminé (*khora*). Elle se situe donc à un niveau intermédiaire entre le matériel et le spirituel, le sensible et l'intelligible, les corps et les Idées – Hegel dirait : la nature et l'esprit. Elle est, comme dit Plotin, aux confins ou à la frontière des mondes, elle est la grande voyageuse, circulant d'une sphère à l'autre. Dans les corps, pourvu que l'on ne prenne pas cette expression à la lettre en spatialisant l'immatériel, elle admet une détente progressive, une multiplication de ses puissances, une diversification de ses parties. Elle s'harmonise elle-même en même temps qu'elle harmonise le corps ; c'est là sa manière de se rendre immortelle. Ainsi, elle est principe de mouvement et de repos, d'unité et de multiplicité, non pas contradic-toirement, mais dans son rapport à l'altérité qu'elle enferme en elle-même. L'âme, c'est la puissance de l'Autre. C'est pourquoi elle est passage autant que fondement, production et processus autant que substance et essence.

Face à cette ambivalence, deux attitudes sont possibles. On peut la résorber en en faisant le foyer même d'une conception dialectique de l'âme (Hegel) ou, au contraire, passer à la limite en accentuant la divergence, en faisant ressortir une des dimensions au détriment de l'autre (âme-substance, âme-mouvement). Mais puisque la figure majeure est celle que nous associons spontanément à l'âme, on commencera par là, avec un petit exercice de construction métaphysique dont le dessein n'est que de faire ressortir avec plus de force une sorte d'idéal-type de l'âme-substance.

Qu'est-ce que l'âme ? Il faut répondre, sans craindre le truisme : l'âme est *quelque chose*. Si en effet l'esprit, le « mental » ou le psychisme renvoient généralement à des états (conscience, inconscience, attention, distraction, émotion), à des puissances (volonté, raison, imagination) et à des actes (raisonner, désirer, vouloir), l'âme a cette caractéristique de désigner immédiatement *un être*. L'âme, c'est toujours *une* âme : un particulier, un être singulier, une substance individuelle. En ce sens, l'âme se distingue radicalement de l'esprit, qui est souvent synonyme du spirituel comme catégorie universelle, voire de la « matière » spirituelle. On a *de* l'esprit, mais on a *une* âme. On dira donc, en employant le mot au sens le plus large, que *l'âme est une chose*.

Les doctrines de l'âme ont généralement tenu à ajouter aussitôt : une chose *immatérielle*. Cela ne va pas de soi, et il n'est pas certain que l'opposition de la matière et de l'immatériel soit tenable jusqu'au bout. Néanmoins, on peut se contenter pour le moment d'une caractérisation empirique de l'immatérialité. L'âme n'est pas divisible, elle n'est pas pénétrable, elle est sans mélange, elle n'est pas perceptible en elle-même par les sens physiques, elle n'a pas de lieu dans l'espace, ni *a fortiori* dans le corps, même si elle vit dans le temps dont elle est peut-être, si l'on suit saint Augustin, l'origine même (« le temps est une distension de l'âme », *Confessions*, XI, 26). Un reproche fréquemment formulé par les matérialistes consiste à souligner le caractère négatif de ce type de définition : curieuse substance qui ne peut être décrite qu'en prenant systématiquement le contre-pied des propriétés du corps.

Mais l'âme est *substance* en un sens plus précis. Elle a des propriétés qui la manifestent et la singularisent − à commencer par l'immatérialité même, conçue positivement comme spiritualité. Elle est *sujet des actes psychiques, substance de ses attributs,* substrat de ses puissances et de ses parties, de ses affections et de ses états. Enfin, et c'est le péché capital, il semble qu'il appartienne à l'âme comme substance individuelle d'être *immortelle.* C'est une conséquence de sa simplicité (ou indivisibilité), selon une preuve du *Phédon* aussi fameuse pour elle-même que pour sa réfutation.

Substantialité, immatérialité (et donc indivisibilité), indestructibilité et immortalité, ce sont les caractéristiques classiquement associées à l'âme. C'est exactement ce que Kant a en vue dans sa critique des paralogismes de la psychologie rationnelle. Il ne faut pourtant pas oublier que l'âme-substance relève d'une construction dont on peut bien dire qu'elle scelle le destin de la métaphysique occidentale, mais qui n'en reste pas moins contingente dans son principe. Ce n'est pas la description d'un objet qui nous serait donné d'avance, mais un paradigme, un programme de recherche. En ce sens, les questions de méthode soulevées par Aristote au début du traité *De l'âme* (I, 1) n'ont jamais été annulées par les réponses que l'on a pu leur donner : sous quelles catégories allons-nous penser l'âme ? Est-elle une ? Pourquoi n'y aurait-il pas des genres et des espèces d'âmes ? Et, en elle-même, admet-elle une composition ? Faut-il penser en premier lieu son essence, ou d'abord ses propriétés, ses fonctions et ses effets ? Est-elle acte ou puissance ? Rien n'empêche de répondre autrement qu'on ne l'a fait ni de poser une toute autre question.

Ainsi lorsque Hegel reproche à la métaphysique classique − et à ses critiques mêmes, Kant au premier chef −

d'avoir toujours pensé l'âme sous les mauvaises catégories, celles de chose, de substance, d'objet, de nature, etc., il ne fait que retrouver la tension qui, dès l'origine, a travaillé le concept. L'âme est sujet, non substance : sujet au sens de force, de pure activité. Elle est à la fois le produit de la nature et le premier moment du déploiement de l'esprit. La décrire comme « simple », « indivisible », « une », en bref, « immatérielle », c'est la penser systématiquement sous les mêmes rapports que les choses matérielles, et du même coup l'enfermer dans une opposition figée avec le corps auquel pourtant on veut l'associer (*Encyclopédie*, §389, add.). Toute la problématique classique de l'union de l'âme et du corps est donc grevée par une logique absolument inappropriée à la réalité dont elle prétend rendre compte. Il aurait fallu dès le début rompre avec les catégories abstraites de la substance, du « subsistant-par-soi », pour penser le procès d'une nature en voie de spiritualisation, l'âme et son corps comme unité dialectique de l'un et du multiple, totalité qui se réalise en surmontant les oppositions figées du dedans et du dehors, de l'immatériel et du matériel : « C'est en ce sens supérieur que doit être prise l'unité de l'âme et du corps. Tous deux ne sont pas en effet deux termes distincts qui viennent à se rencontrer, mais une seule et même totalité des mêmes déterminations » (*Cours d'esthétique*, I, p. 162-163). Le caractère contradictoire de l'âme, qui affronte l'extériorité du corps en même temps qu'elle le ramène à l'intériorité d'une forme idéale en l'animant, c'est le processus même de la vie (*Ibid.*, p. 164).

Mais ce processus peut être pensé autrement, comme production et reproduction incessantes de la différence dans le monde, de l'altérité dans le moi. La figure mineure de l'âme apparaît lorsqu'on intensifie systématiquement certaines composantes du concept au détriment de l'unité et du fondement. On peut ainsi réactiver la multiplicité en remettant en cause l'idée que l'âme ne se divise pas en espèces. Non seulement l'âme des hommes se distingue de l'âme des bêtes – ou des végétaux –, mais pour commencer il n'est pas certain qu'il n'y ait qu'une âme en l'homme. Il ne faut pas oublier, à cet égard, que l'unification de la notion s'est faite progressivement. Notre plus ancien témoin, Homère, distinguait deux sortes d'âme : *thumos* et *psyché*, l'âme des vivants qui s'éteint avec le corps et l'âme des morts (ou l'âme libre) qui lui survit et voyage dans les mondes célestes et infernaux (après la mort ou bien dès ici-bas par le rêve, la transe ou l'extase). L'unique principe spirituel auquel se réfèrent la métaphysique aussi bien que toutes les religions du Livre ne remonte donc pas à la nuit des temps, il est le résultat de l'absorption progressive de *thumos* dans *psyché*.

On peut aussi faire intervenir l'âme comme un coin dans l'unité rassurante du psychisme, introduire du jeu dans l'opposition frontale de l'esprit et du corps, du moi et du monde. Comme l'ombre accompagne le corps, l'âme est là, derrière le moi. C'est le *synopados* des Grecs, ce quelque chose qui nous accompagne en silence, ce sentiment insaisissable d'une présence. L'âme n'est pas l'esprit « qui toujours nie » ; elle est la puissance du double, elle double et prolonge le corps qu'elle anime, elle décolle le moi, comme une ligne de fuite qui traverserait la conscience, qui fendrait la clôture de son monde intérieur. L'âme s'annonce dès que Je est un autre...

Jung montre bien que l'on ne peut pas réduire le sentiment de l'âme à la lumière du psychisme conscient (Plotin disait déjà que « nous ne sentons pas tout ce qui se passe dans notre âme »). Il commence par remarquer un jaillissement objectif, une densité et une résistance. L'inconscient, c'est d'abord l'autre en moi – voire les autres en moi. Il y a là quelque chose qui nous renvoie à une multiplicité primitive, à la horde ou à la meute : « Quelque chose dans nos âmes n'est pas individu, mais peuple, totalité, humanité même. Par quelque côté, nous sommes partie d'une grande âme unique et immense [...] » (*Problèmes de l'âme moderne*, p. 181).

Ce qui est vrai de l'âme elle-même l'est aussi de sa distribution dans le monde. Pourquoi restreindre à l'homme le privilège d'avoir une âme, pourquoi ne pas la laisser proliférer à tous les niveaux de la réalité, dans les arbres et dans les pierres, dans les animaux et les objets fabriqués ? Descartes la refusait même aux bêtes, dans lesquelles il ne voyait qu'une ingénieuse machinerie. Mais la métaphysique a su faire droit, au cours de son histoire, à une sorte d'animisme universel. Ainsi chez Leibniz où il n'est pas jusqu'au carreau de marbre qui ne contienne des corps animés à l'infini, aussi loin que l'on pousse la division. Le monde est plein d'âmes, à condition que lui-même n'en ait pas une qui le totalise et le referme sur lui-même. Ce sont des myriades de points singuliers et scintillants qui font de l'univers une constellation ouverte à l'infini, un étang plein de poissons, parcouru d'ondes, de grouillements et de tourbillons microscopiques à perte de vue (*Monadologie*, §65-69). « Arbres, roseaux, rochers, tout vit ! / Tout est plein d'âmes » (Victor Hugo, « Ce que dit la bouche d'ombre »). Rilke parle de l'âme des poupées, des marionnettes, des chevaux à bascule. Baudelaire sonde l'âme des foules. Artaud décrit « les âmes, comme des flambeaux qui tournent au fond des abîmes de l'être » (*Cahiers de Rodez*). L'âme est partout au dehors, dans le visible. Chez les peuples primitifs mentionnés dans *Le Rameau d'or* de Frazer, elle « peut être volée, mangée, rapportée, et, dans certains cas, remplacée, rapiécée, raccommodée » (Lévy-Bruhl, *L'Âme primitive*, p. 159). On a vite fait de crier au scandale : on fait de l'âme une chose, un objet, on la réifie, on la matérialise. Ou bien, ce qui revient au même, on parle d'une projection du sentiment de soi sur un objet fétiche. Mais c'est tout autre chose qui se passe en réalité : on multiplie l'âme à l'infini, on la répand partout, on la distribue dans les replis de la matière. C'est une ventilation de tout l'univers, une animation générale, une illimitation des corps. Comme dit Artaud : « L'âme est corps, et le corps est âme aussi, mais non du côté limitable du corps, mais de celui illimité de l'âme [...] » (*Cahiers de Rodez*).

Le concept d'âme ne vit donc que d'être tiraillé entre ces deux tendances : stabilité et mouvement, substance et processus, unité et multiplicité, fondation et arrachement. Elle est tantôt cette essence intangible, invisible et impalpable, tantôt cette force changeante et fuyante manifestée dans le visible. Il ne s'agit même pas d'une contradiction qu'il faudrait dire insurmontable, mais d'une différence et d'une divergence sans cesse reproduites. Quand une des dimensions se trouve occultée (généralement au profit de l'unité et de la simplicité de la substance immatérielle), elle resurgit plus loin, en fonction d'autres questions (par exemple, le corps, l'inconscient, les étapes de la vie spirituelle). Ainsi Leibniz réduit-il l'âme à l'atome psychique (la monade), mais en rendant du même coup disponible pour de nouveaux usages toute la charge de différence et d'altérité qu'elle renferme virtuellement (involutions et évolutions, migrations et mutations, petites perceptions inconscientes). L'âme n'est pas « par nature » une substance qu'il faudrait jouer contre le corps. Tout dépend de ce que l'on veut en faire, tout dépend de ce que l'on veut la voir faire. C'est une question d'invention.

On comprend mieux, dès lors, ce qui incite Nietzsche à écrire : « Il faut d'abord tordre le coup à cet atomisme plus funeste, que le christianisme a le mieux et le plus longtemps enseigné : l'*atomisme de l'âme* – qu'il me soit permis de désigner ainsi cette croyance selon laquelle l'âme est quelque chose d'indestructible, d'éternel, d'indivisible, une monade, un *atomon* : cette croyance-là, il faut l'expulser de la science. Entre nous soit dit, il n'est pas du tout nécessaire, ce faisant, de se débarrasser de l'"âme" et de renoncer ainsi à une des hypothèses les plus anciennes et les plus vénérables, maladresse que commettent d'ordinaire les naturalistes qui, à peine touchent-ils à l'"âme", la perdent du même coup. Mais la voie est ouverte à des formes nouvelles et plus subtiles de l'hypothèse de l'âme, et des notions comme celles d'"âme mortelle", d'"âme multiplicité du sujet", d'"âme édifice commun des instincts et des passions" réclament désormais droit de cité dans la science. Certes, en mettant fin à la superstition qui, avec une luxuriance presque tropicale, étouffait l'idée de l'âme, le *nouveau* psychologue s'est jeté lui-même pour ainsi dire dans un nouveau désert et dans une nouvelle méfiance – peut-être les psychologues

de jadis ignoraient-ils les inconvénients de cette
morosité : mais en fin de compte il se sait condamné par
là à *inventer* — et, qui sait ? peut-être à *trouver* » (*Par-delà
le Bien et le Mal*, « Des préjugés des philosophes », I, 12).
Si celui-là même qui, par ailleurs, dénonce les
« contempteurs du corps » (*Ainsi parlait Zarathoustra*) et
affirme que « la notion d'"âme", d'"esprit", et en fin de
compte d'"âme immortelle", a été inventée pour mépriser
le corps et le rendre malade » (*Ecce Homo*), si donc
Nietzsche décide en fin de compte de conserver l'âme, ce
n'est pas par esprit de provocation ou de dérision, mais
pour exploiter la richesse et les virtualités d'une notion
qui n'est épuisée par aucune de ses figures. Ainsi pense
celui qui, se promenant sous le soleil du matin, étudie
l'histoire et sent « se transformer sans cesse, non seulement son esprit, mais encore son cœur, et qui, en opposition avec les métaphysiciens, est heureux d'abriter en lui,
non pas "une âme immortelle", mais *beaucoup d'âmes
mortelles* » (*Humain, trop humain*, II, 17). C'est le
« bonheur de l'historien » qui voit que toutes les notions
vivent, et qu'elles peuvent toujours renaître de leurs
cendres pour peu que l'on veuille bien les accueillir.

Y a-t-il une connaissance de l'âme ?
Les limites de l'expérience

Reste cependant la question de savoir si *quelque chose*
correspond, dans les faits, à la notion d'âme lorsque l'on
y a recours. La variabilité des définitions, même s'il est
possible de la contenir dans certaines limites, est à cet
égard d'assez mauvais augure. Pour le dire de façon
brutale, on est en droit de se demander si une *connaissance*
de l'âme peut venir étayer les constructions que la philosophie entreprend sur la base d'un simple mot du langage
ou, ce qui ne vaut guère mieux du point de vue d'une
justification rationnelle, d'une simple croyance en l'existence de l'âme. Y a-t-il, en d'autres termes, une *expérience*
de l'âme — et si tel n'est pas le cas, quel peut être le statut
d'une théorie de l'âme ? La question est d'autant plus
impérieuse que l'on a pris l'habitude de considérer l'âme

comme un être, une chose particulière. L'âme est sommée de se manifester d'une manière ou d'une autre pour donner prise à la connaissance, on attend avec insistance qu'elle fasse ses « preuves ». Si l'on n'en demande pas tant de la liberté, du désir ou du pouvoir, c'est que précisément ils ne renvoient pas à des êtres.

Mais il y a plus. C'est qu'il s'agit d'abord de notre propre âme – en quoi elle n'est pas un objet auquel il n'y aurait simplement qu'à croire ou à accorder foi, comme les anges ou les chérubins (saint Augustin, *La Trinité*, IX, 12). La question n'est pas du tout de savoir ce que nous signifions en parlant d'un esprit chez les autres (problème des « *other minds* », béhaviorisme), mais de comprendre ce que nous voulons dire lorsque nous prétendons avoir une âme. Si nous avons une âme, il est assez légitime d'en attendre une expérience dès ici-bas. Il faut que l'on puisse la ramener d'une certaine manière à du déjà-connu ou à une expérience possible. Mais, justement, de quel genre d'expérience s'agira-t-il ? On verra réapparaître, en tentant de répondre à cette question, les dimensions hétérogènes que l'histoire des doctrines avait permis de mettre en lumière.

Que quelque chose, qu'un vécu, comme on dit, corresponde à l'usage que fait l'animiste du mot âme ou à celui qu'en fait Descartes lorsqu'il la définit comme chose qui pense, cela va de soi. En d'autres termes, l'âme n'est pas une hypothèse gratuite. La vraie question est plutôt de savoir si l'on peut juger de la validité du concept en cernant rigoureusement son domaine d'application. Or c'est là que les choses se compliquent. Il est possible en effet de distinguer plusieurs types d'usages empiriques du concept d'âme.

On peut attendre, en premier lieu, un remplissement pur et simple du concept dans une intuition qui nous donnerait l'*objet* âme, comme la perception d'une planche soutenue par quatre pieds donne son contenu au concept de table. Demander s'il y a une expérience de la substance spirituelle, c'est implicitement souscrire à ce schéma. De ce point de vue, on ne pourra se contenter de dire, par exemple, que l'expérience de l'émotion, et même d'un genre particulier d'émotion qui serait, disons, le sentiment esthétique, ou encore l'expérience du cœur ou de l'amour, sont des expériences de l'âme. Il y a peut-être là quelque chose qui relève de l'âme, mais cela ne suffit pas à nous donner l'âme elle-même, comme être spirituel.

La même remarque vaut pour Alain lorsqu'il décrit l'âme comme « ce qui refuse le corps » (*Définitions*, p. 23). On est loin, évidemment, d'une caractérisation ontologique : « Ce beau mot ne désigne nullement un être, mais toujours une action » (*Ibid.*, p. 24). Alain ne se prononce pas sur le genre de réalité qu'il faut attribuer à l'âme, il ne fait qu'invoquer l'idée d'une force qui va contre l'animal en l'homme (instinct, coutume, passion) et qui doit permettre de rendre compte d'un certain nombre d'expériences morales. L'âme n'est donc pas un concept auquel on pourrait faire correspondre une pleine expérience d'objet, mais une grille de lecture ou un *schème* pour la description de l'expérience (Kant parlerait plus exactement de *symbole*).

Mais l'âme peut avoir aussi le statut d'une *hypothèse* qui servirait à expliquer un certain nombre de phénomènes qui, eux, sont clairement donnés dans l'expérience. Une sorte de fiction théorique, en somme, qui introduirait de la cohérence dans notre représentation de la réalité empirique. Comme la science physique pose des « paramètres cachés » qu'elle peut hypothétiquement réaliser sous la forme d'entités théoriques, la philosophie poserait l'âme pour envisager certaines données de l'expérience comme ses effets empiriques (disons, l'émotion esthétique ou religieuse, la conscience morale, ou tout ce que l'on voudra, selon l'intérêt théorique ou pratique qui investit la notion). C'est d'une certaine manière la démarche des biologistes « vitalistes » qui prônent un retour à la notion d'âme ou de forme substantielle pour expliquer certains phénomènes du vivant (Stahl, Van Helmont, Driesch, Barthez, von Monakow).

En un sens un peu différent, l'*Idée* kantienne du Moi ou de la substance spirituelle garde une parfaite légitimité dans le cadre d'une étude systématique des phénomènes du sens interne. Ce n'est pas exactement une hypothèse, puisque par principe aucun objet ne peut lui correspondre, mais plutôt une sorte d'idéal ou d'horizon pour le travail scientifique. On ne se prononce pas sur la réalité de l'âme, mais on en retient l'Idée pour parler d'autre chose : le psychisme, les faits de la conscience, etc.

Mais où va-t-on faire passer l'expérience de l'âme ? Il est clair qu'il n'y a pas à attendre de réponse univoque à cette question. Tout dépend évidemment du concept d'âme que l'on se donne au départ, ou plutôt de la prénotion ou de la préentente qui guide l'investigation empirique. À cet égard, le risque que court toute critique « empiriste » de la notion d'âme, ou en général toute critique entreprise au nom de l'expérience pour condamner la spéculation qui tourne à vide en raisonnant par purs concepts, c'est de n'être justement pas assez empiriste. Il est assez tentant en effet de commencer par poser le concept d'âme pour ensuite chercher à lui donner sens et légitimité par référence à une expérience possible. Mais, du coup, on perd totalement de vue le mouvement inverse, qui consiste à partir de l'expérience elle-même, celle par exemple de la vie intérieure, pour tailler un concept de l'âme à sa mesure. Kant ne critique pas l'âme en général, mais seulement l'usage qu'en font les métaphysiciens dogmatiques, et qui consiste précisément à ne pas tenir compte des conditions de l'expérience possible ; mais, dès lors, en s'enfermant dans les limites du concept qu'il critique (celui de substance spirituelle), il s'interdit tout accès à l'expérience de l'âme, et même à la question du genre d'expérience dont il pourrait s'agir (c'est ce qui fait le caractère un peu décevant des essais de métaphysique-fiction présentés dans les *Rêves d'un visionnaire* ou les *Leçons de métaphysique*). Le problème est que si l'expérience dont on part est tellement pauvre qu'elle se confond en fait avec la reconnaissance d'une autoaffection de la représentation dans le sens interne, et si la catégorie sous laquelle on pense est celle de la substance, il devient impossible de faire droit à un véritable concept empirique de l'âme. On se trouve nécessairement réduit à poser l'Idée d'un quelque chose qui « causerait » les manifestations psychiques, mais au-delà de toute expérience possible. Et quant à l'expérience du sens interne, elle est tellement générale, tellement peu singulière et différenciée, qu'il n'est pas très étonnant qu'elle ne nous livre pas l'âme. La *vie* intérieure, le *monde* intérieur, c'est tout autre chose : non pas la substantialité, l'unité et la simplicité, ni le simple flux des vécus, mais l'épreuve des niveaux de conscience, de la variété des puissances, de l'altérité au cœur du moi et de l'absence dans la présence à soi.

Ce point mérite qu'on s'y arrête. Pourquoi le sens interne ne nous donne-t-il pas assez ? Ne suffit-il pas de dire que nous avons une âme, puisque nous avons une « intériorité » et un sens intime, puisque nous pensons, désirons, sentons, etc. ? Wittgenstein demande : « À quoi donc est-ce que je crois, lorsque je crois à une âme dans l'homme ? » (*Investigations philosophiques*, §422). La réponse semble évidente : je crois que l'homme a une âme, exactement dans le même sens où je crois que j'en ai une moi-même, parce que j'en fait l'expérience à chaque instant. L'expérience de l'âme, ce serait donc, par excellence, le *cogito*.

Mais toute la question est là : en quoi l'expérience subjective de l'âme décrite comme exercice de la pensée – avec toute l'extension que Descartes donne à ce mot – est-elle en effet expérience *de l'âme*, par différence avec la conscience ou l'esprit en général ? Il n'est pas indifférent, du reste, que Descartes confonde *mens* et *anima*, esprit et âme. Suffit-il, en d'autres termes, de cerner une expérience subjective, ou même une expérience du subjectif comme tel, pour tenir une expérience de l'âme ? Wittgenstein, lorsqu'il fait référence au caractère inobjectivable de la douleur d'une rage de dents, parle du *Seelisch*. Ce n'est pas l'âme (*Seele*), mais si l'on peut dire l'*animique* – le caractère irréductiblement subjectif de l'expérience. Thomas Nagel parle dans le même sens de cet ineffable sentiment qui serait celui d'être une chauve-souris ; tout ce que la science pourra nous apprendre sur cet animal ne nous sera d'aucune utilité pour parler de cette expérience-là et pour la comprendre dans sa qualité de vécu (la même remarque vaut du reste pour des expériences moins lointaines, par exemple celle du goût singulier de ce chocolat, pour moi, ici et maintenant). Le problème, donc, consiste à savoir si l'expérience « en première personne » suffit à nous donner une expérience de l'âme. Est-ce bien l'expérience d'un *quelque chose* qui serait l'âme, ou seulement l'expérience *que fait l'âme*, sachant que toute expérience, engageant la sensation, la perception et la pensée, est nécessairement expérience de l'âme, c'est-à-dire expérience *par* l'âme ? À propos de la sensation purement subjective, Wittgenstein écrit : « Ce n'est pas un *quelque chose* mais pas non plus un *rien* ! » (*Investigations philosophiques*, §304). Certainement pas une *chose*, en tous les cas. Mais, justement, l'ineffable de la sensation, ce point aveugle de toute expérience, n'a peut-être pas grand-chose à voir avec l'âme. La question devient donc : *l'âme, qui constitue le champ même de l'expérience, peut-elle faire l'épreuve d'elle-même autrement qu'à travers le caractère irréductiblement subjectif de l'expérience ?*

Je est un autre

Une première réponse consiste à revenir à l'expérience fondatrice qui sous-tend la figure mineure de l'âme : « Je est un autre ». L'âme, en effet, *ce n'est pas le moi*. Quand saint Augustin écrit : « Moi l'homme intérieur, moi l'âme » (*Confessions*, X, 6), il parle justement de tout autre chose que du moi du grand jour et de la conversation. C'est l'homme intérieur, qu'il faut conquérir. Je ne suis pas mon âme, le moi n'est pas l'âme, *anima non est ego*, répète saint Thomas (*Commentaire sur l'Épître aux Corinthiens*, I, 15). Et si je puis dire que j'ai une âme, il faut prendre la mesure de cet « avoir ». Sans doute, de même que pour l'expression « j'ai un corps », il n'y a pas là un rapport d'appropriation, comme on dirait : « j'ai une maison », ni même (ce qui est plus intéressant) un rapport d'appartenance, comme on dirait : « avoir de l'intelligence », « avoir de l'esprit ». Mais il reste une distance ou un écart irréductible : je ne suis pas seule-

ment une âme qui a un corps, je suis un moi qui a une
âme. Mon âme n'est pas moi, en même temps qu'elle est
plus intime à moi que moi-même. Comme le dit Ostad
Elahi, un philosophe mystique de ce siècle : « L'une des
raisons qui prouvent l'existence de l'âme est que nous
disons toujours : *ma* main, *mon* pied, *mon* œil, etc. Cela
signifie qu'il y a un moi distinct de tous les membres, et
que ceux-ci lui appartiennent. Qui est ce moi ? Moi, c'est
justement l'âme [...] Mais nous disons aussi "mon âme".
Qui donc est ce moi-là, auquel l'âme elle-même
appartient ? » (*Traces de vérité*, I, 391).

Comme le Je inscrutable, point aveugle de l'expérience, index de toute position, l'âme double toutes les
figures du moi. On l'associe souvent à la profondeur – au
même titre, d'ailleurs, que le désir, l'inconscient, les
forces obscures du corps. Mais elle n'est pas essentiellement quelque chose de caché et de privé, comme un repli
secret ; elle est transcendante, trace d'un ailleurs au cœur
de l'intériorité, force propulsive et prospective qui
m'arrache à mes tendances et à mes habitudes, à la vie
paisible du moi qui se sédimente au fil des années. L'âme
est essor, appel et inquiétude. La question, on le voit, est
directement pratique : il s'agit de savoir ce que l'on fait
de soi-même. Non pas qu'il faille croire à un autre moi,
inconnu de nous, mais purifié, sublimé, épanoui et
incorruptible ; il ne s'agit pas plus d'un moi idéal que
d'une substance soustraite à toute observation. L'âme est
plutôt une initiative intérieure qu'il faut reprendre et
prolonger, un être virtuel qu'il nous appartient de créer
ou de ressusciter (Souriau). Plus qu'un acte (Je), moins
qu'un objet (moi), l'âme est, comme dit Lavelle dans *De
l'âme humaine*, une activité qui transit le moi et ne se laisse
pas saisir comme une chose : une essence en voie de réalisation. Elle est le sujet absolu dont le Je et le moi sont
comme deux faces. Il est donc juste de dire que je ne suis
pas mon âme mais que j'ai une âme : c'est cette distance
qui fonde la possibilité d'une responsabilité et d'un salut
– nous sommes responsables d'une âme qu'il faut sauver,
c'est-à-dire réaliser. Ainsi se résout le paradoxe d'un autre

en moi qui m'est pourtant plus proche que le moi : je ne suis pas mon âme, mais je le deviens en la faisant.

Sur un mode plus dramatique, chez Lévinas, l'altérité de l'âme prend sens à partir de l'expérience originaire de l'animation, conçue comme une passivité qui affecte tout notre être : avoir une âme, c'est d'abord être corps et âme, et donc être irrémédiablement exposé, offert au dehors (*Autrement qu'être ou au-delà de l'essence*). Inquiétude, déstabilisation, dé-substantialisation, dé-position, perte d'initiative, l'âme introduit une déhiscence qui empêche le sujet de se clore sur lui-même. Et si le moi est du côté du « sale petit secret », du caché, du privé, l'âme en revanche est ouverte aux grands vents du monde. Deleuze écrit à propos de Lawrence que « ce qui est individuel, c'est la relation, c'est l'âme, non pas le moi. Le moi a tendance à s'identifier au monde, mais c'est déjà de la mort, tandis que l'âme tend le fil de ses "sympathies" et de ses "antipathies" vivantes. Cesser de se penser comme un moi, pour se vivre comme un flux, un ensemble de flux, en relation avec d'autres flux, hors de soi et en soi. [...] La part inaliénable de l'âme, c'est quand on a cessé d'être un moi : il faut conquérir cette part éminemment fluente, vibrante, luttante » (*Critique et clinique*, 1993, p. 68-69).

Les apories de la substance

Mais on ne peut tout à fait se contenter de faire de l'âme un point de fuite, un horizon du moi ou l'indice d'une vulnérabilité originaire. Il y a plus qu'un projet, plus qu'un appel, plus qu'une exposition ou une blessure, une véritable *présence* dont il faut rendre compte. On aimerait saisir l'âme comme un *être*, comme une *chose*. Or tout le problème est qu'à s'en tenir à la figure la plus courante, celle d'une substance invisible et immatérielle, il faut bien reconnaître qu'il s'agit là d'une drôle de chose. L'expérience de l'âme ne sera jamais l'expérience directe d'un objet extérieur, à moins de supposer l'éveil de quelque faculté de perception spirituelle. À s'en tenir au concept familier de l'expérience, il ne pourra s'agir que d'une expérience indirecte – celle d'une présence qui ne se manifesterait que dans ses traces, comme le voile du fantôme ou les bandelettes de l'homme invisible dessinent des formes en elles-mêmes imperceptibles – ou bien d'une expérience intérieure, ce qui nous renvoie une fois de plus à la question de savoir ce que c'est que d'avoir une âme. Mais une expérience intérieure qui demeure expérience d'objet, une expérience intime de sa propre substance spirituelle, cela est-il possible et même concevable ?

Le problème est le suivant : cette substance qui supporte nos attributs psychiques, ce sujet qui sous-tend tous ses actes, en bref l'âme comme moi substantiel, comment se donne-t-il à nous ? On retrouve ici les apories liées à la logique même du rapport substance-attribut, que Pascal déjà relevait à propos de l'idée du moi (Pensée 688, « Qu'est-ce que le moi ? ») : « Celui qui aime quelqu'un à cause de sa beauté, l'aime-t-il ? Non, car la petite vérole qui tuera la beauté sans tuer la personne fera qu'il ne l'aimera plus. Et si on m'aime pour mon jugement, pour ma mémoire, m'aime-t-on *moi* ? Non, car je puis perdre ces qualités sans me perdre moi-même. Où est donc ce *moi*, s'il n'est ni dans le corps, ni dans l'âme ? Et comment aimer le corps ou l'âme, sinon pour ces qualités qui ne sont point ce qui fait le moi, si elles sont périssables ? Car aimerait-on la substance de l'âme d'une personne abstraitement et quelques qualités qui y fussent ? Cela ne se peut, et serait injuste. On n'aime donc jamais personne, mais seulement des qualités. [...]. » On ne peut jamais tenir la substance du moi ou de l'âme, elle ne se donne que dans ses attributs. En elle-même, elle n'est qu'une abstraction, une catégorie vide. Cette nudité de la substance, Descartes la comprend bien lorsqu'il explique qu'elle ne peut être conçue que par l'attribut principal qui la manifeste, à savoir, dans le cas de la substance pensante, la pensée elle-même : « Nous ne connaissons point les substances immédiatement par elles-mêmes ; mais, de ce que nous apercevons quelques formes ou attributs qui doivent être attachés à quelque chose pour exister, nous appelons du

nom de *Substance* cette chose à laquelle ils sont attachés »
(*Réponse aux quatrièmes objections*). Or l'on aimerait bien
savoir en quoi la substance de l'âme se *donne* effectivement
dans ses attributs. S'il est entendu que seuls nous sont
donnés les attributs, d'où vient que l'on continue à croire
que la substance elle-même nous est donnée ? C'est la
question que pose Hume, radicalement : « Je ne parviens
jamais, à aucun moment, à me saisir *moi-même* sans une
perception et je ne peux jamais rien observer d'autre que
la perception » (*Traité de la nature humaine*, I, 4, 6). Il n'y
a pas d'impression, pas de donnée en ce sens qui corresponde au moi ou à l'âme comme substance. Ce n'est pas
une « idée réelle », c'est une « fiction » que l'imagination produit lorsqu'elle suit sa pente naturelle à convertir,
selon certains principes d'association, la simple relation
entre une série d'impressions en un « quelque chose
d'inconnu et de mystérieux qui relie les parties, en plus
de la relation ».

Telle est donc, semble-t-il, l'alternative ou le mouvement de balancier où nous réduit la logique de la
substance : *soit nous n'avons jamais l'expérience de l'âme, parce
que ses attributs ne nous la donnent pas, soit nous l'avons à
chaque instant du seul fait que nous percevons et pensons, parce
que nous la confondons avec ses attributs.* C'est peut-être cela
qui compte au fond : les états d'âme, que l'âme subit et
anime, plus que cette lointaine et froide substance à
laquelle ils sont inhérents. Mais dans les deux cas,
quelque chose nous laisse insatisfait : nous ne pouvons
nous résoudre ni à abdiquer toute connaissance réelle de
l'âme dans une pure spéculation sur la substance ni à
admettre qu'avoir l'expérience de l'âme, c'est avoir tout
simplement l'expérience de la pensée, parce que alors le
concept d'âme ne se différencierait en rien du psychisme
comme conscience ou subjectivité. Nous voulons une
expérience de l'âme qui ne se résume pas à celle des états
d'âme.

Dans sa critique de l'âme-substance, Kant retiendra le
premier moment humien : il n'y a pas d'expérience ou de
sensation de la substance en général (et encore moins de
la substance psychique), elle n'est qu'une catégorie, c'est-

à-dire une forme fondamentale de la constitution de l'expérience. Mais chez lui, l'unité de la conscience peut être du moins reconduite à l'acte même qui pose l'objet, autrement dit à l'unité de l'expérience elle-même. Sans retomber dans la conception d'une substance identique dans le temps, le Je kantien fonde ainsi dans le même mouvement l'unité de l'expérience et celle de la conscience. Mais le Je, justement, n'est pas l'âme. Il ne saurait non plus être question de ramener le Je à un sujet substantiel dont il serait l'acte. De la seule « donnée » du Je – qui n'est même pas une intuition pleine –, il n'y a aucun moyen de déduire une réalité substantielle. Ce serait convertir une condition purement logique de la connaissance – l'unité de la conscience d'objet – en une position d'existence, passer de la simplicité et de l'identité de la pensée (celle du « Je pense ») à la simplicité et à l'identité d'une existence : c'est le propre du paralogisme, dont toute la psychologie rationnelle, c'est-à-dire toute la métaphysique classique de l'âme, s'est rendue coupable.

Il ne reste donc plus que le moi qui m'est donné dans le sens interne, moi-même tel que je m'apparais, mais comme l'a montré Hume cela n'a plus rien à voir avec une substance ni même, et c'est le point le plus intéressant, avec une nature spirituelle qui puisse faire l'objet d'une science. La psychologie empirique est condamnée à n'être qu'une phénoménologie du sens interne, ou encore une classification ou une typologie historique ; elle passe à côté d'une véritable science de l'âme (*Premiers Principes métaphysiques de la science de nature*, p. 7). Non seulement, donc, l'âme-substance se trouve rejetée au-delà de l'expérience possible, et par conséquent aussi de la connaissance (l'âme est chose en soi ou noumène), mais ce qui aurait pu constituer une connaissance de l'âme tirée des phénomènes du moi dans le sens interne, autrement dit la possibilité d'une connaissance de l'âme comme psychisme (flux des vécus de conscience et non plus substance), est tellement problématique – en raison de la forme fluente et unidimensionnelle des données du sens interne –

qu'elle ne nous permet même pas de construire une théorie scientifique digne de ce nom.

Que reste-t-il de l'âme au sens fort à l'issue de la critique des paralogismes ? Non pas rien. Kant *ne nie pas* l'existence de l'âme, ce serait encore être dogmatique. Il ne fait que réfuter les prétentions de ceux qui veulent en parler comme s'il s'agissait d'un objet, pour l'affirmer ou la nier. Ce qu'il reste de l'âme du point de vue de la connaissance, c'est donc une Idée régulatrice, un principe heuristique, un idéal scientifique : tout se passe *comme si* les phénomènes du sens interne avaient leur fondement dans une âme, en se gardant de la tenir pour une « chose effectivement réelle » (*Critique de la raison pure*, B 709). En ramenant à l'unité les diverses facultés de la pensée, et de manière générale les divers principes d'explication psychologique (*Ibid.*, B 711-712), l'Idée de l'âme joue le même rôle à l'égard des phénomènes du sens interne que l'Idée cosmologique du monde ou de la totalité à l'égard des phénomènes du sens externe. Si donc l'âme comme chose en soi ou noumène, ou encore comme postulat d'immortalité pour la fondation de la morale, est bien au-delà de toute connaissance effective, l'Idée du moi ou de l'âme, sans jamais donner lieu à une présentation sensible de son objet – à un remplissement de l'intuition –, garde malgré tout une fonction essentielle dans le travail de la connaissance scientifique. Reste que l'âme n'est plus du tout un objet, et que par conséquent, s'il est vrai qu'il n'y a d'expérience que de l'objet, il est absolument impossible de lui faire correspondre aucune expérience.

L'âme comme présence à soi

Il n'y a donc qu'une parade possible : si l'âme-substance se soustrait à toute expérience et à toute connaissance directe, il faut se donner les moyens de penser autrement. Comme on l'a dit, Hegel reprochait précisément à Kant d'avoir critiqué l'âme-chose des métaphysiciens dogmatiques en maintenant la catégorie fautive de substance (les Réflexions 5290 et 5292 indiquent bien que la chose en soi n'est rien d'autre que la substance entendue au sens absolu, celle qui n'est jamais elle-même réductible à une autre substance dont elle serait l'attribut). On pensera donc l'âme au-delà de la substance, comme acte ou sujet en devenir (Hegel, Lavelle). Mais de façon peut-être plus radicale, on peut cesser d'indexer l'âme et la question de sa connaissance sur une certaine idée de l'expérience comme expérience d'objet. Il ne faut pas demander : *une expérience de l'âme est-elle possible, étant donné son concept ?*, mais plutôt : *quel sens peut avoir l'expérience, si de l'âme une expérience est possible ?* Cesser de penser l'âme comme un objet qui tomberait sous son propre regard, cesser de la penser comme sujet, dans son rapport à l'objet en général, c'est du même coup chercher à *redéfinir l'expérience elle-même en fonction de l'âme.*

En premier lieu, on dira donc que l'âme n'est pas un reste phénoménologique, c'est-à-dire ce qui, dans la représentation, ne peut pas entièrement se résoudre en objet, mais qui ne prend pourtant tout son sens que dans le rapport à l'objet. L'âme, ce n'est pas le caractère subjectif de l'expérience, le vécu ineffable qui accompagne comme une aura la connaissance d'objet. Ce n'est pas non plus, en second lieu, un objet intérieur qu'il faudrait saisir à travers le voile des impressions psychiques (la substance derrière ses attributs). Il s'agit de quitter tout à fait le paradigme de l'intuition et de la sensation (toujours pris dans le sillage du monde), pour penser *une intériorité qui ne soit pas simplement le repli d'une exposition fondamentale à l'objet,* d'une ouverture originaire sur le monde (la conscience sartrienne qui éclate vers les choses, qui s'échappe sans cesse et dissout à tout instant la « moite intimité gastrique » de la vie intérieure). Il s'agit de concevoir un recueillement, une affectivité originaire, une autoaffection qui est le propre de la vie (Maine de Biran, Michel Henry). L'expérience perd alors cette structure d'objectivité ou de représentation qui réduit l'âme à une chose ; une expérience de l'immanence radicale devient possible. Ainsi, Malebranche explique que de l'âme nous n'avons pas d'idée, mais seulement un certain sentiment intérieur (*La Recherche de la vérité*, I, 12). Si la connaissance de l'âme par elle-même n'est plus connaissance d'objet, elle devient pure épreuve d'elle-même dans cette *présence* dont parle saint Augustin, au-delà de toute re-présentation : « Que l'âme ne cherche donc pas à s'atteindre comme une absente, mais qu'elle s'applique à discerner sa présence ! » (*La Trinité*, IX, 12). L'expérience de l'âme doit se conquérir, elle ne sera jamais celle d'un donné qu'il n'y aurait qu'à enregistrer pour le traduire ensuite en concepts, ni celle d'un remplissement pur et simple du concept. Que l'âme soit invisible n'est donc pas l'obstacle, mais plutôt la condition d'une expérience qui soit réellement une expérience de l'âme, et non simplement de la conscience ou de la pensée, qui sont toujours conscience et pensée d'un « dehors ». Et c'est l'expérience tout entière qui change de sens tandis que le moi se tourne vers l'âme, et ainsi l'âme vers elle-même, non comme on se tournerait vers une chose, mais par un approfondissement qui est un recueillement, une conversion spirituelle plutôt qu'une connaissance. L'âme ne se donne pas dans un apparaître, elle est un *avènement* (Aimé Forest).

Les mondes de l'âme

Cette direction prise par les philosophies de l'intériorité ne risque-t-elle pas, cependant, de nous reconduire tout droit vers une ineffable coïncidence à soi ? Tout discours cesse alors pour faire place à l'unité indéfectible d'une autoaffection originaire, d'une ipséité, d'une intimité sans reste. Là où rien n'est donné, il n'y a plus rien à dire. En nous introduisant dans un espace antérieur à toute ouverture sur l'objet, la notion d'âme semble aussi nous fermer au monde. Quelle place reste-t-il pour *les mondes de l'âme* ? Toute la mystique témoigne de leur importance. Saint Augustin maintient simultanément la radicale présence de l'âme à elle-même et la possibilité d'un approfondissement continu des espaces intérieurs. Sainte Thérèse parle d'une citadelle ou d'un château de l'âme où les pièces se succéderaient en enfilade, avec leur lot chaque fois différent de béatitudes et de périls, jusqu'au cœur où l'Aimé rayonne. Maître Eckhart décrit cette étincelle, ce « petit château fort » de l'âme qui ouvre sur l'absolument Autre, Dieu lui-même, ou plutôt l'unité essentielle de l'âme et de la déité par-delà toute image. Il y a chez saint François de Sales cette « cime » ou « suprême pointe » de l'esprit où Dieu agit sans qu'on le sache. Et Mollâ Sadrâ, en décrivant le monde imaginal où l'âme actualise pour elle-même les formes qu'elle imagine, ne fait rien d'autre que fonder métaphysiquement la possibilité de l'expérience intérieure, des révélations prophétiques et des visions sublimes. Ce sont des mondes aussi vastes que le nôtre qui s'ouvrent à chaque degré de l'assomption spirituelle, dans une subversion complète du rapport habituel de l'intérieur et de l'extérieur. Paradoxe de l'extase : c'est dans l'intériorité la plus absolue que l'on est ravi hors de soi.

L'âme dans le corps, l'âme et le corps dessinent une perspective bien étroite. Il s'agit de comprendre comment l'âme nous arrache à la certitude d'une expérience du monde qui se révèle indissociable de la structure de l'objectivité (la conscience toujours au-dehors d'elle-même) autrement qu'en nous replongeant dans l'intimité d'un en-deçà du monde et de la représentation (vie, autoaffection). Si l'âme est l'autre du monde, comme elle est aussi l'autre du moi, ce n'est pas en nous ramenant à l'im-monde, à l'innommable expérience du pur sentiment de soi, mais en commençant par fendre le monde en y taillant une brèche qui l'empêche de se refermer sur lui-même comme une belle Nature close : irruption d'un espace intérieur, d'une infinité d'autres mondes. L'Âme n'est pas d'abord l'image en miroir de l'Idée du Monde, comme on le pense souvent à lire Kant. Elle n'en projette pas non plus l'image sublimée dans l'espace d'un arrière-monde qui ne ferait que redoubler ou copier le nôtre. Si l'idée d'une Âme du monde a un sens, c'est bien d'unifier le monde, mais en l'ouvrant du même coup sur ce qui le dépasse – possibilité de rupture et d'arrachement que toute la gnose exploite. C'est donc une même chose de dire avec Plotin que l'âme est à la frontière des mondes, et que *l'âme est la fêlure du monde*. L'âme commence par fendre le monde en deux, comme une fulguration ou une percée, et ainsi porte l'inquiétude au cœur de l'être. C'est l'événement premier de ce qui pourrait être une phéno-ménologie de la vie mystique, ou plus simplement de l'inquiétante expérience que recouvrent ces mots : avoir une âme. Que quelque chose puisse en être dit, c'est l'exigence que la philosophie doit maintenir, quitte à se tenir à ses marges.

En se trouvant mise à profit dans des contextes aussi divers que ceux de la philosophie de la nature, de la question de l'union substantielle, de la connaissance des intel-ligibles, de soi-même ou de Dieu, l'âme a connu une série de mutations qui semblent en faire éclater le sens. À tel point que, comme toute Idée au sens kantien, elle semble être le nom d'un problème, ou d'un foyer de problèmes, plutôt que d'un concept. L'âme n'est pas un objet que l'on envisagerait selon différents points de vue, ni même un concept que l'on remettrait sans cesse en chantier, mais quelque chose comme un lieu où passent pour des raisons diverses, à différents moments de l'histoire de la pensée, des discours qui éprouvent le besoin de la réinvestir.

Il faut donc prendre Nietzsche au mot quand il dit que « la voie est ouverte à des formes nouvelles et plus subtiles de l'hypothèse de l'âme ». Rien ne nous force à nous en tenir à jamais à l'âme-substance de la métaphy-sique classique : les notions de virtuel ou d'imaginal, l'idée d'une ligne de fuite qui fait fuir le monde et qui défait le moi, montrent que l'on n'est pas condamné, une fois abandonnée la substance, à continuer de penser l'âme sous les espèces du fondement, de l'identité et de l'origi-naire (comme acte de la vie et de l'esprit, comme intimité primordiale). L'âme n'est pas un arrière-monde lové dans ce monde-ci (le « monde intérieur », la région psychique dont parle Husserl), elle n'est pas l'origine du sens et l'ouverture du monde en général (le Je, le transcen-dantal), ni seulement la dimension d'autoaffection anté-rieure à toute expérience du monde ; elle est ce qui se déprend du monde et le mine, non par défaut, par un retour à l'intimité, mais par excès, en le multipliant à l'infini.

Rien ne nous empêche non plus de changer de problèmes. La question de la croyance en l'âme, l'attitude qui consiste à ne pas vouloir en parler parce que l'on n'y croit pas, masque le plus souvent une forme de paresse théorique qui, en exigeant en premier lieu des preuves de l'existence de l'âme – donc l'attestation d'une expérience possible –, réserve à cette notion un traitement particulièrement injuste, comme s'il y allait d'une question de fait. La question de savoir si l'âme est une expérience, ou seulement une hypothèse audacieuse, n'a pas beaucoup d'intérêt tant que l'on n'a pas commencé à penser, non pas sous l'hypothèse de l'âme, mais sous le régime de l'âme, pour voir comment elle nous force à penser autrement. Au-delà de la croyance, le concept reste disponible pour toutes sortes d'usages – esthétiques, moraux, biologiques, politiques. Force mouvante, souffle et vent dès son origine, si l'âme est encore vivante, c'est en s'arrachant sans cesse à sa propre définition. Son idée en saisit toujours plus que l'on ne peut effectivement montrer (*Critique de la raison pure*. B 855), et c'est pourquoi elle ne se remplace pas.

Rien ne nous empêche non plus de changer de problème. Si l'équation de la croyance en l'âme n'a pas qui tenaisse à ne pas vouloir en parler ici, et que, l'on y coïncidra, jusqu'à ce plus souvent une forme de phrases classique qu'en exposant en présupposant des preuves de l'existence de l'âme - alors l'assertion d'une existence possible - réserve à cette notion un traitement particulier, littéralement injuste comme s'il s'agissait d'une question de qui, à l'occasion de savoir si l'âme est une expérience ou en reproduisant une hypothèse inductrice, n'a pas besoin d'en débattre tant que l'on n'a pas condamné à parler non pas son l'hypothèse de l'âme, mais le régime de l'âme pour vous convaincre elle nous à rien présentement, à qui de la convaince. Je concur reste disponible pour toutes sortes d'usages - aventures, mœurs, biologies, sciences, politiques. L'être innovante souffle et vent, nos soi-même en l'âme est phénomène vivante, c'est en aura chau, sans cesse, toujours définition sont tels en après toujours plus que l'on peut de effectivement montrer (Cimon, vie privée) (de B. 857) necessairement quoi elle ne se réduit pas.

I

QU'EST-CE QUE L'ÂME ?

I

PLATON

LE MOUVEMENT QUI SE MEUT LUI-MÊME

Platon, *Lois* X, 895a-896d, vol. XII, 1, trad.
A. Diès, Paris, Les Belles Lettres, 1956, p. 156-159.

Ce texte du dixième livre des *Lois* s'inscrit dans le dessein d'une fondation rationnelle du fonctionnement de la cité. L'Athénien, le protagoniste essentiel du dialogue, entreprend de combattre cette dangereuse « doctrine moderne » qui réduit les dieux et les valeurs en général à des conventions changeantes. De proche en proche, le dialogue se resserre autour du problème du principe des choses. « C'est l'âme, ô mon ami, dont presque tous risquent d'avoir méconnu la nature et la vertu : ils ont ignoré entre autres privilèges, celui de sa naissance, qui la fait première née, antérieure à tous les corps, cause éminente de tous leurs changements, de toutes leurs transformations ; si l'âme a ce privilège, n'est-il pas inévitable que ce qui s'apparente à elle soit né avant ce qui appartient au corps, puisqu'elle est plus vieille que les corps ? » (892a). On s'est donc rendu coupable d'un renversement des valeurs au point de vue métaphysique, renversement qui sape nécessairement les fondements mêmes de toute théodicée (et, en suivant le *Phédon*, de toute morale). C'est sur la base de l'âme en effet que repose la croyance aux dieux, et par suite toute position de valeur : l'intellect, l'art, la loi ne sont antérieurs au dur, au mou, au lourd ou au léger que pour autant que l'âme vient en premier et existe par nature (892b). C'est sur l'âme aussi, pensée comme causalité universelle, que repose la possibilité de la Providence. Mais pour montrer cela, justement, il faut passer de l'idée d'une antériorité de nature à celle d'un pouvoir absolu de causer, de communiquer le mouvement.

Le texte qui suit construit le concept d'âme dans sa plus grande généralité, en en proposant la définition célèbre : « le mouvement capable de se mouvoir lui-même ». Le *Phèdre* développait déjà ce raisonnement en y fondant une preuve de l'immortalité de l'âme : « Seul l'être qui se meut lui-même, puisqu'il ne fait pas défaut à lui-même, ne cesse jamais d'être mû », donc « ce qui se meut toujours est immortel ». Mieux encore, si l'âme est principe (littéralement, ce qui vient en premier), elle est inengendrée car « le principe, lui, ne vient de rien » (*Phèdre*. 245c-e). On dira donc que « l'âme ne peut être ni quelque chose d'engendré, ni quelque chose de mortel » (*Ibid.*. 246a). Mais le propos a un sens encore plus fondamental dans les *Lois* :

il s'agit de caractériser l'âme comme le principe premier de tout ce qui existe, principe générateur universel, activité transcendante à la série des mouvements (qu'il s'agisse de mouvements physiques, translation, altération ou autres, ou de mouvements purement psychiques, idées, désirs, tendances). Un partage radical s'établit ainsi entre d'une part la série de la nécessité mécanique, la succession des causes et des effets, le déterminisme des mouvements reçus et transmis, d'autre part l'ordre de l'autodétermination, du mouvement qui se meut lui-même et se communique à tout le reste. L'essence métaphysique (supraphysique) de l'âme tient à ce que dans son cas s'abolit la distinction de l'agent et du patient : l'âme *se* meut. Cela vaut pour l'âme du monde et *a fortiori* pour l'âme des vivants. L'ordre de l'autodétermination, c'est proprement celui de la réalité spirituelle (*Lois*, 895c-896a). Mais, « cause de tout », l'âme s'insère en même temps dans la série des mouvements qu'elle fait commencer. Son statut intermédiaire entre le sensible et l'intelligible est donc manifeste : elle ne peut pas rendre compte du mouvement sans combler du même coup l'écart qui sépare les ordres. Le principe moteur est ouverture immédiate sur le sensible. Plus d'opposition entre l'immobilité de l'intelligible et la mobilité du sensible, le repos de l'être en soi-même et le devenir sensible qui s'échappe sans cesse : c'est bien plutôt le repos qui exprime la mort, tandis que le mouvement se donne la consistance d'une essence. Il n'est donc pas tellement question ici de l'Âme du monde au sens d'un pouvoir idéal d'organisation, comme dans le *Timée*, mais plutôt de l'âme ou de l'esprit en général, du principe spirituel qui mène le monde, le met en branle et le maintient. Il n'y a plus alors qu'à s'interroger sur la norme de cette activité universelle en se demandant « quelle espèce d'âme tient en son pouvoir le ciel, la terre et tout ce qui est soumis à la révolution ». En posant la bonté de l'esprit qui régit l'univers, on fonde la finalité de la nature, et du même coup toutes les formes de l'argumentation physico-théologique (ordre, dessein providentiel).

L'Athénien. — Voici une nouvelle question à poser, à laquelle, cette fois encore, nous ferons nous-mêmes la réponse. Si toutes choses venaient à se confondre et s'immobiliser, comme la plupart de nos sages [1] osent le prétendre, quel mouvement, parmi ceux dont nous avons parlé, devrait forcément naître le premier ? Évidemment,

---

1. Hypothèse rejetée dans le *Phèdre* (245e2). Ici sont visés à la fois Anaxagore et Parménide (cf. *Théétète* 180e).

celui qui se meut lui-même. De nul autre avant lui, en effet, ne peut lui venir le branle, puisqu'il n'y avait, avant lui, dans cette masse, aucun branle. Ainsi, principe universel et premier des mouvements, soit pour ce qui était immobile, soit pour ce qui est mû, le mouvement qui se meut lui-même est, nous l'affirmerons, nécessairement le plus ancien et le plus puissant de tous les changements ; quant à celui qui, mis en branle par autre chose, en meut d'autres à son tour, il n'est que le second.

Clinias. – Rien de plus vrai.

L'Athénien. – Puisque notre discussion en est à ce point, répondons à la question suivante.

Clinias. – Laquelle ?

L'Athénien. – Si nous voyons se manifester ce premier changement dans une chose faite de terre, d'eau ou de feu, soit séparés, soit mélangés, quel caractère dirons-nous qu'il y réalise ?

Clinias. – Me demandes-tu si nous dirons que cette chose vit, du moment qu'elle se meut elle-même ?

L'Athénien. – Oui.

Clinias. – Qu'elle vit, sans aucun doute.

L'Athénien. – Eh quoi, pour tout être en qui nous voyons une âme, n'en est-il pas de même ? Ne devons-nous pas convenir qu'il vit ?

Clinias. – Semblablement.

L'Athénien. – Halte alors, par Zeus ! N'accepteras-tu pas de concevoir, à propos de quelque objet que ce soit, trois choses ?

Clinias. – Que veux-tu dire ?

L'Athénien. – L'une est l'essence ; l'autre, la définition de l'essence ; la troisième, le nom. D'autre part, au sujet de chaque être, deux questions peuvent se poser.

Clinias. – Quelles sont ces deux questions ?

L'Athénien. – Tantôt nous présentons le nom et demandons la définition ; tantôt c'est la définition que nous présentons en demandant le nom.

Clinias. – Ce que par là nous voulons dire, n'est-ce pas quelque chose comme ceci ?

L'Athénien. – Comme quoi ?

Clinias. — Certaines choses, et, entre autres choses, certains nombres, peuvent se diviser en deux : quand c'est le cas d'un nombre, son nom est « pair », et sa définition « un nombre qui se divise en deux parties égales ».

L'Athénien. — Oui, c'est cela que je veux dire. Or n'est-ce pas la même chose que nous exprimons dans l'un et l'autre cas, lorsqu'on nous demande la définition, en donnant le nom ; soit lorsqu'on nous demande le nom, en donnant la définition ? Et, par le nom pair, par la définition « nombre divisible en deux », ne désignons-nous pas la même chose ?

Clinias. — Absolument.

L'Athénien. — De ce qui a pour nom « âme », quelle est donc la définition ? En avons-nous une autre à fournir que celle de tout à l'heure, « le mouvement capable de se mouvoir lui-même » ?

Clinias. — Se mouvoir soi-même, telle est donc, affirmes-tu, la définition de ce même être qui a pour nom « âme » dans notre parler à tous ?

L'Athénien. — C'est bien là ce que j'affirme. S'il en est ainsi, regrettons-nous encore quelque insuffisance dans cette preuve, donnée par nous, que l'âme est identique au principe de génération et de mouvement et, tout aussi bien, de leurs contraires, pour tous les êtres présents, passés ou futurs, alors que nous avons, précisément, découvert en elle la cause universelle de tout changement et de tout mouvement ?

Clinias. — Nullement ; nous avons, au contraire, adéquatement démontré que l'âme est le plus ancien de tous les êtres, du moment que nous l'avons démontrée principe de mouvement.

L'Athénien. — N'est-il pas vrai, dès lors, que le mouvement produit du dehors en quelque être que ce soit et qui ne lui confère jamais le pouvoir de se mouvoir soi-même vient au second rang et même à autant de rangs plus bas qu'on pourra se donner fantaisie de compter, vu qu'il est changement dans un corps réellement privé d'âme ?

Clinias. — C'est exact.

L'Athénien. – Exacte donc aussi et pleinement réelle, absolument et parfaitement vraie serait cette priorité d'origine que nous avons reconnue à l'âme relativement au corps, et cette situation seconde et postérieure du corps, puisque, par nature, l'âme commande et le corps obéit.

Clinias. – Absolument vrai.

L'Athénien. – Or nous nous rappelons ce dont nous étions convenus précédemment, que, si l'âme était démontrée plus ancienne que le corps, ce qui est de l'âme serait également plus ancien que ce qui est du corps.

Clinias. – Parfaitement.

L'Athénien. – Mœurs, caractères, volontés, raisonnements, opinions vraies, attentions, souvenirs, seraient donc antérieurs à la longueur, largeur, profondeur et force des corps, du fait que l'âme le serait au corps.

Clinias. – Nécessairement.

L'Athénien. – Ne devrons-nous donc pas, en conséquence, nécessairement avouer que l'âme est cause du bien, du mal, du beau, du laid, du juste, de l'injuste et de tous les contraires, du moment que nous l'affirmerons cause de tout ?

II

PLATON

L'ÂME PARENTE DES IDÉES

Platon, *Phédon*, 78c-80c, trad. M. Dixsaut, Paris, GF-Flammarion, 1991, p. 240-243.

Le *Phédon* ne parle que de l'âme, mais il n'en donne à aucun moment la définition. C'est que le vrai sujet, la seule question qui soit directement posée, c'est celle de la mort et de l'immortalité. C'est dans le sillage de ces notions que l'âme intervient, comme support possible ou comme corrélat – pour ne pas se prononcer trop vite sur sa nature substantielle – de l'immortel. La question « qu'est-ce que l'âme ? » n'apparaît donc jamais qu'au détour de questions plus insistantes portant sur l'immortalité, le divin, l'intelligible. Penser l'âme à partir de l'immortalité, c'est la saisir en acte, dans ce mouvement d'arrachement à

QU'EST-CE QUE L'ÂME ?

la mort, au temps des choses périssables – à tout ce qui, en un mot, relève du corps. « Tous ceux qui s'appliquent à la philosophie et s'y appliquent droitement ne s'occupent de rien d'autre que de mourir et d'être morts » (*Phédon*. 64a). Il s'agit de mourir au corps et à son monde autant que possible pour se « tourner vers l'âme » (64e) et la faire « se concentrer en elle-même » (65d). Or cela n'est rien d'autre que l'expérience même de la pensée : « Alors, à ce qu'il semble, nous appartiendra enfin ce que nous désirons et dont nous sommes amoureux : la pensée » (66e). « Nous serons, c'est vrai-semblable, en compagnie d'êtres semblables à nous, et par ce qui est vraiment nous-mêmes, nous connaîtrons tout ce qui est sans mélange – et sans doute est-ce cela, le vrai. Car ne pas être pur et se saisir du pur, il faut craindre que ce ne soit pas là chose permise » (67a-b). Dans cet état, comme l'indique le texte que l'on présente ici, l'âme semble avoir en effet « le plus de ressemblance et de parenté » avec les Formes intelligibles, ces essences tou-jours semblables à elles-mêmes, uniques et immuables, invisi-bles, par opposition aux choses visibles, multiples et contraires, qui, dans leur perpétuel change-ment, relèvent des sens. Dans la proximité des essences, l'âme se manifeste comme « apparentée » à leur « manière d'être » : uni-fiée, semblable à elle-même.
Mais elle n'est pas immortelle au sens où l'est le divin, l'intelligi-ble. L'identité de ce qui est tou-

jours, étant semblable à soi, ce n'est pas l'*immortel*, c'est l'*éternel*, un mode d'existence soustrait au temps et au devenir. C'est pourquoi le pas qui consiste à déduire l'indestructibilité de l'âme de l'immortalité qu'elle éprouve dans l'expérience de la pensée est problématique. Com-ment passer d'un rapport de res-semblance et de parenté (lui-même lié à un rapport de proximité dans l'acte de penser) à une détermination ontologique qui concernerait l'être de l'âme en la qualifiant d'indissoluble ? Immortel, est-ce la même chose qu'indestructible ? On notera la réserve significative de Socrate, à la fin du passage : « C'est donc au corps qu'il convient de se dissou-dre rapidement, et à l'âme d'être totalement indissoluble, ou presque. » C'est peut-être que l'âme n'est pas par nature sous-traite au devenir : quand elle cesse de penser et se tourne vers le sensible, elle est prise de vertige, comme ivre, et se disperse. Il faut donc dire qu'immortelle, l'âme peut choisir de le devenir en se rendant par l'exercice de la pensée semblable à l'immuable – ou au contraire le refuser en se compromettant avec les corps. L'âme n'est pas indissoluble par nature comme les Formes, et on se trompe en pensant l'immorta-lité à la manière d'un attribut dont il faudrait chercher le sup-port. À aucun moment il n'est question ici de définir l'essence de l'âme pour démontrer son immortalité ; à aucun moment l'idée de sa simplicité (de sa non-composition) n'intervient dans le raisonnement. L'immortalité de l'âme repose tout entière sur ce qu'elle décide de faire d'elle-même dans l'activité à laquelle elle se livre. Reste malgré tout une quasi-définition de l'âme, ou tout au moins une caractérisation qui marquera tout le spiritualisme après Platon : l'âme invisible est parente des Idées.

— Alors, dit Socrate, portons-nous vers le point où nous étions arrivés lors de notre précédent raisonnement. Cette essence — c'est de sa manière d'être dont nous rendons un juste compte et lorsque nous questionnons et lorsque nous répondons —, est-ce qu'elle se comporte toujours semblablement en restant même qu'elle-même, ou est-ce qu'elle est tantôt ainsi, et tantôt autrement ? L'égal en soi, le beau en soi, le « ce qu'est » chaque chose en soi-même, le véritablement étant, est-ce que jamais cela peut accueillir en soi un changement, quel que soit d'ailleurs ce changement ? Ou bien, comme ce qu'est chacun de ces êtres comporte en soi et par soi une unique forme, est-ce que cela ne reste pas toujours semblablement même que soi, sans accueillir à aucun moment, sur aucun point, en aucune façon, aucune altération ?

— Qu'ils restent semblables et mêmes qu'eux-mêmes, c'est une nécessité, Socrate, répondit Cébès.

— Et pour les multiples choses qui sont belles, hommes, chevaux, vêtements par exemple, ou pour n'importe quelles choses du même genre pouvant être dites égales, ou belles, bref pour toutes celles qui sont désignées par le même nom que les êtres dont je parle ? Est-ce qu'elles restent les mêmes ? Ou bien, tout au contraire de ces êtres, ne sont-elles pour ainsi dire jamais et en aucune façon les mêmes, et pas davantage vis-à-vis d'elles-mêmes que dans les rapports qui les relient les unes aux autres ?

— Dans leur cas, dit Cébès, cela se passe de cette façon : jamais elles ne restent semblables.

— Or, les unes tu peux les percevoir à la fois par le toucher, la vue, et tous les autres sens ; mais les autres, celles qui restent mêmes qu'elles-mêmes, absolument impossible de les saisir autrement que par l'acte de raisonnement propre à la réflexion car elles sont invisibles, les réalités de ce genre, elles ne se donnent pas à voir.

— C'est parfaitement vrai, dit-il.

— Posons donc, tu veux bien ? deux espèces parmi les choses qui sont, l'une qu'on peut voir, alors que l'autre est invisible.

— Posons, dit-il.

— Posons aussi que celle qui est invisible est toujours même qu'elle-même, alors que celle qu'on peut voir ne l'est jamais.

— Posons cela aussi, dit-il.

— Alors, continuons, dit Socrate : ce qui nous constitue, n'est-ce pas d'une part un corps, et, d'autre part, une âme ?

— Rien d'autre, dit-il.

— Avec laquelle de nos deux espèces pouvons-nous donc affirmer que le corps a le plus de ressemblance et de parenté ?

— Cela au moins, dit Cébès, est évident pour tout le monde : avec le visible.

— Alors l'âme ? c'est une chose visible ou invisible ?

— Visible ? pas par des hommes en tout cas, Socrate ! dit-il.

— Mais le visible et le non-visible, pas de doute, c'est bien par rapport à la nature humaine que nous les définissons, nous autres ! À moins que toi, tu n'aies une autre nature en tête ?

— Non, la nature humaine.

— Bon. Donc, pour l'âme, que disons-nous ? Qu'on peut ou qu'on ne peut pas la voir ?

— Qu'on ne peut pas la voir.

— Chose invisible, par conséquent ?

— Oui.

— Avoir une âme, cela ressemble plus à ce qui est invisible qu'un corps ; lui, en revanche, ressemble plus à ce qu'on peut voir ?

— De toute nécessité, Socrate.

— Mais ce point-là, ne l'avions-nous pas justement établi il y a déjà un bon moment, quand nous disions : toutes les fois que l'âme a recours au corps pour examiner quelque chose, utilisant soit la vue, soit l'ouïe, soit n'importe quel autre sens (par « avoir recours au corps » j'entends : « utiliser les sens pour examiner quelque chose ») alors elle est traînée par le corps dans la direction de ce qui jamais ne reste même que soi, et la voilà en proie à l'errance, au trouble, au vertige, comme si elle était ivre, tout cela parce que c'est avec ce genre de choses qu'elle est en contact ?

— Oui, absolument.

— Quand, au contraire, c'est l'âme elle-même, et seulement par elle-même, qui conduit son examen, elle s'élance là-bas, vers ce qui est pur et qui est toujours, qui est immortel et toujours semblable à soi ? Et comme elle est apparentée à cette manière d'être, elle reste toujours en sa compagnie, chaque fois précisément que, se concentrant elle-même en elle-même, cela lui devient possible. C'en est fini alors de son errance : dans la proximité de ces êtres, elle reste toujours semblablement même qu'elle-même, puisqu'elle est à leur contact. Cet état de l'âme, c'est bien ce qu'on appelle la pensée ?

— C'est vraiment très beau, et très vrai, ce que tu dis, Socrate.

— Donc, je répète : avec laquelle de nos deux espèces — d'après les définitions que nous avons données auparavant et encore à l'instant — l'âme offre-t-elle, à ton avis, plus de ressemblance et de parenté ?

— À mon avis, dit Cébès, si on suit cette voie de recherche, tout le monde, et même le cerveau le plus lent, sera prêt à accorder que, en gros et dans le détail, l'âme est une chose qui offre plus de ressemblance avec ce qui existe toujours de la même façon plutôt qu'avec ce qui ne le fait pas.

— Et le corps ?

— Avec l'autre espèce.

— Et maintenant, envisage la question aussi de ce point de vue : lorsqu'une âme et un corps sont ensemble, la nature prescrit à l'un d'être asservi et commandé, à l'autre de commander et de diriger. Sous ce nouveau rapport, lequel des deux, à ton avis, est semblable à ce qui est divin, et lequel à ce qui est mortel ? Mais peut-être ne crois-tu pas que ce qui est divin soit naturellement fait pour

commander et diriger, et ce qui est mortel pour être commandé et obéir ?
– Moi ? Bien sûr que si.
– Alors, auquel des deux l'âme ressemble-t-elle ?
– C'est l'évidence même, Socrate : l'âme ressemble au divin, et le corps à ce qui est mortel.
– Examine alors, Cébès, dit-il, si nous arrivons bien, en fonction de ce qui précède, à la conclusion suivante : ce qui est divin, immortel, objet pour l'intelligence, qui possède une forme unique, qui est indissoluble et toujours semblablement même que soi-même, voilà ce avec quoi l'âme offre le plus de ressemblance. En revanche, ce qui est humain, mortel, inaccessible à l'intelligence, multiforme, sujet à la dissolution, et qui jamais n'est même que soi, c'est au contraire avec cela que le corps offre le plus de ressemblance. Est-ce que nous pouvons, mon cher Cébès, aller contre ces affirmations et dire qu'il en va autrement ?
– Non, nous ne pouvons pas.
– Très bien. S'il en est ainsi, c'est donc au corps qu'il convient de se dissoudre rapidement, et à l'âme d'être totalement indissoluble, ou presque ?
– Impossible autrement.

III

DESCARTES

L'ÂME, CHOSE PENSANTE

Descartes, Seconde Méditation, in *Méditations métaphysiques*. Paris, GF-Flammarion, 1992, p. 73-79.

Je suis, j'existe : c'est la certitude absolue où s'arrête le doute, du moins tant que je pense. Que l'on me trompe tant que l'on voudra, je serai toujours certain d'être tandis que l'on me trompe. Mais qui, *je* ? Certainement pas la personne appelée René Descartes, avec son apparence physique, ses traits de caractère, ses souvenirs, ses goûts et ses dégoûts – bref, toutes ses caractéristiques sociales et psychologiques : tout cela a été justement mis à distance par le doute. Le Je du « Je pense » n'a pas de visage. C'est un sujet absolu qui semble se confondre avec la possibilité même de la pensée : pôle de tous les vécus, sujet d'inhérence auquel tous les prédicats – toutes les pensées – se rapportent ultimement, et qui reste le même sous le flux des qualités accidentelles.

Mais je *pense*, c'est aussitôt j'*existe*. Cette existence n'est pas déduite à la manière d'un syllogisme, comme on le pense souvent en lisant la formule des *Principes* et du *Discours* (« Je pense donc je suis », qui n'apparaît pas ici). C'est une intuition première qui vient avec la pensée. Mais quel mode d'existence, quel mode d'être ? Descartes transpose aussitôt le sujet universel de la conscience en une *chose* : Je suis « une chose qui pense », *res cogitans*, « une substance dont toute l'essence ou la nature n'est que de penser » (*Discours de la méthode.* IV), « c'est-à-dire l'âme par laquelle je suis ce que je suis » (*Ibid.*). Le *cogito*, en permettant d'affirmer le primat de la pensée sur tout objet connu (cf. l'analyse du morceau de cire, qui suit ce passage) ouvre la voie à l'idéalisme, au kantisme, à la phénoménologie. Mais le passage de l'intuition du Je pensant à la position de son existence comme chose pensante est précisément ce que Kant (dans les paralogismes) et Husserl (dans sa critique de la « falsification psychologisante » du *cogito*) reprocheront toujours à Descartes.

Je suis une « chose qui pense », c'est-à-dire, je suis mon âme, je suis âme. Du Je pur (dans le *cogito*) on ne glisse pas au moi

empirique (René Descartes), mais à un réalisme de l'âme comme substance. Si l'âme est une *chose*, ce n'est pas au sens courant où elle serait *quelque chose* du monde, au même titre que le reste, et que l'on pourrait se représenter en images. Sans image et sans visage, l'âme n'est pas non plus une simple forme (ou, pire, une abstraction intellectuelle). Elle est *substance* (« je connus de là que j'étais une substance », *Discours de la méthode.* IV), c'est-à-dire le seul vrai concret, ce qui, selon la définition donnée dans les *Réponses aux sixièmes objections.* a la capacité de subsister par soi seul : « Tout ce qui est réel peut exister séparément de tout autre sujet ; or ce qui peut ainsi exister séparément est une substance. »

Mais le nom d'âme est « équivoque », parce que l'on est toujours tenté de lui associer des images qui la réduisent, précisément, à « quelque chose » d'« extrêmement rare et subtil, comme un vent, une flamme ou un air très délié », si bien que Descartes lui préfère souvent le nom d'« esprit » : « Je n'ai pas dit que j'étais une âme, mais seulement j'ai dit que j'étais quelque chose qui pense, et j'ai donné à cette chose qui pense le nom d'esprit, ou celui d'entendement ou de raison, n'entendant rien de plus par le nom d'esprit que par celui d'une chose qui pense » (*Réponses aux septièmes objections*). Significativement, « âme » disparaît de notre passage après « passons donc aux attributs de l'âme » : elle s'éclipse derrière la

QU'EST-CE QUE L'ÂME ?

« chose qui pense », au point que lorsque cette dernière est définie, la version française revue par Descartes omet curieusement le mot « âme », pourtant présent dans le texte latin (*res cogitans, id est, mens, sive animus, sive intellectus, sive ratio*) : « un esprit, un entendement ou une raison », voilà ce qui reste. On remarquera aussi que dans le cadre de la Seconde Méditation dont ce texte est extrait, Descartes ne prétend pas démontrer l'existence d'une « chose spirituelle et incorporelle ». Il ne parle que d'une « chose qui pense », sans chercher encore à établir la distinction réelle de l'âme et du corps (il faut attendre pour cela la Sixième Méditation). Tout ce qui est dit est que l'âme se connaît plus aisément que le corps, parce que précisément son essence est la pensée. La possibilité demeure donc « qu'une chose qui pense soit quelque chose de corporel » (*Réponses aux troisièmes objections*).

Je suppose donc que toutes les choses que je vois sont fausses ; je me persuade que rien n'a jamais été de tout ce que ma mémoire remplie de mensonges me représente ; je pense n'avoir aucun sens ; je crois que le corps, la figure, l'étendue, le mouvement et le lieu ne sont que des fictions de mon esprit. Qu'est-ce donc qui pourra être estimé véritable ? Peut-être rien autre chose, sinon qu'il n'y a rien au monde de certain.

Mais que sais-je s'il n'y a point quelque autre chose différente de celles que je viens de juger incertaines, de laquelle on ne puisse avoir le moindre doute ? N'y a-t-il point quelque Dieu ou quelque autre puissance qui me met en l'esprit ces pensées ? Cela n'est pas nécessaire ; car peut-être que je suis capable de les produire de moi-même. Moi donc à tout le moins ne suis-je point quelque chose ? Mais j'ai déjà nié que j'eusse aucun sens et aucun corps. J'hésite néanmoins, car que s'ensuit-il de là ? Suis-je tellement dépendant du corps et des sens que je ne puisse être sans eux ? Mais je me suis persuadé qu'il n'y avait rien du tout dans le monde, qu'il n'y avait aucun ciel, aucune terre, aucun esprit ni aucun corps ; ne me suis-je donc pas aussi persuadé que je n'étais point ? Non certes ; j'étais sans doute, si je me suis persuadé, ou seulement si j'ai pensé quelque chose ? Mais il y a un je ne sais quel trompeur très puissant et très rusé, qui emploie toute son industrie à me tromper toujours. Il n'y

a donc point de doute que je suis, s'il me trompe ; et qu'il
me trompe tant qu'il voudra, il ne saurait jamais faire que
je ne sois rien tant que je penserai être quelque chose. De
sorte qu'après y avoir bien pensé et avoir soigneusement
examiné toutes choses, enfin il faut conclure, et tenir pour
constant que cette proposition : *Je suis, j'existe*, est nécessairement vraie, toutes les fois que je la prononce ou que
je la conçois en mon esprit.

Mais je ne connais pas encore assez clairement ce que
je suis, moi qui suis certain que je suis ; de sorte que
désormais il faut que je prenne soigneusement garde de
ne prendre pas imprudemment quelque autre chose pour
moi, et ainsi de ne point me méprendre dans cette
connaissance, que je soutiens être plus certaine et plus
évidente que toutes celles que j'ai eues auparavant.

C'est pourquoi je considérerai derechef ce que je
croyais être avant que j'entrasse dans ces dernières
pensées ; et de mes anciennes opinions je retrancherai
tout ce qui peut être combattu par les raisons que j'ai
tantôt alléguées, en sorte qu'il ne demeure précisément
rien que ce qui est entièrement certain et indubitable.
Qu'est-ce donc que j'ai cru être ci-devant ? Sans difficulté, j'ai pensé que j'étais un homme. Mais qu'est-ce
qu'un homme ? Dirai-je que c'est un animal
raisonnable ? Non certes : car il me faudrait par après
chercher ce que c'est qu'animal, et ce que c'est que raisonnable, et ainsi d'une seule question nous tomberions
insensiblement en une infinité d'autres plus difficiles et
embarrassées, et je ne voudrais pas abuser du peu de
temps et de loisir qui me reste, en l'employant à démêler
de semblables subtilités. Mais je m'arrêterai plutôt à
considérer ici les pensées qui naissaient ci-devant d'elles-
mêmes en mon esprit, et qui ne m'étaient inspirées que
de ma seule nature, lorsque je m'appliquais à la considération de mon être. Je me considérais, premièrement,
comme ayant un visage, des mains, des bras, et toute cette
machine composée d'os et de chair, telle qu'elle paraît en
un cadavre, laquelle je désignais par le nom de corps. Je
considérais, outre cela, que je me nourrissais, que je
marchais, que je sentais et que je pensais, et je rapportais

toutes ces actions à l'âme ; mais je ne m'arrêtais point à penser ce qu'était que cette âme, ou bien, si je m'y arrêtais, j'imaginais qu'elle était quelque chose extrêmement rare et subtile, comme un vent, une flamme ou un air très délié, qui était insinué et répandu dans mes plus grossières parties. Pour ce qui était du corps, je ne doutais nullement de sa nature ; car je pensais la connaître fort distinctement, et, si je l'eusse voulu expliquer suivant les notions que j'en avais, je l'eusse décrite en cette sorte : par le corps, j'entends tout ce qui peut être terminé par quelque figure ; qui peut être compris en quelque lieu, et remplir un espace en telle sorte que tout autre corps en soit exclu ; qui peut être senti, ou par l'attouchement, ou par la vue, ou par l'ouïe, ou par le goût, ou par l'odorat ; qui peut être mû en plusieurs façons, non par lui-même, mais par quelque chose d'étranger duquel il soit touché et dont il reçoive l'impression. Car d'avoir en soi la puissance de se mouvoir, de sentir et de penser, je ne croyais aucunement que l'on dût attribuer ces avantages à la nature corporelle ; au contraire, je m'étonnais plutôt de voir que de semblables facultés se rencontraient en certains corps.

Mais moi, qui suis-je, maintenant que je suppose qu'il y a quelqu'un qui est extrêmement puissant, et, si je l'ose dire, malicieux et rusé, qui emploie toutes ses forces et toute son industrie à me tromper ? Puis-je m'assurer d'avoir la moindre de toutes les choses que j'ai attribuées ci-devant à la nature corporelle ? Je m'arrête à y penser avec attention, je passe et repasse toutes ces choses en mon esprit, et je n'en rencontre aucune que je puisse dire être en moi ; il n'est pas besoin que je m'arrête à les dénombrer. Passons donc aux attributs de l'âme, et voyons donc s'il y en a quelques-uns qui soient en moi. Les premiers sont de me nourrir et de marcher ; mais s'il est vrai que je n'ai point de corps, il est vrai aussi que je ne puis marcher ni me nourrir. Un autre est de sentir ; mais on ne peut aussi sentir sans le corps : outre que j'ai pensé sentir autrefois plusieurs choses pendant le sommeil, que j'ai reconnu à mon réveil n'avoir point en effet senties. Un autre est de penser, et je trouve ici que la pensée est un attribut qui m'appartient : elle seule ne peut être détachée de moi. *Je suis, j'existe* : cela est certain ; mais combien de temps ? À savoir, autant de temps que je pense ; car peut-être même qu'il se pourrait faire, si je cessais de penser, que je cesserais en même temps d'être ou d'exister. Je n'admets maintenant rien qui ne soit nécessairement vrai : je ne suis donc, précisément parlant, qu'une chose qui pense, c'est-à-dire un esprit, un entendement ou une raison, qui sont des termes dont la signification m'était auparavant inconnue. Or je suis une chose vraie et vraiment existante ; mais quelle chose ? Je l'ai dit : une chose qui pense. Et quoi davantage ? J'exciterai mon imagination pour voir si je ne suis pas encore quelque chose de plus. Je ne suis point cet assemblage de membres que l'on appelle le corps humain ; je ne suis point un air délié et pénétrant répandu dans tous ces membres ; je ne suis point un vent, un souffle, une vapeur, ni rien de tout ce que je puis feindre et imaginer, puisque j'ai supposé que tout cela n'était rien et que, sans changer cette supposition, je trouve que je ne laisse pas d'être certain que je suis quelque chose.

IV

SOURIAU

L'ÂME EST UN MONDE

Souriau, *Avoir une âme, essai sur les existences virtuelles*. Paris, Les Belles Lettres, 1938, p. 1-4, 10-13.

Rares sont les philosophes qui, au XXᵉ siècle, ont parlé de l'âme autrement qu'à travers une critique de ses présupposés métaphysiques (la substance, la subjectivité, l'intériorité), ou alors en faisant retour vers certaines positions historiques sur la question de l'âme (l'âme comme principe d'organisation biologique, l'âme comme intimité de la présence à soi : Aristote, saint Augustin). *Avoir une âme* (1938) est un curieux ouvrage à cet égard. Il tranche d'abord par son style, mêlant les registres de l'essai, de la méditation philosophique, de l'écriture poétique et du dialogue. Mais c'est surtout son contenu qui est remarquable. C'est la notion de virtuel (annoncée dans le sous-titre du livre, *essai sur les existences virtuelles*) qui permet à Étienne Souriau de poser directement le problème du mode d'être de l'âme, et de refuser clairement par là la stratégie qui consiste à éviter l'ontologie en se réfugiant dans une sorte de phénoménologie du psychisme ou de l'approfondissement spirituel. Il s'agit bien de savoir d'abord « si, et à quelles conditions, cette existence spirituelle est quelque chose » (*Avoir une âme,* p. 118). En ce sens, sa démarche est à la fois proche et très différente de celle d'un Louis Lavelle, qui dans son traité *De l'âme humaine,* quelque quinze années plus tard, ressuscitait le couple du réel et du possible pour l'appliquer à la réalité spirituelle d'une âme sans existence substantielle, « essence en voie d'accomplissement ». L'âme chez Lavelle est ce sommet vers lequel toute la vie psychique est tendue ; elle est moins une existence que la conquête d'une existence, elle est un faisceau de possibles, de virtualités qui se découvrent en s'accomplissant. Mais Souriau ne pense pas l'âme dans les termes du réel et du possible : il parle de l'actuel et du virtuel, ce qui est bien différent. Cette distinction, que Bergson avait déjà fortement articulée, lui permet de montrer comment l'âme est réelle sans être actuelle, virtuelle sans être imaginaire ou simplement « idéale » (comme on parle d'un idéal à atteindre, d'un « moi idéal »). L'âme a la « réalité substantive du virtuel ». Il s'agit bien d'un *être* spirituel, doté de son espace propre, consti-

tuant à soi seul un monde labile et délicat : « Ce n'est pas en tant que sujet, c'est en tant qu'objet que l'âme […] se dessine, et mérite autant d'attention et d'intérêt. » Faut-il y voir l'expression d'une tendance très ancienne à substantifier, à hypostasier, à réaliser ou réifier l'âme ? Peu importe. Il ne s'agit pas en tout cas de faire simplement *comme si* l'âme était une chose. Plus qu'une façon de parler ou qu'un procédé commode, il y a une vérité pratique, puisque l'âme a justement cette faculté singulière de se faire chose, de se réaliser par ses propres forces, de devenir l'objet d'un effort exprès d'actualisation – c'est précisément ce qui se passe lorsque le sujet cherche à s'égaler à ce qui est représenté de lui comme idée. Le virtuel s'étend d'ailleurs toujours dans le sillage de moments ou de saillies absolument actuelles, d'instants clés ou de points singuliers dans lesquels on peut dire que la personnalité se constitue. L'âme a donc bien cette consistance du virtuel qui la distingue radicalement du possible ou de l'imaginaire. Souriau parle d'« intermonde » pour désigner ce réseau de points singuliers qui dessinent les voies d'actualisation de toute une série d'événements et de développements virtuels (il serait intéressant de voir en quoi on rejoint par là les conceptions du monde imaginal). Quand on cherche à la saisir au-delà de cette structure ou de ce crible qui conditionne l'actualisation du virtuel, l'âme risque toujours de devenir tout à fait évanescente. Si elle a la consistance d'un monde, c'est qu'elle se réalise sans cesse en suivant les voies dessinées par les moments saillants de l'existence psychique, comme une arabesque, une symphonie, une harmonie, une musique intérieure, une multiplicité en devenir soutenue par tout un « réseau de lignes de forces immatérielles » (*Avoir une âme*. p. 117).

Le texte suivant permet de mieux comprendre la démarche de Souriau, à travers ce qu'elle refuse (les doctrines de l'âme et la métaphysique), mais aussi ce à quoi s'alimente sa réflexion (la vie psychologique et les relations humaines ordinaires). L'idée d'âme est « une idée fort imparfaite [...] elle ne présente qu'un objet très

vague. À la concrétiser, on risque de tomber dans le mythe, dans la fantaisie pure. Ou bien, si j'essaye de la préciser par certaines spéculations rationnelles ou dogmatiques, je change entièrement de domaine, je pose un nouvel être, tout de raison, qui n'aura plus aucune communication avec l'objet concret qu'il s'agit de représenter » (*Ibid.*. p. 30). Si l'on veut donc tout de même comprendre ce qu'*est* l'âme, il vaut mieux partir de situations concrètes et singulières, par exemple celle où deux âmes entrent en commerce et cherchent à se connaître, afin de tenter de saisir « l'acception pratique et interhumaine du mot âme » (*Ibid.*. p. 18).

Le mot d'âme sonne assez bizarrement à des oreilles philosophiques modernes. Quand on l'entend prononcer, on croit moins assister à l'irruption de la métaphysique qu'à celle plutôt du langage des littérateurs et des poètes. Eux-mêmes les philosophes de philosophie générale l'évitent, lui préférant les succédanés les plus subtils. Quant aux psychologues, on sait qu'ils ont décidé résolument, et il y a longtemps déjà, de ne pas s'en servir.

Si bien que le mot reste disponible. À sa disgrâce, à son stage en dehors du langage des techniciens et des spécialistes, il a dû des alliances et des charmes.

Cela profite à certaines notions d'être un peu mises en pénitence. Dans l'ombre du cabinet noir, elles rajeunissent.

Quelles fautes de jeunesse expie l'idée d'âme, on le sait trop pour qu'il soit besoin de le rappeler sévèrement. Chacun sait comment elle s'est longtemps repentie de ses origines prélogiques. Psyché, papillon ou oiseau à tête humaine, ce que plus tard on nommera une Sirène, s'échappant du corps avec un petit cri, quand vient la mort – *psyché d'ek retheon ptamenè... goasa* [1], dit Homère – ou bien homoncule que le diable cueille prestement de la bouche d'un mourant ; voilà de quoi pour elle rester longtemps suspecte. Et que d'anecdotes compromettantes ! Les fines poussières irisées, les *xusmata* [2] qui flottent dans l'air, et qui sont des âmes, viennent tomber sur la terre et de là remontent par la tige des fèves, pour l'horreur des pythagoriciens... Cette crainte de mourir un jour de grand vent (l'âme fragile serait aussitôt dissipée), Platon y fait allusion... ou bien écrasé par la chute d'un roc ; l'âme resterait prise, ont pensé certains stoïciens.

Et puis ensuite, ou presque parallèlement, l'âge métaphysique, commencé de si bonne heure. L'âme conçue comme un nombre (c'est d'ailleurs une des idées les plus profondes qu'on ait proposées sur ce sujet [3]) ; ou bien encore, la voici entéléchie première d'un corps physique organisé ayant la vie en puissance [4]. Enfin, une substance, parfaitement distincte du corps, subsistant sans lui, et pouvant sans lui exercer mille merveilleuses facultés, dont celles de se diversifier et décomposer en une multitude de pensées, d'idées et d'actions diverses, sans perdre son unité...

C'est là-dessus qu'elle a été mise au coin, pour y méditer sur ses erreurs et sur ses fautes. L'âge positiviste s'est d'ailleurs débarrassé d'elle d'autant plus facilement qu'elle présentait alors une existence nouménale [5]. Or le siècle de Comte voulait des phénomènes. Et par phénomène cet âge entendait non seulement des apparences, mais aussi, d'abord, des événements : la succession d'un antécédent et d'un conséquent ; puis des relations fonctionnelles, souhaitées généralisables sous la forme invariante d'une loi. Certes, il a profité à la philosophie et à la psychologie de ne pas se départir longtemps

---

1. L'âme s'échappant du corps en gémissant...
2. Poussières qui volent dans l'air.
3. Idée pythagoricienne de l'âme-nombre. Souriau pour sa part conçoit l'âme comme harmonie psychique.
4. Cf. texte cité du traité *De l'âme* d'Aristote.
5. Kant pose l'âme comme noumène (cf. « Chose en soi »).

d'une discipline rigoureuse en apparence. Mais la roue a tourné ; d'une part certaines insuffisances de la méthode sont devenues manifestes. Certaines conquêtes d'autre part sont si définitives qu'elles ne peuvent être mises en discussion ni en danger. On ne reviendra ici, le lecteur en soit bien assuré, ni à l'hypostase nouménale ni à l'oiseau à tête humaine.

Poser ce problème : avoir une âme, ce n'est pas, malgré le timbre de ces mots, poser un problème métaphysique (pas plus métaphysique du moins que la plupart des problèmes). C'est poser avant tout un problème pratique ; et qui a même certains aspects psychologiques concrets, encourageant pour qui souhaite une connaissance pouvant se hausser jusqu'à celle du singulier. Certains aspects paradoxaux qu'évidemment la question présente, et qui risquent de donner apparence métaphysique à certains endroits de sa discussion, sont purement et simplement inhérents au fait. Car avoir une âme, posséder une âme, c'est posséder des richesses que l'on n'a pas ; c'est vivre positivement certaines vies irréelles ; c'est être plus grand que soi, plus beau et plus riche ; c'est constituer un univers substantiel et être soi-même cet univers, sans qu'il soit fait d'autre chose que d'événements sans substance, d'opérations transitives et de phénoménalités labiles. La moindre connaissance concrète des hommes suffit à montrer qu'il en est ainsi pour tous, mais avec de grandes variations proportionnelles. La plupart n'occupent véritablement (si l'on peut parler ainsi) qu'une faible partie de leur dimension cosmique. Les uns, d'ailleurs, se contentent parfaitement de cette condition ; et, sans rien tenter pour mieux faire, s'enferment dans cette petite région d'eux-mêmes. Là, ils vivent à l'aise. De ces gens au petit psychisme sécot, sécot. Presque pas d'âme. Habiles d'ailleurs parfois, et réussissant bien dans leur métier ; dans la partie moyenne de leur métier : celle qui est réductible en règles fixes. D'autres sont ouverts. Si largement ouverts vers le vague et vers le vide, qu'ils n'occupent et ne possèdent rien. De l'âme, beaucoup d'âme, mais si ténue, si inconsistante, si vague, si peu possédée, qu'au fond ce n'est rien. Aucune richesse véritable. Du brouillard. Qui parfois sent un peu l'aigre, à un certain âge. Facilement ceux-là trouvent injuste, à la fin, que leur brouillard ne soit pas accepté comme valeur réelle.

Les grands réalisateurs d'eux-mêmes – et ce sont aussi généralement de grands réalisateurs en toute sorte de domaines – sont ceux qui arrivent à donner, tant pour soi que pour les autres, solidité, réalité et consistance substantive à toute cette vastitude confuse et fuyante. Mais c'est là une opération des plus difficiles. Il y a en effet une sorte d'impossibilité interne à la réalisation du monde intérieur, en tant qu'il mérite le nom d'âme, c'est-à-dire en tant qu'il organise le psychique actuel, présent et concret, tout en débordant celui-ci largement et en l'enrichissant de toutes ses richesses virtuelles. Car, pour l'instant, c'est ainsi que nous concevons provisoirement l'idée d'âme, nous réservant, quand nous aurons précisé davantage les conditions de cette possession et de cette réalité substantive du virtuel, de restreindre le nom d'âme au principe d'un tel accomplissement. Car, en fin de compte, c'est ce principe que nous voulons chercher [...].

[Suit une histoire, un fragment de vie concrète que Souriau propose à l'examen du lecteur : Philippe et Alberte sous le regard de Sténio]

Philippe, tenant dans sa main la main d'Alberte, songe. La légère inexactitude, la petite entorse à la vérité que contenait le propos de la jeune fille a dû l'émouvoir, non en raison d'un préjugé moral contre le mensonge, mais parce que c'est un symptôme. Pourquoi ce petit mensonge ? Il y sent la réaction d'une défense : là se dessine un petit mystère qu'il souhaite comprendre. Pour dissimuler, Alberte s'est contredite. Sans doute elle va vers lui en somme dans l'ensemble très directement, de son cœur juvénile, noble et un peu grêle, mais elle retient aussi et garde comme une inaccessible part un côté de sa vie intérieure. C'est une chambre fermée à clef, c'est un boudoir. Qu'y a-t-il là ? Quel monde ?

Précisément parce que Alberte se contredit, parce qu'elle se donne à la fois et qu'elle se refuse, parce qu'elle veut faire connaître son cœur et qu'elle frémit et se cabre devant une connaissance trop totale et trop limpide, elle se montre plus riche, plus humaine, intérieurement, qu'elle le serait si elle se défendait moins. Philippe songe sans doute à cette jeune Yvonne qui allait vers lui, on s'en souvient, d'une si naïve inclination, et dont les paroles étaient si transparentes. C'est à cause de cela qu'elle ne l'intéressait pas. Ici il fait un effort ardent, aigu, pour architecturer dans sa pensée ce monde si complexe qu'il lui faudra toujours et toujours deviner. Comparant ce qu'elle disait hier et ce qu'elle dit aujourd'hui, avec cette griffe et cette vertèbre il cherche à reconstituer le tout du monstre — du beau monstre intérieur tenu au secret.

Et Alberte sait bien d'instinct, qu'en surprenant Philippe elle ne risque rien et prend plus de valeur à ses yeux. Les deux touches qu'elle a fournies, pour le portrait qu'il a peint d'elle en lui-même, sont d'autant plus intéressantes qu'elles sont énigmatiques. Elle a relevé les yeux, elle soutient le regard de l'homme, ce regard cherchant dans les siens les formes d'un univers.

Philippe peut-il se représenter cet univers en traits précis ? Non certes. Mais il le sent et le palpe en imagination, d'une exploration éprise et défiante. Il y sent des irisations, des chatoiements, qui indiquent des lignes de plus grande ou de moins grande résistance. Il y pressent des conflits futurs, des dangers, des événements, des chimères, des aventures, des morganes. Il se met en garde contre ses propres erreurs à cet égard, et contre leurs conséquences. Il hésite s'il acceptera ou tentera de modifier certaines des attitudes du monstre. Tout cela — bien que ce soit assurément d'une sorte confuse, impliquée et bizarrement symbolisée en sa pensée — dans cet instant et de quelque manière, il le conçoit, il se le représente. Et en effet, le voilà, pour le grand plaisir psychologique de Sténio, qui murmure cette phrase : « Répondez à cette question, Alberte, voulez-vous ? Croyez-vous que deux fiancés aient le droit, avant le mariage, de se montrer un peu, mutuellement, leurs âmes ? »

Pour ce bon garçon, peu soucieux de subtiliser, vraiment ce n'est pas mal. Il y a du trait, du sous-entendu, de l'impertinence — et un aveu qui va assez loin.

*La rose lueur d'un éclair s'est reflétée soudain sur les vitres,
et tandis que le tonnerre éclate sèchement, la pluie, fouettée par
un vent nouveau, entre dans la chambre. Alberte s'est levée.
Posément, elle ferme les fenêtres. Son calme et son silence la disent
froissée — mais pas complètement, si l'on regarde une légère
luminosité de son visage. Et d'ailleurs contente sans doute de cette
interruption qui lui donne une occasion de rester énigmatique,
puisqu'on ne peut savoir si c'est fâchée ou obligée par autre chose,
qu'elle s'est levée. Au fond, elle n'a pas perdu son temps. À
Philippe, elle a laissé, pour toujours, un tendre souci, lié à cette
révélation qu'elle a une âme. À Sténio, elle a laissé ce problème :
sera-t-il dit que la profondeur d'une âme se mesure à la dissimu-
lation, à la contradiction, au mensonge ?*

Que le mot d'âme, par le Philippe de l'histoire précé-
dente, soit prononcé fort à propos, l'on ne peut pas en
douter.

Peut-être fait-il une faute en réifiant (si l'on peut dire)
excessivement sous le nom d'âme l'objet que se donne sa
pensée en concevant ce qu'Alberte a de plus immatériel.
Mais il ne fait rien qui n'appartienne encore aux opérations les plus courantes de la pensée ; et la connaissance
qu'il cherche à acquérir n'est pas plus illégitime que cent
autres du même genre (dont nous aurons à parler), où l'on
assemble en êtres des phénomènes fuyants. Et du moins
Philippe a ce mérite qu'il ne songe pas, songeant à l'âme
d'Alberte, à l'entéléchie première de ce joli corps qui a la
vie en puissance (la sienne ou une autre, chuchoterait
ironiquement Schopenhauer ?). Il n'en fait pas, monade,
un miroir du monde. Il en fait bien un monde par soi seul,
un petit monde labile, délicat, changeant, subtil. Et il a
raison. Ce n'est pas en tant que sujet, c'est en tant
qu'objet que l'âme d'Alberte se dessine, et mérite autant
d'attention et d'intérêt. Erreur étrange des philosophes
pour qui l'objet est toujours, et par privilège, matériel et
non psychique !

Et j'entends bien que l'âme d'Alberte n'est peut-être
ici (pour citer un poète) qu'un regard. Mais c'est précisément ce fait même qui est à méditer : ce fait qu'un
regard puisse contribuer à dessiner et à nuancer, pour la

représentation qu'un homme cherche à se faire du psychisme d'autrui, l'organisation d'un monde intérieur.

Dirons-nous que cet homme projette en autrui ses propres faits psychiques, tels qu'il en a l'expérience par sa conscience ? Mais que voilà qui est loin de la vérité ! Philippe n'a de sa vie psychique aucune connaissance analogue à celle qu'il parvient à avoir de celle d'Alberte quand il imagine et cherche à comprendre l'âme de celle-ci. Et vraisemblablement, Alberte fait de son côté une pareille représentation pour Philippe. Et il n'est pas dit qu'elle n'arrive, dans la symbolisation, telle quelle, qu'elle parvient à s'en faire, à quelque chose de plus juste et de plus topique que ce que le jeune homme pourrait penser au sujet de lui-même. Tout à l'heure Philippe (supposons la réconciliation faite) tentera inlassablement de s'expliquer lui-même à Alberte (ainsi font tous ceux que fait divaguer l'amour). Si l'on pouvait comparer ce qu'il dit de lui à ce qu'Alberte en pense, tandis qu'elle le mesure quant à l'âme, durant qu'il parle, de son regard lucide, on penserait que ce n'est peut-être pas Philippe qui voit le plus juste à son propre sujet. Bien souvent les autres nous connaissent mieux que nous ne savons faire.

Laissons de côté la question de savoir quels procédés représentatifs nos deux jeunes gens emploient pour se figurer chacun à part soi ce qu'ils appellent l'âme de l'autre. Il est clair que ces procédés sont empiriques et approximatifs. Mais peu importe la manière ; l'essentiel est ce qu'ils conçoivent. En supposant l'âme à l'autre, chacun d'eux admet seulement que l'ensemble de ses pensées, de ses idées, de ses comportements, de ses tendances, constitue et supporte un univers, un microcosme, qu'il est possible de concevoir (à tort ou à raison, peu importe) sur le modèle d'un être et d'un monde, avec une structure, ou une architecture, et des modifications différentielles, et des transformations kaléidoscopiques, et des révolutions, et des contenus ou des richesses plus ou moins intérieures et secrètes. Et, en son principe, leur pensée est juste, légitime, utile. Dire, d'une façon sans doute insuffisamment précise, qu'une parole du jeune homme a pu blesser l'âme de la jeune fille, c'est noter tant bien que mal un fait précis : et lequel ? C'est ce fait qu'un système de convictions, de croyances, d'idées, d'images – et qui dit système dit rapports nombreux et divers, proportions, hiérarchie, et ainsi de suite –, qu'un tel système, dis-je, soit susceptible d'être blessé, lésé, atteint, troublé, et de se modifier en conséquence, exactement comme un organisme très délicat.

II

Y A-T-IL UNE CONNAISSANCE
DE L'ÂME ?

V

SAINT AUGUSTIN

L'ÂME NE DOIT PAS SE CHERCHER COMME UNE ABSENTE, MAIS DISCERNER SA PRÉSENCE

La Trinité, IX, 12, X, 14-16, in *Œuvres de saint Augustin.* XVI, trad. P. Agaësse, Desclée de Brouwer, 1955, p. 145-153. © Éd. Augustiniennes.

Comment l'âme peut-elle revenir à elle-même ? Pourrait-elle ne pas y être déjà ? Parce qu'elle se *cherche,* elle doit s'ignorer ; mais parce qu'elle *se* cherche, elle doit se connaître. Selon saint Augustin, le paradoxe de la connaissance de soi tient tout entier à ce que nous croyons que l'âme se cherche comme si elle était d'abord absente à elle-même, comme si elle était pour elle-même un objet étranger. C'est de cette fausse conception des choses que dérivent toutes les représentations matérialistes de l'âme. « Dans cette variété d'opinions, quiconque voit que l'âme, par sa nature même, est une substance, une substance non corporelle – c'est-à-dire une substance qui n'occupe pas dans l'espace une moindre place pour une portion moindre, ni une plus grande place pour une portion plus grande –, doit comprendre également que l'erreur de ceux qui font de l'âme un corps vient, non pas d'un défaut de connaissance, mais des éléments surajoutés sans lesquels ils ne peuvent concevoir une nature. Lorsqu'on les presse de penser quoi que ce soit qui fasse abstraction de toute représentation corporelle, ils se figu-

rent que cela ne peut absolument pas exister. Mais en réalité, l'âme n'a pas à se chercher comme si elle était absente à elle-même. Qu'y a-t-il en effet d'aussi présent à la connaissance que ce qui est présent à l'âme ? et qu'y a-t-il de plus présent à l'âme que l'âme elle-même ? » (*La Trinité.* X, VII, 10). Si l'âme doit se connaître, ce n'est pas comme on connaît une chose qui serait là-devant, mais dans un mouvement de reprise et d'approfondissement de soi-même qui doit précisément détacher l'âme de son rapport aux choses « absentes » (corps, images, représentations) : « Qu'elle se cherche non comme une absente, mais qu'elle fixe sur elle l'attention de la volonté qui errait à l'aventure sur les autres choses, et qu'elle se pense ! Elle verra alors qu'elle n'a jamais cessé de s'aimer, jamais de se connaître [...] » (*Ibid.*. X, VIII, 11). La mise à jour d'une présence à soi plus essentielle que le rapport aux objets passe donc par une purification. L'âme se pense elle-même au-delà du rapport de représentation, autrement dit du rapport du sujet et de l'objet. On ne saurait comprendre que l'âme soit « une chose, et son regard une autre » (*Ibid.,* XIV, VI, 8). Placée sous son propre regard, l'âme est tout entière à elle-même, ni sujet ni objet, ni regardée ni regardante. « Voit-elle une partie d'elle-même grâce à une autre partie [...] ? Mais que peut-on dire de plus absurde ? [...] Ou bien s'est-elle, pour ainsi dire, dédoublée, de manière à être à la fois ici et là, là où elle regarde, et là où elle est regardée ? Elle serait en elle-même celle qui regarde, et devant elle-même, celle qui est regardée ? Si l'on interroge la vérité, elle ne nous répond rien de tout cela ; car, lorsque nous pensons de cette façon, nous ne pensons rien d'autre que de fausses images corporelles, dont il est absolument certain, aux yeux de tous les esprits dignes d'être consultés sur ce point, qu'elles ne conviennent pas à l'âme. Il reste donc que le regard de l'âme appartienne à sa nature [...] » (*Ibid.*). Non pas la mise à jour d'une substance, mais l'avènement d'une présence, attestée par tous les actes de l'âme. Ainsi, l'âme ne se tourne pas vers elle-même selon un rapport « spatial », mais « par une conversion spirituelle » (*Ibid.*). Même lorsqu'elle doute de sa nature, il est absolument certain du moins qu'elle pense, tandis qu'elle doute – on a souvent vu ici une anticipation du *cogito* cartésien.

Or si l'âme ne doit pas se chercher comme une absente, on refusera plusieurs manières de poser le problème de sa connaissance. (a) D'abord, on vient de le voir, la connaissance de l'âme n'est pas connaissance d'objet : l'âme ne se *constate* pas. Elle n'est pas une réalité qui s'offrirait à nous comme du dehors, même au terme d'une analyse intérieure ou d'une introspection, elle n'est pas donnée ni révélée par un regard : au-delà de toute image, l'âme est reconnue, elle se recueille en elle-même. (b) La connaissance de l'âme n'a donc rien à voir non plus avec la connaissance de créatures hypothétiques (chérubins, séraphins, anges, extraterrestres) : l'âme ne requiert pas un acte de *foi*. (c) Si la connaissance de l'âme fait problème, cela ne tient pas à ce que l'âme serait « subjective » ou « privée » (comme la volonté chez les autres, dont on peut toujours douter) : la connaissance de l'âme ne pose pas un problème de *croyance*. (d) Enfin, la connaissance de l'âme n'a pas non plus à être dérivée des images qu'on peut avoir d'elle (comme le miroir nous donne l'image du visage que nous ne pouvons jamais contempler directement) : l'âme ne s'*infère* pas. Ni constat ni foi, ni croyance ni inférence : la connaissance de l'âme relève de l'intimité d'une présence.

IX. 12. Que l'âme ne cherche donc pas à s'atteindre comme une absente, mais qu'elle s'applique à discerner sa présence ! Qu'elle ne cherche pas à se connaître comme si elle était une inconnue pour elle-même, mais qu'elle se distingue de ce qu'elle sait n'être pas elle ! Ce précepte qu'elle reçoit, le « Connais-toi toi-même », comment se souciera-t-elle de le mettre en pratique, si elle ne sait ce que signifient le « connais » et le « toi-même » ? Dès lors qu'elle comprend ces deux mots, c'est qu'elle se connaît aussi elle-même. Car on ne dit pas à l'âme « Connais-toi toi-même », comme on lui dit « Connais les chérubins et les séraphins » : bien qu'ils soient pour nous des absents, nous croyons en eux, parce que la foi nous apprend que ce sont des puissances célestes. On ne lui prescrit pas non plus de se connaître comme on lui dirait « Connais la volonté de cet homme » : car cette volonté ne nous est pas présente, nous n'en avons ni l'intuition ni l'intelligence, sinon grâce à la manifestation de signes extérieurs ; encore, ces signes, y croyons-nous plus que nous ne les comprenons ! On ne lui dit pas non plus ces paroles comme on dirait à quelqu'un « Regarde ton visage », ce qui ne se peut faire que dans un miroir. Car notre visage lui aussi échappe à notre vue : il ne se trouve pas là où peut se diriger notre regard. Mais lorsqu'on dit à l'âme « Connais-toi toi-même », dès l'instant qu'elle comprend ces paroles « toi-même », elle se connaît ; cela, pour la simple raison qu'elle est présente à elle-même. Si au contraire elle ne comprend pas ce qu'on lui dit, elle ne peut nécessairement pas le faire. Ainsi, ce qu'on lui commande de faire, c'est ce qu'elle fait, dès qu'elle comprend le commandement. [...]

X. 14. Puisqu'il s'agit de la nature de l'âme, écartons de nos considérations toutes ces connaissances qui nous viennent de l'extérieur par l'intermédiaire des sens et considérons avec plus d'attention ce que nous avons établi : que toute âme se connaît elle-même avec certitude. L'air a-t-il le pouvoir de vivre, de se souvenir, de comprendre, de vouloir, de penser, de savoir, de juger ? Le feu a-t-il ce pouvoir, ou le cerveau, ou le sang, ou les atomes, ou je ne sais quel cinquième corps en marge des quatre éléments classiques, ou la cohésion et l'équilibre de notre corps ? Les hommes ont eu des doutes à cet égard : l'un s'est efforcé d'affirmer ceci, l'autre cela.

Par contre, nul ne doute qu'il ne se souvienne, qu'il ne comprenne, qu'il ne veuille, qu'il ne pense, qu'il ne sache, qu'il ne juge. Puisque, même s'il doute, il vit ; s'il doute d'où vient son doute, il se souvient ; s'il doute, il comprend qu'il doute ; s'il doute, il veut arriver à la certitude ; s'il doute, il pense ; s'il doute, il sait qu'il ne sait pas ; s'il doute, il sait qu'il ne faut pas donner son assentiment à la légère. On peut donc douter du reste, mais de tous ces actes de l'esprit, on ne doit pas douter ; si ces actes n'étaient pas, impossible de douter de quoi que ce soit.

15. Ceux qui se figurent que l'âme est un corps ou la cohésion et l'équilibre d'un corps veulent que tous ces actes de l'âme soient des accidents dont la substance seraient l'air, le feu ou quelque autre corps qu'ils identifient à l'âme. L'intelligence se trouverait donc dans le corps comme un de ses attributs : le corps serait le sujet, ces actes les accidents du sujet ; le sujet serait bien l'âme, mais une âme qu'ils identifient au corps ; l'intelligence serait un accident du sujet, ainsi que tout autre de ces actes dont nous avons la certitude, comme nous venons de le dire. Voisine est l'opinion de ceux qui nient que l'âme soit un corps, mais qui en font la cohésion et l'harmonie d'un corps. La différence, c'est que les premiers disent que l'âme est une substance dans laquelle l'intelligence est un accident ; les seconds, que l'âme elle-même est un accident, le corps étant la substance dont elle fait la cohésion et l'harmonie. En conséquence, peuvent-ils eux aussi faire autrement que de penser que l'intelligence est un accident de ce même corps ?

16. Leur commune méprise, c'est de ne pas remarquer que l'âme se connaît, lors même qu'elle se cherche, comme nous l'avons montré. Or, il est illogique de dire qu'on a la connaissance d'une chose dont on ignore la substance. Si l'âme se connaît, c'est qu'elle connaît sa substance ; si elle se connaît avec certitude, c'est qu'elle connaît sa substance avec certitude. Or, elle se connaît avec certitude, comme en témoignent les actes ci-dessus mentionnés. Par contre, elle n'a aucunement la certitude qu'elle soit air, feu, corps ou quelque chose de corporel.

Elle n'est donc rien de tout cela ; et le précepte de se connaître se ramène à ceci : qu'elle soit certaine, et qu'elle soit seulement certaine d'être ce qu'elle est certaine d'être. Ainsi elle pense au feu, à l'air, elle pense à quelque autre réalité corporelle. Mais il est absolument impossible qu'elle pense ce qu'elle est comme elle pense ce qu'elle n'est pas. C'est en faisant appel à une représentation imaginative qu'elle pense toutes ces choses, le feu, l'air, tel ou tel corps, telle partie, cohésion ou harmonie du corps : car, c'est bien clair, on ne dit pas que l'âme est toutes ces choses à la fois, mais l'une d'entre elles. Or, si elle était l'une d'entre elles, l'âme penserait cette chose autrement qu'elle ne pense les autres, c'est-à-dire qu'elle ne s'en ferait pas une représentation imaginative, à la façon dont elle pense les objets absents perçus par les sens, qu'il s'agisse de ces objets eux-mêmes ou d'autres du même genre ; mais il y aurait présence intérieure, non pas représentée par l'imagination, mais réelle (car il n'est rien de plus présent à l'âme qu'elle-même), comme celle que l'âme éprouve quand elle pense qu'elle vit, qu'elle se souvient, qu'elle comprend, qu'elle veut. Elle connaît ces actes en elle-même ; elle ne les représente pas par l'imagination, comme si elle les atteignait hors d'elle-même par les sens, à la manière dont elle atteint les objets corporels. Si, parmi ces corps qu'elle se représente, elle ne s'assimile mensongèrement à aucun au point de se prendre pour quelque chose de tel, alors, ce qui lui reste en propre, cela, et cela seulement, c'est elle-même.

VI

HUME

IL N'Y A PAS D'IMPRESSION DU MOI

Hume, *Traité de la nature humaine*, I, IV, 6,
« De l'identité personnelle », in *L'Entendement*.
trad. P. Baranger et P. Saltel, Paris,
GF-Flammarion, 1995, p. 342-346.

L'empirisme ne consiste pas essentiellement, comme on le dit souvent, dans le primat des sensations et des impressions sur les idées « abstraites ». Ce à quoi aucune impression ponctuelle ne correspond n'est pas par là même illégitime – qu'on songe à la causalité, par exemple, et plus généralement à toutes les propriétés de relations : « L'entendement n'observe jamais une connexion réelle entre les objets » (*Traité de la nature humaine*, I, IV, 6, p. 352), nous ne faisons qu'éprouver une tendance de la pensée à passer d'un objet à l'autre. La grande originalité de Hume, à cet égard, est de faire porter la question sur les relations bien plus que sur les termes : tout est dans la manière dont les impressions se trouvent associées, selon des relations toujours extérieures à leurs termes. Il faut donc se replacer dans ce monde humien, ou plutôt dans cet espace de l'expérience où un monde se construit, et qui se donne d'abord comme un Dehors absolu, un espace bigarré où les impressions se juxtaposent, où des fragments se rencontrent, où des totalités se font et se défont. Plus d'intériorité : l'impression n'a

pas en elle-même la force de se transcender vers une autre, et elle n'est pas non plus à penser comme la propriété, la qualité, la modification d'un sujet qui serait là-« derrière », comme un principe d'intimité, de substantialité. L'esprit lui-même est dehors, et comme la « nature humaine » il se construit et se forme en réglant le flux incessant des impressions et des idées par des lois de passage qui sont les lois mêmes de la nature. Parler du moi comme d'un quelque chose qui serait identique à soi tout au long de sa vie (l'âme comme substance, en somme), nous renvoie donc à un certain usage des relations, puisque, comme le texte suivant commence par le montrer, aucune impression ne correspond à une telle idée. Il ne suffit même pas de partir d'une collection d'impressions : « Supposez, dit Hume, que l'esprit soit réduit à une vie encore inférieure à celle d'une huître. Supposez qu'il n'ait qu'une seule perception, comme celle de la faim ou de la soif. Considérez-le dans cette situation. Concevez-vous autre chose que cette simple perception ? Avez-vous la moindre notion du *soi* ou de la *substance* ? Si vous ne l'avez pas, l'addition d'autres perceptions ne saurait jamais vous la donner » (*Ibid.*, Appendice 5, p. 384 ; cf. tout le passage, très éclairant, p. 382-386). Il faut donc passer à la considération des connexions.

« Toutes les disputes à propos de l'identité des objets reliés sont purement verbales sauf dans la mesure où les relations des parties donnent naissance à quelque fiction ou à un principe d'union imaginaire » (p. 355). C'est donc là la vraie question : comment se forge-t-on une certaine idée de l'identité à partir des seules relations ? Comment la fiction de

l'existence continue d'un même moi peut-elle se dégager de la collection des impressions et de leurs relations ? Qu'est-ce qui nous porte « à imaginer quelque chose d'inconnu et de mystérieux qui relie les parties, en plus de la relation » ? Il y a là une tendance de l'imagination, qui peut s'expliquer en termes de principes d'association (plus particulièrement en termes de ressemblance et de causalité) : tout un fonctionnement fictif des relations qui cependant constitue – c'est la marque de l'humour humien – les croyances les mieux établies de l'homme.

Il est des philosophes qui imaginent que nous sommes à chaque instant intimement conscients de ce que nous appelons notre MOI, que nous en sentons l'existence et la continuité d'existence, et que nous sommes certains, avec une évidence qui dépasse celle de la démonstration, de son identité et de sa simplicité parfaites. La sensation la plus forte, la passion la plus violente, disent-ils, loin de nous détourner de cette vue, ne la fixent que plus intensément et nous font considérer, par la douleur ou le plaisir qui les accompagne, l'influence qu'elles exercent sur le *moi*. Tenter d'en trouver une preuve supplémentaire serait en atténuer l'évidence, puisqu'on ne peut tirer aucune preuve d'un fait dont nous sommes si intimement conscients, et que nous ne pouvons être sûrs de rien si nous en doutons.

Malheureusement toutes ces affirmations positives sont contraires à cette expérience même que l'on invoque en leur faveur et nous n'avons aucune idée du *moi* de la manière qu'on vient d'expliquer. De quelle impression, en effet, cette idée pourrait-elle provenir ? Il est impossible de répondre à cette question sans une contradiction et une absurdité manifestes et pourtant, c'est une question qui doit trouver une réponse si nous voulons que l'idée du moi passe pour claire et intelligible. Toute idée réelle doit provenir d'une impression particulière. Mais le moi, ou la personne, ce n'est pas une impression particulière, mais ce à quoi nos diverses idées et impressions sont censées se rapporter. Si une impression donne naissance à l'idée du moi, cette impression doit nécessairement demeurer la même, invariablement, pendant toute la durée de notre vie, puisque c'est ainsi que le moi est supposé exister. Mais il n'y a point d'impression constante et invariable. La douleur et le plaisir, le chagrin et la joie, les passions et les sensations se succèdent et n'existent jamais toutes en même temps. Ce ne peut donc pas être d'une de ces impressions, ni de toute autre, que provient l'idée du moi et, en conséquence, il n'y a pas une telle idée.

Mais, si l'on va plus loin, qu'advient-il de toutes nos perceptions particulières, d'après cette hypothèse ? Elles sont toutes différentes, elles peuvent toutes être distinguées et séparées, elles peuvent être considérées séparément, peuvent exister séparément et n'ont besoin de rien pour soutenir leur existence. De quelle manière appartiennent-elles au moi et comment lui sont-elles reliées ? Pour moi, lorsque je pénètre le plus intimement dans ce que j'appelle *moi-même*, je tombe toujours sur une perception particulière ou sur une autre, de chaleur ou de froid, de lumière ou d'ombre, d'amour ou de haine, de douleur ou de plaisir. Je ne parviens jamais, à aucun moment, à me saisir *moi-même* sans une perception et je ne peux jamais rien observer d'autre que la perception. Quand mes perceptions sont absentes pour quelque temps, quand je dors profondément, par exemple, je suis, pendant tout ce temps, sans conscience de *moi-même* et on peut dire à juste titre que je n'existe pas. Et si toutes mes perceptions étaient supprimées par la mort, si je ne pouvais plus penser, ni éprouver, ni voir, aimer ou haïr après la destruction de mon corps, je serais entièrement anéanti et je ne conçois pas du tout ce qu'il faudrait de plus pour faire de moi une parfaite non-entité. Si un homme, après une réflexion sérieuse et dénuée de préjugés, pense qu'il a une notion différente de *lui-même*, je dois avouer que je ne peux plus discuter avec lui. Tout ce que je peux lui concéder, c'est qu'il peut, tout autant que moi, avoir raison et que nous différons essentiellement sur ce point. Il se peut qu'il perçoive quelque chose de simple et de continu qu'il appelle *lui-même*, encore que je sois certain qu'il n'y a pas un tel principe en moi.

Mais, laissant de côté certains métaphysiciens de ce genre, je peux me risquer à affirmer que les autres hommes ne sont qu'un faisceau ou une collection de perceptions différentes, qui se succèdent avec une rapidité inconcevable et sont dans un flux et un mouvement perpétuels. Nos yeux ne peuvent tourner dans leurs orbites sans faire varier nos perceptions. Notre pensée est encore plus changeante que notre vue et tous nos autres sens et facultés contribuent à ce changement. Il n'est pas un seul des pouvoirs de l'âme qui reste inaltérablement le même, ne serait-ce qu'un instant. L'esprit est une sorte de théâtre, où des perceptions diverses font successivement leur entrée, passent, repassent, s'esquivent et se mêlent en une variété infinie de positions et de situations. Il n'y a pas en lui à proprement parler de *simplicité* à un moment donné, ni d'*identité* à différents moments, quelque tendance naturelle que nous puissions avoir à imaginer cette simplicité et cette identité. La comparaison du théâtre ne doit pas nous égarer. Ce ne sont que les perceptions successives qui constituent l'esprit, et nous n'avons pas la plus lointaine idée du lieu où ces scènes sont représentées, ni du matériau dont il est composé.

Qu'est-ce donc qui nous donne une si grande tendance à attribuer une identité à ces perceptions successives et à supposer que nous possédons une existence invariable et ininterrompue pendant tout le cours de notre vie ? Pour répondre à cette question il nous faut faire une distinction entre l'identité personnelle, en tant qu'elle se rapporte à la pensée et à l'imagination, et en tant qu'elle s'attache à nos passions ou à l'intérêt que nous prenons à nous-mêmes. La première est ici notre sujet et pour l'expliquer parfaitement, nous devons prendre la question d'assez loin et expliquer l'identité que nous attribuons aux plantes et aux animaux, car il y a une grande analogie entre elle et l'identité du moi ou d'une personne.

Nous avons une idée distincte d'un objet qui demeure invariable et ininterrompu à travers un changement supposé de temps ; cette idée, nous l'appelons *identité* ou *mêmeté*. Nous avons aussi une idée distincte de plusieurs objets différents existant successivement et liés les uns aux autres par une relation étroite. Et cela, à un regard précis, offre une notion de *diversité* aussi parfaite que s'il n'y avait aucune sorte de relation entre les objets. Mais, bien que ces deux objets, l'identité et la succession d'objets reliés, soient en elles-mêmes parfaitement distinctes et même contraires, il est pourtant certain qu'elles sont généralement confondues dans notre manière ordinaire de penser. L'acte de l'imagination par lequel nous considérons l'objet ininterrompu et invariable et celui par lequel nous réfléchissons à une suite d'objets reliés, produisent presque la même impression, et le second ne demande pas un effort de pensée beaucoup plus important que le premier. Cette relation facilite la transition de l'esprit d'un objet à l'autre et la rend aussi aisée que s'il contemplait un objet continu. Cette ressemblance est la cause de la confusion et de l'erreur et elle fait que nous substituons la notion d'identité à celle d'objets reliés. Même si, à un instant donné, nous pouvons considérer la succession corrélative comme changeante et discontinue, nous ne manquerons pas de lui attribuer, l'instant d'après, une identité parfaite et de la regarder comme invariable et ininterrompue. Nous avons une telle tendance à commettre cette erreur, par suite de la ressemblance déjà indiquée, que nous y tombons avant même de nous en rendre compte ; et même en nous corrigeant sans cesse par la réflexion et en revenant à une manière de penser plus rigoureuse, nous avons du mal à soutenir longtemps notre philosophie ou à supprimer ce penchant de notre imagination. Notre dernière ressource est d'y céder et d'affirmer hardiment que ces différents objets reliés sont effectivement le même objet, bien qu'ils soient discontinus et variables. Afin de justifier à nos propres yeux cette absurdité, nous feignons souvent quelque principe nouveau et inintelligible qui relie entre eux les objets et en prévient la discontinuité ou la variation. Ainsi nous feignons l'existence continue des perceptions de nos sens pour en supprimer la discontinuité, et nous aboutissons aux notions d'*âme*, de *moi*, et de *substance* pour en déguiser la variation. Mais nous pouvons observer en outre que lorsque nous ne donnons pas suite à une telle fiction, notre tendance à confondre l'identité avec la relation est si grande que nous sommes portés à imaginer quelque chose d'inconnu et de mystérieux qui relie les parties, en plus de la relation. Je considère que c'est le cas lorsqu'il s'agit de l'identité que l'on attribue aux plantes et aux végétaux. Et même lorsque cela ne se produit pas, nous ressentons toujours une tendance à confondre ces idées, bien que nous ne soyons pas à même de nous convaincre pleinement sur ce point ni de trouver quelque chose d'invariable et d'ininterrompu pour justifier notre notion d'identité.

VII

VOLTAIRE

DIEU SEUL CONNAÎT L'ESSENCE DE L'ÂME

Voltaire, *Dictionnaire philosophique*, article « Âme »,
Paris, GF-Flammarion, 1964, p. 26-29.

« Ce que c'est que l'esprit, l'espace, la matière,
L'éternité, le temps, le ressort, la lumière,
Étranges questions [...] »
(Deuxième discours sur l'homme, 1739).

Si Voltaire n'aime pas beaucoup l'audace et la prétention des métaphysiciens qui bâtissent des systèmes sur des hypothèses inouïes ou qui proposent des explications totales du mystère, son goût espiègle du document rare l'emporte toujours sur la tentation du mépris, et il n'y a pas de philosophie qui n'éveille sa curiosité et qu'il ne croie digne d'attention, même pour la critiquer. Le *Dictionnaire philosophique*, qui à bien des égards a quelque chose d'un florilège d'opinions singulières, en est la preuve. Ainsi sur la question de l'âme. C'est, par excellence, le sujet favori des faiseurs d'hypothèses. Privée des lumières de l'expérience (« ce serait une belle chose de voir son âme »), la raison laisse alors parler l'imagination et glose sur des chimères. L'article que Voltaire consacre à l'âme est donc, pour une grande partie, un inventaire rhapsodique et assez sarcastique des doctrines de l'âme, et plus exactement, pour commencer, des opinions philosophiques sur l'essence ou la nature de l'âme. La juxtaposition des définitions a pour effet d'en faire ressortir l'arbitraire apparent. On reconnaîtra au passage un certain nombre de positions célèbres (Socrate, Aristote et l'École, les présocratiques et les pythagoriciens, Platon, Démocrite, Épicure, Descartes). Sont visés non seulement ceux qui ont cherché à imaginer de quoi l'âme pouvait être faite, mais aussi ceux qui prétendent démontrer *a priori* que la pensée suppose une substance absolument immatérielle. Pas plus que nous ne sommes fondés à poser une âme sensitive derrière les affections du corps vivant, nous n'avons le droit de rapporter la pensée à un être immatériel. Sans l'aide d'aucune révélation, nous ne pouvons que reconnaître un mystérieux pouvoir de penser. Le second temps de cette critique des théories de l'âme consiste en un examen des systèmes de pensée où l'âme intervient. Après l'essence de l'âme, ce sont donc les questions de son origine et, surtout, de son lieu dans le corps qui alimentent les railleries de Voltaire. On devine au passage les systèmes de Spinoza et de Descartes. Suit un paragraphe où le langage scolastique de saint Thomas se trouve ridiculisé par un effet d'accumulation que Voltaire clôt par un hommage ironique (« l'ange de l'École ») : tout se passe comme si la technicité du langage philosophique ne faisait que masquer l'extravagance d'une pensée qui ne parvient pas à embrasser son objet. Enfin, Voltaire soulève très rapidement une série de questions relatives au devenir de l'âme dans l'au-delà, et qui sont en effet d'authentiques problèmes philosophiques : la question de la vie désincarnée, le critère de l'identité personnelle. La suite de l'article, qui n'a pas été reproduite ici, remarque que la notion d'âme et le dogme de son immortalité n'apparaissent pas dans l'enseignement de Moïse, et que c'est donc là un thème spécifiquement chrétien. On se tromperait pourtant complètement si l'on voyait dans ces aveux de scepticisme l'affirmation d'une position matérialiste. Voltaire s'en défend explicitement dans un alinéa ajouté en 1769 à son article, où il refuse de se voir attribuer la thèse que « l'âme est matière ». Son attitude est proche, sur le fond – mais avec la puissance analytique en moins –, de celle de Kant. Elle consiste simplement à dire que la raison touche là à des questions qui la dépassent et qu'elle n'est pas en mesure de résoudre : « Il est impossible à nous autres êtres bornés de savoir si notre intelligence est substance ou faculté. » Cette modestie théorique est en elle-même une position pratique ou morale, typique du théisme dont Voltaire reste le plus illustre représentant (cf. article « Théiste » du *Dictionnaire*). Ainsi s'achève l'article original de 1764 : « Ô homme ! ce Dieu t'a donné l'entendement pour te bien conduire, et non pour pénétrer dans l'essence des choses qu'il a créées. » On pense aussi au *Poème sur la loi naturelle* (1756) : « Que l'âme, ce flambeau si souvent ténébreux, / Ou soit un de nos sens, ou subsiste sans eux, / Vous êtes sous la main de cet Être invisible [...]. »

ÂME

Ce serait une belle chose de voir son âme. « Connais-toi toi-même » est un excellent précepte, mais il n'appartient qu'à Dieu de le mettre en pratique : quel autre que lui peut connaître son essence ?

Nous appelons âme ce qui anime. Nous n'en savons guère davantage, grâce aux bornes de notre intelligence. Les trois quarts du genre humain ne vont pas plus loin, et ne s'embarrassent pas de l'être pensant ; l'autre quart cherche ; personne n'a trouvé et ne trouvera.

Pauvre philosophe, tu vois une plante qui végète, et tu dis *végétation*, ou même *âme végétative*. Tu remarques que les corps ont et donnent du mouvement, et tu dis *force* ; tu vois ton chien de chasse apprendre sous toi son métier, et tu cries *instinct*, *âme sensitive* ; tu as des idées combinées, et tu dis *esprit*.

Mais, de grâce, qu'entends-tu par ces mots ? Cette fleur végète, mais y a-t-il un être réel qui s'appelle *végétation* ? Ce corps en pousse un autre, mais possède-t-il en soi un être distinct qui s'appelle *force* ? Ce chien te rapporte une perdrix, mais y a-t-il un être qui s'appelle *instinct* ? Ne rirais-tu pas d'un raisonneur (eût-il été précepteur d'Alexandre) qui te dirait : « tous les animaux vivent, donc il y a dans eux un être, une forme substantielle qui est la vie » ?

Si une tulipe pouvait parler, et qu'elle te dît : « ma végétation et moi nous sommes deux êtres joints évidemment ensemble », ne te moquerais-tu pas de la tulipe ?

Voyons d'abord ce que tu sais, et de quoi tu es certain : que tu marches avec tes pieds ; que tu digères par ton estomac, que tu sens par tout ton corps, et que tu penses par la tête. Voyons si la seule raison a pu te donner assez de lumière pour conclure sans un secours surnaturel que tu as une âme.

Les premiers philosophes, soit chaldéens, soit égyptiens, dirent : « Il faut qu'il y ait en nous quelque chose qui produise nos pensées ; ce quelque chose doit être très subtil ; c'est un souffle, c'est du feu, c'est de l'éther, c'est une quintessence, c'est un simulacre léger, c'est une entéléchie, c'est un nombre, c'est une harmonie. » Enfin, selon le divin Platon, c'est un composé du même et de l'autre. « Ce sont des atomes qui pensent en nous », a dit Épicure après Démocrite. Mais, mon ami, comment un atome pense-t-il ? Avoue que tu n'en sais rien.

L'opinion à laquelle on doit s'attacher sans doute, c'est que l'âme est un être immatériel ; mais certainement vous ne concevez pas ce que c'est que cet être immatériel. « Non, répondent les savants, mais nous savons que sa nature est de penser. » Et d'où le savez-vous ? « Nous le savons, parce qu'il pense. » Ô savants ! J'ai bien peur que vous ne soyez aussi ignorants qu'Épicure : la nature d'une pierre est de tomber, parce qu'elle tombe ; mais je vous demande qui la fait tomber.

« Nous savons, poursuivent-ils, qu'une pierre n'a point d'âme. » D'accord, je le crois comme vous. « Nous savons qu'une négation et une affirmation ne sont point divisibles, ne sont point des parties de la matière. » Je suis de votre avis. Mais la matière, à nous d'ailleurs inconnue, possède des qualités qui ne sont pas matérielles, qui ne sont pas divisibles ; elle a la gravitation vers un centre, que Dieu lui a donnée. Or cette gravitation n'a point de parties, n'est point divisible. La force motrice des corps n'est pas un être composé de parties. La végétation des corps organisés, leur vie, leur instinct, ne sont pas non plus des êtres à part, des êtres divisibles ; vous ne pouvez pas plus couper en deux la végétation d'une rose, la vie d'un cheval, l'instinct d'un chien, que vous ne pouvez couper en deux une sensation, une négation, une affirmation. Votre bel argument, tiré de l'indivisibilité de la pensée, ne prouve donc rien du tout.

Qu'appelez-vous donc votre âme ? Quelle idée en avez-vous ? Vous ne pouvez par vous-mêmes, sans révélation, admettre autre chose en vous qu'un pouvoir à vous inconnu de sentir, de penser.

À présent, dites-moi de bonne foi, ce pouvoir de sentir et de penser est-il le même que celui qui vous fait digérer et marcher ? Vous m'avouez que non, car votre entendement aurait beau dire à votre estomac : « Digère », il n'en fera rien s'il est malade ; en vain votre être immatériel ordonnerait à vos pieds de marcher, ils resteront là s'ils ont la goutte.

Les Grecs ont bien senti que la pensée n'avait souvent rien à faire avec le jeu de nos organes ; ils ont admis pour ces organes une âme animale, et pour les pensées une âme plus fine, plus subtile, un *nous*.

Mais voilà cette âme de la pensée qui, en mille occasions, a l'intendance sur l'âme animale. L'âme pensante commande à ses mains de prendre, et elles prennent. Elle ne dit point à son cœur de battre, à son sang de couler, à son chyle de se former ; tout cela se fait sans elle : voilà deux âmes bien embarrassées et bien peu maîtresses à la maison.

Or cette première âme animale n'existe certainement point, elle n'est autre chose que le mouvement de vos organes. Prends garde, ô homme ! que tu n'as pas plus de preuves par ta faible raison que l'autre âme existe. Tu ne peux le savoir que par la foi. Tu es né, tu vis, tu agis, tu penses, tu veilles, tu dors, sans savoir comment. Dieu t'a donné la faculté de penser, comme il t'a donné tout le reste ; et s'il n'était pas venu t'apprendre dans les temps marqués par sa Providence que tu as une âme immatérielle et immortelle, tu n'en aurais aucune preuve.

Voyons les beaux systèmes que ta philosophie a fabriqués sur ces âmes.

L'un dit que l'âme de l'homme est partie de la substance de Dieu même ; l'autre, qu'elle est partie du grand tout ; un troisième, qu'elle est créée de toute éternité ; un quatrième, qu'elle est faite et non créée ; d'autres assurent que Dieu les forme à mesure qu'on en a besoin, et qu'elles arrivent à l'instant de la copulation. « Elles se logent dans les animalcules séminaux, crie celui-ci. — Non, dit celui-là, elles vont habiter dans les trompes de Fallope. — Vous avez tous tort, dit un survenant : l'âme attend six semaines que le fœtus soit formé et alors elle prend possession de la glande pinéale ; mais si elle trouve un faux germe, elle s'en retourne, en attendant une meilleure occasion. » La dernière opinion est que sa demeure est dans le corps calleux ; c'est le poste que lui assigne La Peyronie ; il fallait être premier chirurgien du roi de France pour disposer ainsi du logement de l'âme. Cependant son corps calleux n'a pas fait la même fortune que ce chirurgien avait faite.

Saint Thomas, dans sa question 75e et les suivantes, dit que l'âme est une forme *subsistante per se*, qu'elle est toute en tout, que son essence diffère de sa puissance, qu'il y a trois âmes *végétatives*, savoir, la *nutritive*, l'*augmentative*, la *générative* ; que la mémoire des choses spirituelles est spirituelle, et la mémoire des choses corporelles est corporelle ; que l'âme raisonnable est une forme « immatérielle quant aux opérations, et matérielle quant à l'être ». Saint Thomas a écrit deux mille pages de cette force et de cette clarté ; aussi est-il l'ange de l'École.

On n'a pas fait moins de systèmes sur la manière dont cette âme sentira quand elle aura quitté son corps avec lequel elle sentait ; comment elle entendra sans oreilles, flairera sans nez et touchera sans main ; quel corps ensuite elle reprendra, si c'est celui qu'elle avait à deux ans ou à quatre-vingts ; comment le *moi*, l'identité de la même personne subsistera ; comment l'âme d'un homme devenu imbécile à l'âge de quinze ans, et mort imbécile à l'âge de soixante et dix, reprendra le fil des idées qu'elle avait dans son âge de puberté ; par quel tour d'adresse une âme dont la jambe aura été coupée en Europe, et qui aura perdu un bras en Amérique, retrouvera cette jambe et ce bras, lesquels, ayant été transformés en légumes, auront passé dans le sang de quelque autre animal. On ne finirait point si on voulait rendre compte de toutes les extravagances que cette pauvre âme humaine a imaginées sur elle-même.

VIII

KANT

DIFFICULTÉS D'UNE DOCTRINE DE L'ÂME

Kant, *Critique de la raison pure*. « Réflexion sur l'ensemble de la psychologie pure, en conséquence de ces paralogismes » (Texte de la première édition, A 381-383), trad. J. Barni, P. Archambault, retouchée, Paris, GF-Flammarion, 1987, p. 680-682.

La critique des paralogismes menée dans le premier chapitre de la Dialectique transcendantale de la *Critique de la raison pure* consistait à invalider la procédure qui nous fait passer d'une saisie du Je comme conscience de soi en général, à la position d'une substance dans l'existence. Autrement dit, contre Descartes : on ne passe pas du « Je pense » à la « chose pensante », ou du moins cela ne peut pas se faire *a priori*, en dehors de toute expérience effective de la dite chose. De la pensée à l'être, la conséquence n'est pas bonne : nous n'avons pas le droit de déduire l'existence d'une chose à partir de la considération de son concept – et c'est bien tout ce que nous donne le « Je pense » : à peine un concept, tout juste une représentation, en tout cas certainement pas une expérience d'objet. Kant le résume d'une formule : « Ce que je dois présupposer afin de connaître en général un objet, je ne puis le connaître lui-même comme objet. » Le Je du « Je pense » n'est qu'une condition logique de la pensée et de la représentation des objets, il n'est pas lui-même un objet dont je pourrais dire quoi que ce soit. Il faut donc distinguer fermement : (a) le moi empirique, qui m'est donné dans le sens interne, (b) le Je comme condition logique ou formelle de la connaissance, (c) l'âme enfin, substance pensante des paralogismes, noumène ou chose en soi.

De l'âme, y a-t-il une connaissance possible ? Par définition, non : ce que nous expérimentons de nous-mêmes, c'est toujours notre moi comme phénomène. Je ne peux que m'apparaître à moi-même, et tel que je m'apparais, je ne vois rien qui ressemble à une substance simple, indivisible, immatérielle – Hume déjà l'avait établi (cf. texte cité). Le problème, dès lors, se déplace. On demandera : que pouvons-nous savoir *a priori* de l'âme, en dehors de toute expérience effective ? Il faut distinguer ici deux questions : d'une part les paralogismes dont on vient de rappeler le sens général, et qui relèvent d'une psychologie rationnelle procédant par purs concepts ; d'autre part la possibilité d'une théorie fondamentale de l'âme qui dégagerait les principes métaphysiques de la nature spirituelle en se fondant sur le seul concept empirique d'un être pensant (comme la science des corps tire des conclusions *a priori* du seul concept d'une nature étendue). Il s'agit bien dans les deux cas de réfléchir *a priori* sur l'âme, et cela donne lieu, pour des raisons différentes, à des difficultés insurmontables. Car si le passage du Je à la substance est comme on l'a dit toujours illégitime, le problème que rencontre la psychologie dès qu'elle veut se constituer comme science est qu'elle doit compter avec le temps, forme de notre sens interne, structure *a priori* de toute expérience psychique. Or, contrairement à l'espace, dont on peut déjà dire beaucoup de choses *a priori* (les *Premiers Principes métaphysiques de la science de la nature* en sont la preuve), le temps est rebelle à toute détermination générale de ce genre. C'est ce qui fait dire à Kant que la psychologie empirique « sera toujours éloignée d'une science digne de ce nom » (*Premiers Principes métaphysiques de la science de la nature*, p. 7).

Dans ce texte tiré de la première édition de la *Critique*, Kant associe donc deux points de vue, deux problèmes distincts et cependant solidaires : celui qui occupe toute la section des paralogismes (le Je ne peut faire l'objet d'une connaissance, puisqu'il est le présupposé de toute connaissance possible), et celui de l'impossibilité d'une connaissance *a priori* du spirituel (liée aux caractéristiques du sens interne). De l'âme, il n'y a donc pas de connaissance *a priori*, et ce pour deux raisons, présentées dans l'ordre suivant : (1) parce qu'en vertu du caractère spécial du temps, on ne peut rien tirer du seul concept d'un être pensant ; (2) parce que le Je du « Je pense » ne nous donne aucune intuition pleine, et qu'à moins de tomber dans les paralogismes déjà dénoncés, il n'y a rien à en tirer non plus. Il ne reste donc plus que la connaissance par expérience, qui est l'apanage de la psychologie empirique : mais ce n'est plus l'âme qu'on tient alors dans « l'écoulement et les modifications internes de sens » (*Ibid.*, p. 7), c'est le psychisme, c'est le moi phénoménal. Kant finit par remarquer que l'approche purement conceptuelle de l'âme a tout de même une utilité pratique (relevant d'un intérêt non spéculatif), dans la mesure où elle permet d'attaquer les matérialistes dogmatiques avec leurs propres armes : on entrevoit déjà par là comment la notion d'âme pourra être réinvestie dans le cadre de la morale (cf. texte cité de la *Critique de la raison pratique*).

Si nous comparons la *doctrine de l'âme*, comme physiologie du sens intime, avec la *doctrine des corps*, comme
physiologie des objets des sens extérieurs, nous trouvons,
indépendamment de ce que beaucoup de choses peuvent
être connues empiriquement dans les deux sciences, cette
différence remarquable, que dans la dernière science
beaucoup de connaissances peuvent être tirées *a priori* du
seul concept d'un être étendu et impénétrable, tandis
que, dans la première, aucune connaissance synthétique *a
priori* ne peut être tirée du concept d'un être pensant. En
voici la raison. Bien que l'un et l'autre soient des phénomènes, le phénomène qui s'offre au sens extérieur a
cependant quelque chose de fixe et de permanent, qui
fournit un *substratum* servant de fondement aux déterminations changeantes et par conséquent un concept
synthétique, à savoir celui de l'espace et d'un phénomène
dans l'espace, tandis que le temps, qui est la seule forme
de notre intuition interne, n'a rien de fixe, et par conséquent ne nous fait connaître que le changement des déterminations, mais non l'objet déterminable. En effet, dans
ce que nous nommons l'âme, tout est en un flux
continuel, et il n'y a rien de fixe, si ce n'est peut-être (si
on le veut absolument) le Je, qui n'est si simple que parce
que cette représentation n'a point de contenu, par conséquent point de diversité, ce qui fait qu'elle semble aussi
représenter, ou, pour mieux dire, désigner un objet
simple. Il faudrait que ce Je fût une intuition qui, étant
présupposée dans la pensée en général (antérieurement à
toute expérience), fournit comme intuition *a priori* des
propositions synthétiques[1], pour qu'il fût possible
d'établir une connaissance purement rationnelle de la
nature d'un être pensant en général. Mais ce Je est aussi
peu une intuition qu'un concept d'un objet quelconque ;
il n'est que la forme de la conscience qui peut accompagner les deux espèces de représentations et les élever
par là au rang de connaissances, à condition que quelque

---

1. Par opposition à « analytiques ». Le jugement synthétique,
exprimé par une proposition du même type, ajoute quelque chose au
concept dont il part : il lui adjoint un prédicat qui n'est pas contenu
en lui.

autre chose encore soit donnée dans l'intuition qui fournisse une matière à la représentation d'un objet. Toute la psychologie rationnelle s'écroule donc comme une science qui dépasse toutes les forces de la raison humaine ; il ne nous reste qu'à étudier notre âme suivant le fil de l'expérience, et à nous renfermer dans les limites des questions qui ne vont pas au-delà des données de l'expérience interne possible.

Mais, bien que la psychologie rationnelle n'offre aucune utilité quant à l'extension de la connaissance, et que comme telle elle ne soit composée que de purs paralogismes, on ne peut cependant pas lui refuser une grande utilité négative, quand on ne la considère que comme un examen critique de nos raisonnements dialectiques, même ceux de la raison commune et naturelle.

Quel besoin avons-nous d'une doctrine de l'âme fondée seulement sur des principes purs de la raison ? C'est sans doute surtout afin de mettre notre moi pensant à l'abri du danger du matérialisme. Mais c'est ce que fait le concept rationnel de notre moi pensant que nous avons donné. Tant s'en faut en effet qu'avec ce concept il reste la moindre crainte de voir s'évanouir, avec la suppression de la matière, toute pensée et l'existence même des êtres pensants, qu'au contraire il est clairement établi que, si j'écarte le sujet pensant, tout le monde des corps doit disparaître, comme n'étant rien que le phénomène dans la sensibilité de notre sujet et un mode de représentation de ce sujet.

Il est vrai que je n'en connais pas mieux ce moi pensant quant à ses qualités, et que je ne puis apercevoir sa permanence, ni même l'indépendance de son existence par rapport à quelque *substratum* transcendantal des phénomènes extérieurs, car celui-ci ne m'est pas moins inconnu que celui-là. Mais, comme il est possible que je tire de quelque autre source que de principes purement spéculatifs des raisons d'espérer pour ma nature pensante une existence indépendante et qui demeure à travers tous nos changements d'état possibles, c'est déjà un grand point de gagné que de pouvoir, en avouant librement sa propre ignorance, repousser les attaques dogmatiques d'un adversaire spéculatif, et lui montrer que, ne connaissant pas plus que moi la nature de mon sujet, il n'est pas plus fondé à contester la possibilité de mes espérances que moi à m'y attacher.

IX

WITTGENSTEIN

« À QUOI DONC EST-CE QUE JE CROIS, LORSQUE JE CROIS À UNE ÂME DANS L'HOMME ? »

Wittgenstein, *Investigations philosophiques*. trad.
P. Klossowski, Paris, Tel-Gallimard, 1961, p. 223,
225-226, 249-251, 255-256.

La tournure aphoristique des *Investigations philosophiques*. plus proche de la méditation à voix haute que du traité philosophique, rend assez délicate la présentation de quelques fragments isolés de l'ensemble. Parmi les problèmes abordés dans cette œuvre, celui de l'intériorité et de la possibilité (finalement rejetée) d'un « langage privé » a fait couler beaucoup d'encre, et suscité un certain nombre d'interprétations parfois totalement contradictoires. On a voulu voir, par exemple, dans la position de Wittgenstein une sorte de béhaviorisme à fondement linguistique, sans prendre garde que si l'idée d'un langage des sensations subjectives (douleurs, couleurs, etc.), autrement dit d'un langage de l'âme (*seelisch*), semblait impossible à réaliser de manière directe (un nom pour chaque sensation), cela tenait d'abord à l'usage public que nous faisons du langage, notamment à la désignation des choses en troisième

personne (qui est, par excellence, le mode d'expression de la science), et non au caractère superfétatoire des états subjectifs. En aucun cas l'intériorité comme telle ne se trouve donc refusée par Wittgenstein. Bien au contraire, elle y est dévoilée dans son caractère irréductible.

Reste cependant un problème. C'est que quelque chose nous gêne dans le langage de l'âme. On se demande, par exemple, ce que l'on veut dire lorsque l'on oppose l'accès privilégié à nos propres sensations (par introspection) et l'accès indirect (par inférence) à celles d'autrui : « Une image se trouve au premier plan, tandis que le sens est tout à l'arrière-plan » (§422). Que fait-on lorsque l'on exprime une douleur, lorsque l'on confie un sentiment ? S'agit-il de dévoiler quelque chose qui autrement serait resté caché ? Est-ce la bonne image ? Cache-t-on sa douleur comme l'on enferme sous clé un journal intime, ou comme l'on code un message ? Ce qui sous-tend toutes ces manières de parler et de penser, c'est une certaine représentation de l'intérieur comme envers de l'extérieur, espace soustrait au regard, où des choses intimes auraient leur lieu, qu'il serait possible soit de maintenir cachées, soit de révéler aux autres en les leur disant, ou seulement en les laissant deviner. Il y a, dit-on, « une âme dans l'homme ». Faut-il le comprendre dans le sens où une substance « contient deux atomes de carbone » (§422) ? L'image, celle d'un quelque chose qui serait au-dedans, *veut dire* quelque chose. Mais portée au premier plan, elle risque toujours de masquer le sens, ou de le déformer. Il faut donc tenter de le ressaisir dans des contextes réels d'application ou d'usage de l'image.

Wittgenstein ne cherche pas à nier que les expressions psychologiques aient une *référence* privée, ce serait absurde. Mais il ne se contente pas non plus simplement de nier la possibilité de leur donner un *sens* purement privé (indépendant de critères publics, corporels). Au-delà de l'impossibilité du langage privé, il montre qu'il y a, au fond de toutes ces questions de sens et de référence, une tendance que nous avons à construire la grammaire de l'âme et des sensations sur le modèle de la désignation des objets : le jeu de langage de l'âme emprunte au langage commun le mode de désignation des objets en troisième personne, comme si l'âme était un scarabée dans une boîte

(§293). On a cru qu'avec l'hypothèse de la boîte « vide » Wittgenstein entendait souligner le caractère superflu de la conscience en première personne, mais c'est tout le contraire : c'est bien parce que la boîte peut être vide que l'image est foncièrement incorrecte. Nous ne nous demandons pas, dans le contexte du langage ordinaire, si les gens à qui nous parlons ont une âme, ou si au contraire leur tête est « vide ». Cela tient justement à ce que l'âme n'a pas du tout à être pensée sur le mode de la chose, désignée par un nom (comme « scarabée » désigne le quelque chose qui est hypothétiquement dans la boîte). L'âme « n'est pas un *quelque chose* mais pas non plus un *rien* ! » (§304). On touche, avec ce qui relève de la subjectivité, à un domaine irréductible à toute énonciation en troisième personne. La science n'aura jamais rien à dire sur ma sensation du rouge en tant que sensation, sur ma douleur en tant que douleur. Mais on peut encore s'exprimer analogiquement : si la représentation privée (*Vorstellung*) reste incommunicable, on peut prendre appui sur l'image (*Bild*) qui, elle, relève du langage commun (§301). En détournant les images qui valent pour les corps, on peut dire, sinon l'âme elle-même, du moins quelque chose de l'âme. Et si l'on veut à tout prix nommer l'âme comme l'on nomme une chose, on aura donc recours à un mot-valise, comme le « scarabée » qui désigne dans l'allégorie un « quelque chose » qui change à chaque fois.

293 – Si je dis de moi-même que ce n'est qu'à partir de mon propre cas que je sais ce que signifie le mot « douleur » – ne devrais-je pas dire la *même chose* d'autrui également ? Et comment puis-je généraliser ce cas *unique* de manière aussi irréfléchie ?

Or, chacun vient dire qu'il ne sait ce qu'est la douleur qu'à partir de son propre cas ! Supposez que chacun ait une boîte avec quelque chose dedans : nous l'appelons un « scarabée ». Personne ne pourra regarder dans la boîte d'aucun autre, et chacun dira qu'il ne sait ce qu'est un scarabée que pour avoir regardé le *sien* propre. Or il se pourrait fort bien que chacun celât quelque chose de différent dans sa boîte. On pourrait même imaginer un genre de chose susceptible de changer constamment. Mais à supposer que le mot « scarabée » ait tout de même un sens usuel dans le langage de ces personnes ? – Il ne servirait pas alors à désigner une chose. La chose dans la boîte n'appartient d'aucune manière au jeu de langage ; pas même comme un quelque chose : car la boîte pourrait aussi bien être vide. Non, on pourrait « abréger » au moyen de la chose dans la boîte ; quoi que ce puisse être, cela se supprime.

C'est-à-dire : si l'on construit la grammaire des expressions de la sensation sur le modèle de l'« objet de la désignation », l'objet même disparaît comme hors de propos.

301 – Une représentation n'est pas une image, mais une image peut lui correspondre.

304 – « Mais vous admettez sûrement qu'il y a une différence entre un comportement de douleur accompagné de douleur et un comportement de douleur sans aucune douleur ? – L'admettre ? Quelle différence plus grande pourrait-il y avoir ? – Et, cependant, vous aboutissez toujours à la conclusion que la sensation elle-même est un *rien*. – Pas du tout ! Ce n'est pas un *quelque chose* mais pas non plus un *rien* ! La conclusion était seulement qu'un rien servait tout aussi bien qu'un quelque chose

dont on ne pouvait rien dire. Nous avons seulement rejeté la grammaire qui essaie de s'imposer à nous ici. »

Le paradoxe ne disparaît que lorsque nous rompons radicalement avec l'idée que le langage ne fonctionne toujours que d'*une* manière, et toujours pour le même but : traduire des pensées – qu'elles concernent des maisons, des douleurs, le bleu, le mal, ou quoi que ce soit.

402 – Encore que je dise : « J'ai maintenant telle ou telle représentation », les mots : « j'ai » ne sont qu'un signe pour autrui ; le monde de la représentation est tout entier décrit dans la description de la représentation. Vous voulez dire : le « j'ai » est comme un « faites attention ! » – Vous êtes tenté de dire qu'en réalité il faudrait l'exprimer autrement. Par exemple de façon simple, en faisant un signe de la main et suivi d'une description. Si comme, ici-même, nous ne sommes pas d'accord avec les expressions de notre langue ordinaire (qui cependant remplissent bien leur fonction), c'est qu'une image nous obsède qui se trouve en conflit avec nos expressions ordinaires. Tandis que nous sommes tentés de dire que notre manière d'expression ne décrit pas les faits tels qu'ils sont réellement. Comme si, par exemple, la proposition « il a des douleurs » pouvait être fausse d'une autre manière, indépendamment du fait que cette personne n'a point de douleurs. Comme si la forme d'expression disait quelque chose de faux, quand bien même la proposition, faute de mieux, affirmerait quelque chose de juste.

Car c'est ainsi que se présentent les disputes entre idéalistes, solipsistes et réalistes. Les uns s'en prennent à la forme d'expression normale, comme ils s'en prendraient à une affirmation, les autres la défendent comme ils constateraient des faits que reconnaît tout homme raisonnable.

404 – Lorsque je dis « j'ai des douleurs », je ne désigne pas une personne qui a des douleurs, puisqu'en un certain sens je ne sais pas du tout *qui* en a. Et ceci se peut justifier. Car avant tout : je ne dis pas que telle ou telle personne ait des douleurs, mais que « moi j'ai... ». Or, par là, je ne

nomme (aucune) personne. Pas plus que je ne nomme qui que ce soit du fait que je *gémis* de douleur. Bien que l'autre puisse reconnaître aux gémissements *qui* a des douleurs.

Qu'est-ce que cela signifie : savoir *qui* a des douleurs ? Cela signifie par exemple savoir quelle personne dans cette chambre a des douleurs ; celui qui est assis là-bas, ou qui se tient dans ce coin, le dégingandé aux cheveux blonds, etc. – À quoi veux-je en venir ? Au fait qu'il y a différents critères de l'identité d'une personne.

Or, quel est le critère qui me détermine à dire « *moi j'ai* » des douleurs ? Aucun.

405 – Mais lorsque vous dites « j'ai des douleurs », vous cherchez en tout cas à attirer l'attention d'autrui sur une personne déterminée. – La réponse pourrait être : Non ; je ne veux l'attirer que sur *moi-même*.

410 – « Je » ne dénomme pas une personne, « ici » aucun lieu, « ceci » n'est pas un nom. Mais ces mots se trouvent en connexion avec des noms. Les noms sont expliqués par ces mots. Il est vrai aussi que la physique se caractérise par le fait qu'elle n'utilise pas ces mots.

422 – À quoi donc est-ce que je crois, lorsque je crois à une âme dans l'homme ? À quoi donc, lorsque je crois que cette substance contient deux atomes de carbone ? Dans les deux cas une image se trouve au premier plan, tandis que le sens est tout à l'arrière-plan : c'est-à-dire que l'application de l'image ne s'aperçoit pas aisément.

423 – Certes, toutes ces choses se produisent en vous. – Et maintenant, permettez que je comprenne l'expression que nous utilisons. – L'image est là. Et je ne conteste pas sa validité dans des cas particuliers. Alors, permettez que je comprenne aussi l'application de l'image.

424 – L'image est là ; et je ne conteste pas sa justesse. Mais qu'est-ce que son application ? Songe à l'image de

la cécité en tant qu'obscurité dans l'âme ou dans la tête de l'aveugle.

426 – [...] Dans l'usage réel des expressions nous faisons pour ainsi dire des détours, allons par des ruelles latérales ; alors que nous voyons devant nous la droite et large avenue, mais ne saurions guère l'utiliser, barrée qu'elle est de façon permanente.

427 – « Tandis que je lui parlais, je ne savais pas trop ce qui se passait dans sa tête. » Ce disant, on ne songe pas à des processus cérébraux, mais à des processus intellectuels. L'image est à prendre au sérieux. Nous voudrions réellement voir à l'intérieur de cette tête. Et cependant nous n'entendons par là rien d'autre que ce que nous entendons d'ordinaire par ces mots : nous voudrions savoir ce qu'il pense. Je veux dire : nous avons une image vivante et d'autre part l'usage qui semble contredire l'image et exprime le psychique.

III

L'UNION DE L'ÂME ET DU CORPS

X

ARISTOTE

L'ÂME, FORME DU CORPS

Aristote, *De l'âme*, II, I, 412a5-413a5, trad.
R. Bodéüs, Paris, GF-Flammarion, 1993, p. 135-140.

Le traité *De l'âme* d'Aristote est avant tout un essai de philosophie de la nature : « La connaissance de l'âme contribue beaucoup à une vérité globale, mais surtout concernant la nature, car il y va comme du principe des êtres animés » (402a). Du coup, la réflexion sur l'âme se place aux antipodes de ce que la tradition « cartésienne » (elle-même souvent replacée dans une filiation « platonicienne ») a souvent présenté sous la forme d'un dualisme de la substance spirituelle et de la substance corporelle. L'âme, pour Aristote, c'est d'abord l'âme incarnée : « Elle n'est pas un corps, en effet, mais quelque chose du corps » (414a). Et s'il est possible de penser l'existence séparée d'une partie de l'âme, le concept d'âme en tant que tel ne va jamais sans matière (cf. *Métaphysique*. E, 1026a). L'enjeu du travail conceptuel mené ici autour de la notion d'âme déborde pourtant largement le cadre de la pensée biologique, à tel point que c'est à la définition fameuse de la deuxième partie du traité que toute la philosophie ultérieure (et la scolastique au premier chef) ne cessera de se référer, pour la développer ou pour la critiquer. On n'en retient souvent que la formulation la plus brève : l'âme, « forme du corps ».

Le texte dont il s'agit fait suite à des préliminaires méthodologiques et à un examen critique des opinions des « devanciers » sur la question de l'âme. Il en est ressorti, pour résumer, quelques points ou quelques exigences conceptuelles sur lesquelles Aristote ne cédera pas : (1) l'âme est un principe moteur, mais lui-même non mobile, (2) l'âme n'est pas composée d'éléments matériels, et elle n'est pas non plus une harmonie (l'agencement particulier de ces éléments). En d'autres termes, l'âme est immatérielle. Mais en même temps, l'âme entretient avec le corps une liaison essentielle, qui n'est pas simplement par accident : « Il semble que les affections de l'âme aussi soient toutes liées au corps » (403a). La question se pose donc : comment concilier ces deux exigences en apparence contradictoires, celle de l'immatérialité de l'âme, et celle de son incarnation essentielle ? Aristote revient « en quelque sorte au point de départ » (412a), pour développer, par une série d'approches et de mises au point successives, un concept de l'âme conforme aux exigences de l'étude. Le travail de définition s'organise en cinq moments, dont le cœur est la troisième formulation : l'âme « est réalisation première d'un corps naturel qui a potentiellement la vie ».

Ce texte fameux pose un problème d'interprétation particulièrement délicat. Si l'âme est forme au sens d'une réalisation première, faut-il en faire une substance de plein droit ? N'est-elle pas plutôt une activité qu'il faudrait attribuer à la substance du corps ? Les deux directions sont présentes chez Aristote : l'âme est forme du corps, donc en un sens immanente à sa substance ; mais elle a aussi un rôle moteur, elle est cause d'un faisceau d'activités, ce qui tend à en faire une substance distincte, bien qu'étroitement unie au corps.

S'agit-il d'ailleurs d'un texte sur l'*union* de l'âme et du corps ? En un certain sens, il semble que non : « L'on n'a même pas besoin de chercher si le corps et l'âme font un » (412b). L'unité de l'âme et du corps est tellement évidente que la question de l'union n'a pas à être posée : il n'y a pas à chercher le pourquoi de l'union, précisément parce qu'il s'agit moins d'une union que d'une unité – et que de l'unité l'on ne cherche pas le pourquoi. L'âme est donc la forme du corps, aussi inséparable de lui que la figure l'est de la cire. C'est la formule que l'on retient souvent d'Aristote, emblématique du

refus du dualisme ontologique ou du spiritualisme. Mais elle n'a d'intérêt qu'à être précisée : Aristote ne dit pas que l'âme est liée à une matière sans vie dont elle serait la forme, mais qu'elle est la réalisation, l'actualisation des fonctions vitales d'un corps animé. Comme telle, elle est dotée d'un pouvoir moteur qui semble aller bien au-delà du simple dualisme logique de la forme et de la matière. On voit aussi qu'on ne saurait réduire l'âme aux seules opérations des fonctions vitales. Si elle est en effet réalisation *première*, elle n'est pas exactement l'*animation* du corps (l'exercice actuel des fonctions vitales), mais plutôt l'*animé* propre au corps (la vie comme disposition). L'âme n'est pas la vie elle-même, mais son principe : « L'âme est principe des manifestations qu'on vient d'évoquer […] elle se définit par les fonctions nutritive, sensitive, cogitative et par le mouvement » (413b), « l'âme, c'est ce qui fait que nous vivons, sentons et réfléchissons » (414a). Enfin l'hypothèse que certaines fonctions pourraient n'être pas liées spécifiquement à des organes équivaut à reconnaître la possibilité de principe d'une séparation partielle de l'âme et du corps : c'est la question du statut de l'intellect, un problème d'interprétation majeur de l'œuvre d'Aristote.

Nous exprimons bien un genre particulier de réalités en parlant de substance. Mais celle-ci s'entend, soit comme matière (chose qui, par soi, ne constitue pas une réalité singulière [1]), soit comme aspect ou forme (en vertu de quoi, précisément, on peut parler d'une réalité singulière), soit, troisièmement, comme le composé des deux. Par ailleurs, la matière est puissance, alors que la forme est réalisation [2] ; et ce, de deux manières, soit, comme la science, soit, comme l'acte de spéculer [3].

Or, les substances, dans l'opinion, ce sont surtout les corps et, parmi eux, les corps naturels, car ils sont principes des autres [4]. Mais, parmi les corps naturels, les uns ont la vie, cependant que les autres ne l'ont pas ; et par vie, nous voulons dire la possibilité de par soi-même se nourrir, croître et dépérir. Si bien que tout corps naturel ayant la vie en partage peut être substance, une substance, cependant, comme on l'a dit, composée [5]. Mais, puisque c'est précisément un corps qui a cette propriété, c'est-à-dire, possède la vie, le corps ne saurait être l'âme. Le corps, en effet, ne se range pas dans les réalités qui se disent d'un sujet, mais se présente plutôt comme sujet ou matière.

Il faut donc nécessairement que l'âme soit substance comme forme d'un corps qui a potentiellement la vie [6]. Or cette substance est réalisation. Donc, elle est réalisation d'un tel corps.

Mais cette dernière s'entend de deux façons, tantôt, comme la science, tantôt, comme l'acte de spéculer. Par conséquent, c'est évidemment comme la science. En effet, la présence de l'âme implique sommeil et éveil. Or il y a correspondance entre l'éveil et l'acte de spéculer, d'un côté, et, de l'autre, le sommeil et le fait d'avoir cette

---

1. La matière en elle-même est un substrat indéterminé.
2. On traduit aussi : « entéléchie ».
3. La science est réalisation d'une capacité, donc disposition acquise, mais on est libre de l'exercer ou non (réalisation première). L'exercice en acte de la spéculation est réalisation de cette disposition (réalisation seconde).
4. Corps artificiels, structures mathématiques.
5. De matière et de forme.
6. Cf. *Métaphysique*. Z, 1035b.

disposition sans l'exercer ; par ailleurs, la première des deux à naître chez un même sujet, c'est la science. En conséquence, l'âme est la réalisation première [1] d'un corps naturel qui a potentiellement la vie [2].

Tel est, du reste, tout corps pourvu d'organes. Or les parties des plantes ont aussi des organes, mais d'une extrême simplicité : ainsi, la feuille est une protection du péricarpe et le péricarpe une protection du fruit, tandis que les racines correspondent à la bouche, puisque les deux absorbent la nourriture. Et si l'on a besoin d'une formule qui s'applique en commun à toute âme, ce sera : la réalisation première d'un corps naturel pourvu d'organes.

C'est pourquoi l'on n'a même pas besoin de chercher si le corps et l'âme font un, exactement comme on ne le demande pas non plus de la cire et de la figure, ni, globalement, de la matière de chaque chose et de ce qui a cette matière. Car l'un et l'être, dont on parle effectivement en plusieurs sens, c'est souverainement, la réalisation.

En termes généraux, voilà donc ce qu'est l'âme : c'est la substance, en effet, qui correspond à la raison [3]. Ce qui veut dire : la détermination [4] qui fait essentiellement de telle sorte de corps ce qu'il est. C'est comme si un quelconque des outils était un corps naturel, par exemple une hache. La détermination qui fait essentielle la hache serait sa substance et son âme s'identifierait à cela. Et si l'on mettait cette détermination à part, il n'y aurait plus de hache, sauf de façon purement nominale. Mais voilà, c'est une hache et ce n'est pas, en réalité, de cette sorte de corps que l'âme représente la détermination essentielle et la raison, mais d'un corps naturel, d'un genre précis, qui possède un principe de mouvement et de stabilité en lui-même.

---

1. Par opposition à la réalisation seconde, exercice qui met en œuvre toutes les potentialités que recèle une disposition acquise.
2. On traduit aussi : « entéléchie première d'un corps naturel ayant la vie en puissance ».
3. Substance au sens de forme, substance formelle.
4. Essence, quiddité.

On doit voir, au reste, ce qu'on a voulu dire, en prenant le cas des parties du corps. Si l'œil, en effet, était un animal, la vue en serait l'âme, car c'est elle la substance de l'œil qui correspond à la raison, tandis que l'œil, lui, est matière de la vue. Et, quand cette dernière disparaît, il n'y a plus d'œil, sauf de façon nominale, comme l'œil en pierre ou celui qui est dessiné. On doit donc transférer ce qui est vrai de la partie sur la totalité du corps vivant. Car le rapport de partie à partie est celui de la sensation entière au corps entier doué de sensation, en tant que tel.

Par ailleurs, ce n'est pas lorsqu'il se trouve dépouillé de son âme que le corps a la puissance de vivre, mais lorsqu'il la possède. Quant à la semence ou au fruit, ils constituent potentiellement le corps de ce genre précis. Donc, si c'est à la manière de l'action de couper ou de l'action de voir que l'acte d'être éveillé constitue une réalisation, néanmoins, c'est à la vue ou à la puissance de l'outil que l'âme est comparable, tandis que le corps est la réalité potentielle. Mais, tout comme l'œil comprend la pupille et la vue, dans ce cas-là aussi, c'est l'âme et le corps qui forment l'animal.

On voit donc sans peine que l'âme n'est pas séparable du corps ou qu'elle a des parties qui ne le sont pas, si tant est que la nature l'ait faite morcelable. Car, en certaines parties, elle est réalisation des parties mêmes du corps. Mais, bien évidemment, en certaines autres parties [1], rien n'empêche la séparation, parce qu'elles ne sont réalisations d'aucun corps. — Cependant, on ne voit pas encore si l'âme est réalisation du corps, en ayant avec lui la relation du navigateur à son navire [2].

---

1. L'intellect.
2. Il reste à voir si l'âme, cause formelle du corps animé, est en même temps cause efficiente ou motrice, comme le navigateur qui dirige son navire. Autre interprétation : il reste encore à voir si certaines fonctions de l'âme sont séparables du corps, comme les fonctions du pilote le sont du navire.

XI

DESCARTES

LE FAUX PROBLÈME DE L'UNION

Descartes, Lettre du 23 juin 1643 à Élizabeth, in
Correspondance avec Élisabeth, Paris, GF-Flammarion,
1989, p. 73-76.

C'est la Sixième Méditation qui fonde la distinction réelle de l'âme et du corps : après avoir établi que l'âme et le corps sont des « choses complètes », c'est-à-dire des choses dont les attributs (ici, la pensée et l'étendue) me les font reconnaître comme des substances (pensables sans le secours d'aucune autre chose), on peut, en prenant acte de l'hétérogénéité absolue des attributs en question (et donc de la distinction non moins absolue des notions), affirmer que ces substances sont réellement distinctes. La notion que je possède de mon âme n'emprunte rien aux attributs du corps, tels la figure et l'étendue : c'est une notion « primitive ». Ni corps subtil, ni vent, ni flamme, rien de matériel ne peut traduire la notion que j'ai d'une pure pensée. Voici donc posées deux notions primitives, et deux genres de substances : l'âme, substance immatérielle et pensante, et le corps, substance matérielle et étendue. Mais où est l'homme ? N'est-il pas lui-même composé de ces deux substances, n'est-il pas le nom même de l'union d'une âme et d'un corps ? Descartes lui-même ne cesse de répéter que l'âme est autrement dans le corps qu'un ange serait

dans un corps humain, que l'homme n'est pas dans son corps « ainsi qu'un pilote en son navire », que l'âme donc ne conduit pas son corps par le seul exercice de l'intellect – toute l'expérience de l'affectivité est là pour le prouver (Lettre à Régius, 1642 ; Sixième Méditation ; *Discours de la méthode*. V). Or la princesse Élisabeth, avec laquelle Descartes correspond abondamment à partir de 1643, pose de bien embarrassantes questions. Comment comprendre qu'une volonté puisse mouvoir la matière ou qu'un mouvement de matière puisse produire une douleur ? Ayant divisé l'homme en deux substances, Descartes pourra-t-il les réunir ? Faut-il invoquer, à côté de l'âme et du corps, une troisième notion primitive, donc inanalysable dans les termes des deux premières, et qui s'appellerait justement l'« union », et parfois même « union substantielle » ? Mais ce n'est encore là, semble-t-il, qu'une manière de donner un nom au problème.

On retient souvent de la lettre de juin 1643 que Descartes relègue le problème tout entier hors de la philosophie pour le laisser aux « conversations ordinaires ». On y voit généralement un aveu d'impuissance. Mais la réalité est que Descartes n'a tout simplement jamais considéré qu'il y eût là un problème. Si la communication des substances paraît être un problème insoluble, ce n'est pas parce qu'il présente une difficulté réelle, mais parce que, dans le contexte de la théorie cartésienne, il s'agit précisément d'un faux problème. L'erreur d'Élisabeth, à cet égard, consiste à poser la question de l'union à partir des substances prises à part (ainsi sur l'analogie de la « pesanteur »), alors que la division cartésienne des notions primitives en fonction des facultés de l'esprit (entendement pour l'âme, entendement accompagné de l'imagination pour le corps, et sens pour l'union) interdit par avance toute demande qui viserait l'explication de l'union à partir des notions primitives de l'âme et du corps. La connaissance de l'union, en d'autres termes, n'est pas celle d'une essence, mais celle d'un fait. Et, à cet égard, la recommandation que fait Descartes à la princesse de ne pas trop passer de temps à philosopher est moins une manière d'éviter la difficulté que de faire comprendre à son interlocutrice qu'elle ferait bien de poser de vrais problèmes, au lieu de subtiliser sur des faux. Attribuer de la matière et de l'extension à l'âme (ce qui, sous la plume de Descartes, semble être un désaveu incroyable du principe de la distinction des idées) vaut encore mieux que de poser des questions vides de sens. On est de fait toujours conduit à « concevoir la façon dont l'âme meut le corps, par celle dont un corps est mû par un autre corps » (lettre de mai 1643). Et le *vrai* problème que soulève implicitement Descartes, c'est celui de savoir quel type d'explication des choses l'on est en droit d'espérer. S'il y a donc un problème de l'union, il n'est pas dans l'impossibilité de son explication, mais dans la difficulté qu'il y a à l'identifier par l'entendement pur ; il ne porte pas sur le *fait* de l'union, mais sur la manière dont on doit le *concevoir*. Du point de vue du système philosophique, il est curieux en effet qu'à moins d'en altérer tout à fait le contenu en lui accordant l'extension et la matérialité, il n'est aucune notion adéquate de l'âme qui permette de concevoir l'union – et *a fortiori* de l'expliquer, mais, on l'a dit, ce n'est pas là la question. On notera cependant que si le problème de l'union elle-même ne peut en toute rigueur être posé par la métaphysique, il peut resurgir sur un autre terrain, à l'occasion notamment d'une réflexion sur les phénomènes psycho-physiologiques (*Les Passions de l'âme*).

Madame,
  J'ai très grande obligation à Votre Altesse de ce que, après avoir éprouvé que je me suis mal expliqué en mes

précédentes, touchant la question qu'il lui y a plu me proposer, elle daigne encore avoir la patience de m'entendre sur le même sujet, et me donner occasion de remarquer les choses que j'avais omises. Dont les principales me semblent être qu'après avoir distingué trois genres d'idées ou de notions primitives qui se connaissent chacune d'une façon particulière et non par la comparaison de l'une à l'autre, à savoir la notion que nous avons de l'âme, celle du corps, et celle de l'union qui est entre l'âme et le corps, je devais expliquer la différence qui est entre ces trois sortes de notions, et entre les opérations de l'âme par lesquelles nous les avons, et dire les moyens de nous rendre chacune d'elles familière et facile ; puis ensuite, ayant dit pourquoi je m'étais servi de la comparaison de la pesanteur, faire voir que, bien qu'on veuille concevoir l'âme comme matérielle (ce qui est proprement concevoir son union avec le corps), on ne laisse pas de connaître, par après, qu'elle en est séparable. Ce qui est, comme je crois, toute la matière que Votre Altesse m'a prescrite.

Premièrement, donc, je remarque une grande différence entre ces trois sortes de notions, en ce que l'âme ne se conçoit que par l'entendement pur ; le corps, c'est-à-dire l'extension, les figures et les mouvements, se peuvent aussi connaître par l'entendement seul, mais beaucoup mieux par l'entendement aidé de l'imagination ; et enfin, les choses qui appartiennent à l'union de l'âme et du corps ne se connaissent qu'obscurément par l'entendement seul, ni même par l'entendement aidé de l'imagination ; mais elles se connaissent très clairement par les sens. D'où vient que ceux qui ne philosophent jamais, et qui ne se servent que de leurs sens, ne doutent point que l'âme ne meuve leur corps, et que le corps n'agisse sur l'âme ; mais ils considèrent l'un et l'autre comme une seule chose, c'est-à-dire, ils conçoivent leur union ; car concevoir l'union qui est entre deux choses, c'est les concevoir comme une seule. Et les pensées métaphysiques, qui exercent l'entendement pur, servent à nous rendre la notion de l'âme familière ; et l'étude des mathématiques, qui exerce principalement l'imagination en la considération des figures et des mouvements, nous accoutume à former des notions du corps bien distinctes ; et enfin, c'est en usant seulement de la vie et des conversations ordinaires, et en s'abstenant de méditer et d'étudier aux choses qui exercent l'imagination, qu'on apprend à concevoir l'union de l'âme et du corps.

J'ai quasi peur que Votre Altesse ne pense que je ne parle pas ici sérieusement ; mais cela serait contraire au respect que je lui dois, et que je ne manquerai jamais de lui rendre. Et je puis dire, avec vérité, que la principale règle que j'ai toujours observée en mes études et celle que je crois m'avoir le plus servi pour acquérir quelque connaissance, a été que je n'ai jamais employé que fort peu d'heures, par jour, aux pensées qui occupent l'imagination, et fort peu d'heures, par an, à celles qui occupent l'entendement seul, et que j'ai donné tout le reste de mon temps au relâche des sens et au repos de l'esprit ; mais je compte, entre les exercices de l'imagination, toutes les conversations sérieuses, et tout ce à quoi il faut avoir de l'attention. C'est ce qui m'a fait retirer aux champs ; car encore que, dans la ville la plus occupée du monde, je pourrais avoir autant d'heures à moi, que j'en emploie maintenant à l'étude, je ne pourrais pas toutefois les employer si utilement, lorsque mon esprit serait lassé par l'attention que requiert le tracas de la vie. Ce que je prends la liberté d'écrire ici à Votre Altesse, pour lui témoigner que j'admire véritablement que, parmi les affaires et les soins qui ne manquent jamais aux personnes qui sont ensemble de grand esprit et de grande naissance, elle ait pu vaquer aux méditations qui sont requises pour bien connaître la distinction qui est entre l'âme et le corps.

Mais j'ai jugé que c'était ces méditations, plutôt que les pensées qui requièrent moins d'attention, qui lui ont fait trouver de l'obscurité en la notion que nous avons de leur union ; ne me semblant pas que l'esprit humain soit capable de concevoir bien distinctement, et en même temps, la distinction d'entre l'âme et le corps, et leur union ; à cause qu'il faut, pour cela, les concevoir comme une seule chose, et ensemble les concevoir comme deux, ce qui se contrarie. Et pour ce sujet (supposant que Votre Altesse avait encore les raisons qui prouvent la distinction de l'âme et du corps fort présentes à son esprit, et ne voulant point la supplier de s'en défaire, pour se représenter la notion de l'union que chacun éprouve toujours en soi-même sans philosopher ; à savoir qu'il est une seule personne, qui a ensemble un corps et une pensée, lesquels sont de telle nature que cette pensée peut mouvoir le corps, et sentir les accidents qui lui arrivent), je me suis servi ci-devant de la comparaison de la pesanteur et des autres qualités que nous imaginons être communément unies à quelques corps, ainsi que la pensée est unie au nôtre ; et je ne me suis pas soucié que cette comparaison clochât en cela que ces qualités ne sont pas réelles, ainsi qu'on les imagine, à cause que j'ai cru que Votre Altesse était déjà entièrement persuadée que l'âme est une substance distincte du corps.

Mais, puisque Votre Altesse remarque qu'il est plus facile d'attribuer de la matière et de l'extension à l'âme, que de lui attribuer la capacité de mouvoir un corps et d'en être mue, sans avoir de matière, je la supplie de vouloir librement attribuer cette matière et cette extension à l'âme ; car cela n'est autre chose que la concevoir unie au corps. Et après avoir bien conçu cela, et l'avoir éprouvé en soi-même, il lui sera aisé de considérer que la matière qu'elle aura attribuée à cette pensée, n'est pas la pensée même, et que l'extension de cette matière est d'autre nature que l'extension de cette pensée, en ce que la première est déterminée à certain lieu, duquel elle exclut toute autre extension de corps, ce que ne fait pas la deuxième. Et ainsi Votre Altesse ne laissera pas de revenir aisément à la connaissance de la distinction de l'âme et du corps, nonobstant qu'elle ait conçu leur union.

Enfin, comme je crois qu'il est très nécessaire d'avoir bien compris, une fois dans sa vie, les principes de la métaphysique, à cause que ce sont eux qui nous donnent la connaissance de Dieu et de notre âme, je crois aussi qu'il serait très nuisible d'occuper souvent son entendement à les méditer, à cause qu'il ne pourrait si bien vaquer aux fonctions de l'imagination et des sens ; mais

que le meilleur est de se contenter de retenir en sa
mémoire et en sa créance les conclusions qu'on en a une
fois tirées, puis employer le reste du temps qu'on a pour
l'étude aux pensées où l'entendement agit avec l'imagination et les sens.

XII

SPINOZA

« NI LE CORPS NE PEUT DÉTERMINER L'ÂME À PENSER, NI L'ÂME LE CORPS AU MOUVEMENT »

Spinoza, *Éthique*. III, 2, trad. C. Appuhn, Paris,
GF-Flammarion, 1965, p. 136-140.

Descartes refusait de formuler le
problème de l'union comme
celui de la communication d'une
substance matérielle et d'une
substance immatérielle : il fallait
laisser cela aux « conversations
ordinaires », ou encore à Dieu
lui-même qui maintient les substances et leur union dans l'existence. Spinoza aussi, à sa
manière, refuse de poser le problème de l'union en ces termes.
Mais il ne s'en remet pas *in extre-
mis* à Dieu, cet « asile de
l'ignorance », et encore moins au
parler quotidien. C'est l'inverse
qui est vrai : Spinoza commence
par Dieu, c'est-à-dire par la substance au sens absolu, identifiée,
suivant une formule célèbre, à la
Nature elle-même, ou à la Totalité (représentations nécessairement limitatives, mais qui ont
pour Spinoza l'avantage de
rompre avec la conception d'un
Dieu transcendant au monde).
Tout le reste, les âmes et les corps
en particulier ne sont que des

modifications (modes) de cette
unique substance, considérée
tantôt sous l'attribut du Penser
(pour les âmes) et tantôt sous
l'attribut de l'Étendue (pour les
corps). En Dieu, sous l'attribut
du Penser, l'âme ou la chose
pensante n'est donc plus une substance qui aurait des idées : elle
est elle-même un système d'idées
ou de pensées. Elle n'a pas de
commerce réel avec les corps :
« Un corps n'est pas limité par
une pensée, ni une pensée par un
corps » (*Éthique*. I, définition 2).
Il faut donc expliquer l'étendue
par l'étendue, et de même les
idées par d'autres idées, l'âme par
rapport à l'ensemble des autres
âmes. Mais en quoi cela nous
avance-t-il sur la question de
l'union ? C'est là qu'intervient la
théorie spinoziste de l'expression.
Chaque attribut doit être conçu
par soi, et coexiste avec les autres
dans l'éternité : « L'un n'a pu être
produit par l'autre [...] chacun
exprime la réalité ou l'être de la

substance » (*Ibid.*, I, 10). Cela signifie donc : (a) qu'on peut concevoir le corps indépendamment de l'âme, et l'âme indépendamment du corps, puisqu'ils sont conçus sous deux attributs distincts ; (b) que chaque attribut exprimant la même substance (Dieu), âmes et corps aussi expriment la même chose, et par conséquent s'entr'expriment d'une certaine manière. « L'ordre et la connexion des idées sont les mêmes que l'ordre et la connexion des choses » (*Ibid.*, II, 7). Mais comment passer de cette considération d'ordre général à la question de l'union d'une âme et de son corps ? Il ne suffit pas de dire de l'âme qu'elle est une idée, donc un effet ou une modification de la substance, il faut dire qu'elle n'est rien d'autre que l'idée du corps : « L'objet de l'idée constituant l'Âme humaine est le Corps » (*Ibid.*, II, 13). Cela ne signifie pas que l'âme ne pense qu'au corps — entendu comme cet assemblage de matière dont j'ai la représentation –, mais plutôt que le corps n'est rien d'autre que l'objet de l'idée en quoi consiste l'âme, le corrélat de toute pensée, de toute perception – non pas le corps représenté abstraitement comme portion de l'étendue, mais « le corps humain [qui] existe comme nous le sentons ». Si la pensée a un objet, nous l'appelons « corps ». Ou encore, comme le rappelle le texte que l'on va lire : « L'Âme et le Corps sont une seule et même chose qui est conçue tantôt sous l'attribut de la Pensée, tantôt sous celui de l'Étendue. » Nous voyons à présent ce qu'il faut entendre par l'union de l'âme et du corps (II, 13, scolie) : non pas la communication de deux substances, mais le développement nécessairement parallèle de deux ordres, sous deux attributs différents. L'âme et le corps ne sont pas unis par une mystérieuse interaction qui se jouerait autour de la glande pinéale (préface au cinquième livre de l'*Éthique*) ou par le miracle continuel de Dieu, mais par le fait qu'ils sont les expressions isomorphiques d'un même mode, les aspects parallèles d'une même réalité. C'est cette conséquence paradoxale dont le texte qui suit cherche à montrer les enjeux à la fois théoriques et pratiques.

PROPOSITION II

Ni le Corps ne peut déterminer l'Âme [1] à penser, ni l'Âme le Corps au mouvement ou au repos ou à quelque autre manière d'être que ce soit (s'il en est quelque autre).

---

1. Le latin *mens* est parfois aussi traduit par « esprit ».

Démonstration

Tous les modes de penser ont Dieu pour cause en tant qu'il est chose pensante, non en tant qu'il s'explique par un autre attribut (*Prop. 6, p. II*). Ce donc qui détermine l'Âme à penser est un mode du Penser et non de l'Étendue, c'est-à-dire (*Déf. I, p. II*) que ce n'est pas un Corps ; ce qui était le premier point. De plus, le mouvement et le repos du Corps doivent venir d'un autre corps qui a également été déterminé au mouvement et au repos par un autre, et, absolument parlant, tout ce qui survient dans un corps a dû venir de Dieu en tant qu'on le considère comme affecté d'un mode de l'Étendue et non d'un mode du Penser (*même Prop. 6, p. II*) ; c'est-à-dire ne peuvent venir de l'Âme qui (*Prop. 11, p. II*) est un mode de penser ; ce qui était le second point. Donc, ni le Corps, etc. C. Q. F. D.

Scolie

Ce qui précède se connaît plus clairement par ce qui a été dit dans le Scolie de la Proposition 7, Partie II, à savoir que l'Âme et le Corps sont une seule et même chose qui est conçue tantôt sous l'attribut de la Pensée, tantôt sous celui de l'Étendue. D'où vient que l'ordre ou l'enchaînement des choses est le même, que la Nature soit conçue sous tel attribut ou sous tel autre ; et conséquemment que l'ordre des actions et des passions de notre Corps concorde par nature avec l'ordre des actions et des passions de l'Âme. Cela est encore évident par la façon dont nous avons démontré la Proposition 12, Partie II. Bien que la nature des choses ne permette pas de doute à ce sujet, je crois cependant qu'à moins de leur donner de cette vérité une confirmation expérimentale, les hommes se laisseront difficilement induire à examiner ce point d'un esprit non prévenu ; si grande est leur persuasion que le Corps tantôt se meut, tantôt cesse de se mouvoir au seul commandement de l'âme, et fait un grand nombre d'actes qui dépendent de la seule volonté de l'Âme et de son art de penser. Personne, il est vrai, n'a jusqu'à présent déterminé ce que peut le Corps, c'est-à-dire l'expérience n'a enseigné à personne jusqu'à présent ce que, par les seules lois de la Nature considérée en tant seulement que corporelle, le Corps peut faire et ce qu'il ne peut pas faire à moins d'être déterminé par l'Âme. Personne en effet ne connaît si exactement la structure du Corps qu'il ait pu en expliquer toutes les fonctions, pour ne rien dire ici de ce que l'on observe maintes fois dans les Bêtes qui dépasse de beaucoup la sagacité humaine, et de ce que font très souvent les somnambules pendant leur sommeil, qu'ils n'oseraient pas pendant la veille, et cela montre assez que le Corps peut, par les seules lois de sa nature, beaucoup de choses qui causent à son Âme de l'étonnement. Nul ne sait, en outre, en quelle condition ou par quels moyens l'Âme meut le Corps, ni combien de degrés de mouvement elle peut lui imprimer et avec quelle vitesse elle peut le mouvoir. D'où suit que les hommes, quand ils disent que telle ou telle action du Corps vient de l'Âme, qui a un empire sur le Corps, ne savent pas ce qu'ils disent et ne font rien d'autre qu'avouer en un langage spécieux leur ignorance de la vraie cause d'une action qui n'excite pas en eux d'étonnement. Mais, dira-t-on, que l'on sache ou que l'on ignore par quels moyens l'Âme meut le Corps, on sait cependant, par expérience, que le Corps serait inerte si l'Âme humaine n'était apte à penser. On sait de même, par expérience, qu'il est également au seul pouvoir de l'Âme de parler et de se taire et bien d'autres choses que l'on croit par suite dépendre du décret de l'Âme. Mais, quand au *premier* argument, je demande à ceux qui invoquent l'expérience, si elle n'enseigne pas aussi que, si de son côté le Corps est inerte, l'Âme est en même temps privée d'aptitude à penser ? Quand le Corps est au repos dans le sommeil, l'Âme en effet reste endormie avec lui et n'a pas le pouvoir de penser comme pendant la veille. Tous savent aussi par expérience, à ce que je crois, que l'Âme n'est pas toujours également apte à penser sur un même objet et qu'en proportion de l'aptitude du Corps à se prêter au réveil de l'image de tel ou tel objet, l'Âme est aussi plus apte à considérer tel ou tel objet. Dira-t-on qu'il est impossible de tirer des seules lois de la nature, considérée seulement en tant que corpo-relle, les causes des édifices, des peintures et des choses de cette sorte qui se font par le seul art de l'homme, et que le Corps humain, s'il n'était déterminé et conduit par l'Âme, n'aurait pas le pouvoir d'édifier un temple ? J'ai déjà montré qu'on ne sait pas ce que peut le Corps ou ce qui se peut tirer de la seule considération de sa nature propre et que, très souvent, l'expérience oblige à le reconnaître, les seules lois de la Nature peuvent faire ce qu'on n'eût jamais cru possible sans la direction de l'Âme ; telles sont les actions des somnambules pendant le sommeil, qui les étonnent eux-mêmes quand ils sont éveillés. Je joins à cet exemple la structure même du Corps humain qui surpasse de bien loin en artifice tout ce que l'art humain peut bâtir, pour ne rien dire ici de ce que j'ai montré plus haut : que de la Nature considérée sous un attribut quelconque suivent une infinité de choses. Pour ce qui est maintenant du *second* argument, certes les affaires des hommes seraient en bien meilleur point s'il était également au pouvoir des hommes tant de se taire que de parler, mais, l'expérience l'a montré surabondamment, rien n'est moins au pouvoir des hommes que de tenir leur langue, et il n'est rien qu'ils puissent moins faire que de gouverner leurs appétits ; et c'est pourquoi la plupart croient que notre liberté d'action existe seulement à l'égard des choses où nous tendons légèrement, parce que l'appétit peut en être aisément contraint par le souvenir de quelque autre chose fréquemment rappelée ; tandis que nous ne sommes pas du tout libres quand il s'agit de choses auxquelles nous tendons avec une affection vive que le souvenir d'une autre chose ne peut apaiser. S'ils ne savaient d'expérience cependant que maintes fois nous regrettons nos actions et que souvent, quand nous sommes dominés par des affections contraires, nous voyons le meilleur et faisons le pire, rien ne les empêcherait de croire que toutes nos actions sont libres. C'est ainsi qu'un petit enfant croit librement appéter le lait, un jeune garçon en colère vouloir la vengeance, un peureux la fuite. Un homme en état d'ébriété aussi croit dire par un libre décret de l'Âme ce que, sorti de cet état, il voudrait avoir tu ; de même le délirant, la bavarde, l'enfant et un très grand nombre d'individus de même farine croient parler par un libre décret de l'Âme, alors cependant qu'ils ne peuvent contenir l'impulsion qu'ils ont à parler ; l'expérience donc fait voir aussi clairement que la Raison que les hommes se croient libres pour cette seule cause qu'ils sont conscients de leurs actions et ignorants des causes par où ils sont déterminés ; et, en outre, que les décrets de l'Âme ne sont rien d'autre que les appétits eux-mêmes et varient en conséquence selon la disposition variable du Corps. Chacun, en effet, gouverne tout suivant son affection, et ceux qui, de plus, sont dominés par des affections contraires, ne savent ce qu'ils veulent ; pour ceux qui sont sans affection, ils sont poussés d'un côté ou de l'autre par le plus léger motif. Tout cela montre clairement qu'aussi bien le décret que l'appétit de l'Âme, et la détermination du Corps sont de leur nature choses simultanées, ou plutôt sont une seule et même chose que nous appelons Décret quand elle est considérée sous l'attribut de la Pensée et expliquée par lui. Détermination quand elle est considérée sous l'attribut de l'Étendue et déduite des lois du mouvement et du repos, et cela se verra encore plus clairement par ce qui me reste à dire.

XIII

LEIBNIZ

« FIGUREZ-VOUS DEUX HORLOGES OU DEUX MONTRES, QUI S'ACCORDENT PARFAITEMENT »

Leibniz, Lettre de 1696 au *Journal des savants*, in *Système nouveau de la nature et de la communication des substances*, Paris, GF-Flammarion, 1994, p. 84-85.

La contribution leibnizienne au problème de l'union de l'âme et du corps est aussi célèbre que mal comprise : il s'agit de la doctrine de l'harmonie préétablie. Mais il y a une manière de la présenter qui risque toujours de faire perdre de vue l'enjeu exact des questions. Leibniz en est en partie responsable, puisqu'il a lui-même cherché à donner de l'harmonie préétablie (« hypothèse des accords ») une analogie propre à frapper les esprits, celle de deux horloges si bien réglées qu'elles marchent ensemble, sans qu'il soit besoin d'y veiller ni de les faire effectivement se communiquer leur mouvement. Cette image ingénieuse explique qu'on ait souvent confondu sous une même catégorie, précisément celle du « parallélisme », des doctrines aussi différentes que celles de Leibniz, Malebranche ou Spinoza, qui tous ont en commun, en effet, de refuser, contre la « Philosophie vulgaire », l'idée d'une influence réelle de l'âme sur le corps et du corps sur l'âme, et qui tous aussi à leur manière font fonctionner les substances en synchronie ou selon un accord parallèle, bien qu'en abordant la question par des voies très diverses. Malebranche en particulier est visé explicitement par la critique de la « voie de l'assistance » et du « système des causes occasionnelles ». Le texte dont il s'agit a en fait été présenté au *Journal des Savants* un an après la publication, dans la même revue, du *Système nouveau de la nature et de la communication des substances* (1695) où le problème était posé à l'occasion d'une exposition de l'ensemble du système.

Quelques amis savants et pénétrants, ayant considéré ma nouvelle Hypothèse sur la grande Question de l'Union de l'Âme et du corps, et l'ayant trouvée de conséquence, m'ont prié de donner quelques éclaircissements sur les difficultés qu'on avait faites, et qui venaient de ce qu'on ne l'avait pas bien entendue. J'ai cru qu'on pourrait rendre la chose intelligible à toutes sortes d'esprits par la comparaison suivante.

Figurez-vous deux horloges ou deux montres, qui s'accordent parfaitement. Or cela se peut faire de *trois façons*. La première consiste dans l'influence mutuelle d'une horloge sur l'autre ; la seconde dans le soin d'un homme qui y prend garde ; la troisième dans leur propre exactitude. La *première façon*, qui est celle de l'influence, a été expérimentée par feu M. Huygens à son grand étonnement. Il avait deux grandes pendules attachées à une même pièce de bois ; les battements continuels de ces pendules avaient communiqué des tremblements semblables aux particules de bois, mais ces tremblements divers ne pouvant pas bien subsister dans leur ordre, et sans s'entr'empêcher, à moins que les pendules ne s'accordassent, il arrivait par une espèce de merveille, que lorsqu'on avait même troublé leurs battements tout exprès, elles retournaient bientôt à battre ensemble, à peu près comme deux cordes qui sont à l'unisson.

La *seconde manière* de faire toujours accorder deux horloges, bien que mauvaises, pourra être d'y faire toujours prendre garde par un habile ouvrier, qui les mette d'accord à tous moments : et c'est ce que j'appelle la voie de l'assistance.

Enfin la *troisième manière* sera de faire d'abord ces deux pendules avec tant d'art et de justesse, qu'on se puisse assurer de leur accord dans la suite ; et c'est la voie du consentement préétabli.

Mettez maintenant l'âme et le corps à la place de ces deux horloges. Leur accord ou sympathie arrivera aussi par une de ces trois façons. La *voie de l'influence* est celle de la Philosophie vulgaire ; mais comme on ne saurait concevoir des particules matérielles, ni des espèces ou qualités immatérielles, qui puissent passer de l'une de ces substances dans l'autre, on est obligé d'abandonner ce sentiment. La *voie de l'assistance* est celle du système des causes occasionnelles ; mais je tiens que c'est faire venir *Deum ex machina*, dans une chose naturelle et ordinaire, où selon la raison il ne doit intervenir que de la manière qu'il concourt à toutes les autres choses de la nature. Ainsi il ne reste que mon Hypothèse, c'est-à-dire que la *voie de l'harmonie préétablie* par un artifice divin prévenant, lequel dès le commencement a formé chacune de ces substances d'une manière si parfaite et réglée avec tant d'exactitude, qu'en ne suivant que ses propres lois, qu'elle a reçues avec son être, elle s'accorde pourtant avec l'autre : tout comme s'il y avait une influence mutuelle, ou comme si Dieu y mettait toujours la main au-delà de son concours général.

XIV

LEIBNIZ

EXPRESSION ET HARMONIE

Leibniz, *Système nouveau de la nature et de la communication des substances*, §13-14, Paris, GF-Flammarion, 1994, p. 72-74.

« Lorsque je me mis à méditer sur l'union de l'âme avec le corps, je fus comme rejeté en pleine mer. » Pourquoi ce désarroi ? C'est que l'âme, cet « atome formel », doit être « parfaitement indivisible » (*Système nouveau*. §3), « sans portes ni fenêtres » (*Discours de métaphysique*, XXVI), et que dès lors l'on ne voit pas comment « le corps fait passer quelque chose dans l'âme, ou *vice versa* ». Il s'agit pour Leibniz d'intervenir dans une polémique dont les termes sont bien connus. Descartes a « quitté la partie » en expliquant à la princesse Élizabeth qu'il valait mieux laisser aux conversations ordinaires le soin d'apporter des lumières sur cette question (cf. texte cité). Malebranche a eu le mérite d'aborder la question de front, mais au prix d'un système audacieux et étrange où toute action efficace est réservée à Dieu. Or en même temps qu'il marque la différence de son système avec celui des causes occasionnelles (occasionnalisme) Leibniz introduit, dans un passage très dense, quelques-unes des notions fondamentales de son propre système, à savoir (dans l'ordre du paragraphe 14) : la spontanéité de la substance (où rien n'entre, et qui tire toutes ses affections de son propre fonds), sa nature expressive (de l'univers), enfin l'accord de toutes les substances entre elles (autrement dit l'harmonie). La question de l'union (et la critique de Malebranche sur ce point) ne serait donc qu'un prétexte pour l'exposé général de la communication des substances ? Une constatation troublante semble indiquer le contraire : le paragraphe 14 se clôt sur un retour à la question de l'union, et tout se passe comme si le passage par les trois grands thèmes leibniziens (spontanéité, expression, harmonie) était une sorte de détour sur la voie de l'approfondissement du thème de l'union, beaucoup plus qu'un développement en forme de ces thèmes pour eux-mêmes. Le texte joue ainsi sur deux registres pour penser l'union et le rôle de Dieu à cet égard : il y a *la* substance, comme seule au monde avec Dieu, et il y a *les* substances qui s'entr'expriment en exprimant chacune l'« univers ». Dieu est tantôt le créateur qui fait face à la substance, tantôt le grand accordeur qui règle chaque substance sur toutes les autres. L'union est pensée tantôt du point de vue des sentiments et des perceptions internes, tantôt sur le modèle d'un accord entre substances. La difficulté est que Leibniz passe sans cesse d'un registre à l'autre, dans un va-et-vient qui obscurcit l'idée même du « dehors ». À cet égard, l'expression semble être à chaque fois le lieu où s'opère la conversion d'un régime du discours à l'autre (des perceptions aux substances, des replis de l'âme à ceux du monde) ; mais c'est une expression spécifiée comme organique, une expression par les « organes », dans la « masse organisée ». Leibniz semble ainsi retrouver la ques-tion de l'union de l'âme et du corps en deçà de l'harmonie. La notion d'expression « prend corps », et plus encore celle de l'entr'expression, à partir du site organique qui fait le point de vue de l'âme : « L'âme a son siège dans le corps. » Cette thèse a quelque chose de déroutant après que l'indépendance des sub-stances a été si fortement mar-quée. C'est peut-être le sens de la rigueur philosophique selon Leibniz : comprendre que si seule que l'âme soit avec Dieu, elle a toujours un corps.

12. Après avoir établi ces choses [1], je croyais entrer dans le port ; mais lorsque je me mis à méditer sur l'union de l'âme avec le corps, je fus comme rejeté en pleine mer. Car je ne trouvais aucun moyen d'expliquer comment le corps fait passer quelque chose dans l'âme ou *vice versa*, ni comment une substance peut communiquer avec une autre substance créée. M. Descartes avait quitté la partie là-dessus, autant qu'on le peut connaître par ses écrits : mais ses disciples voyant que l'opinion commune est inconcevable, jugèrent que nous sentons les qualités des corps, parce que Dieu fait naître des pensées dans l'âme à l'occasion des mouvements de la matière ; et lorsque notre âme veut remuer le corps à son tour, ils jugèrent que c'est Dieu qui le remue pour elle. Et comme la communication des mouvements leur paraissait encore inconcevable, ils ont cru que Dieu donne du mouvement à un corps à l'occasion du mouvement d'un autre corps. C'est ce qu'ils appellent le *Système des Causes occasionnelles*.

---

1. Que l'âme ou forme est la seule véritable unité, source des actions et principe absolu de la composition, et qu'elle a de l'analogie avec la perception : les « *points métaphysiques* » ont « quelque chose de *vital* et une espèce de *perception* » (§11).

qui a été fort mis en vogue par les belles réflexions de l'Auteur de *La Recherche de la vérité*[1].

13. Il faut avouer qu'on a bien pénétré dans la difficulté, en disant ce qui ne se peut point ; mais il ne paraît pas qu'on l'ait levée en expliquant ce qui se fait effectivement. Il est bien vrai qu'il n'y a point d'influence d'une substance créée sur l'autre, en parlant selon la rigueur métaphysique, et que toutes les choses, avec toutes leurs réalités, sont continuellement produites par la vertu de Dieu : mais pour résoudre des problèmes, il n'est pas assez d'employer la cause générale, et de faire venir ce qu'on appelle *Deum ex machina*. Car lorsque cela se fait sans qu'il y ait autre explication qui se puisse tirer de l'ordre des causes secondes, c'est proprement recourir au miracle. En Philosophie il faut tâcher de rendre raison, en faisant connaître de quelle façon les choses s'exécutent par la sagesse divine, conformément à la notion du sujet[2] dont il s'agit.

14. Étant donc obligé d'accorder qu'il n'est pas possible que l'âme ou quelque autre véritable substance puisse recevoir quelque chose par dehors, si ce n'est pas la toute-puissance divine, je fus conduit insensiblement à un sentiment qui me surprit, mais qui paraît inévitable, et qui en effet a des avantages très grands et des beautés bien considérables. C'est qu'il faut donc dire que Dieu a créé d'abord l'âme, ou toute autre unité réelle de telle sorte, que tout lui doit naître de son propre fonds, par une parfaite spontanéité à l'égard d'elle-même, et pourtant avec une parfaite conformité aux choses du dehors. Et qu'ainsi nos sentiments intérieurs (c'est-à-dire, qui sont dans l'âme même, et non pas dans le cerveau, ni dans les parties subtiles des corps) n'étant que des phénomènes suivis sur les êtres externes, ou bien des apparences véritables, et comme des songes bien réglés, il faut que ces perceptions internes dans l'âme même lui arrivent par sa propre constitution originale c'est-à-dire par la nature représentative (capable de représenter les êtres hors d'elle

---

1. Malebranche.
2. La notion de la substance, c'est-à-dire son essence, son principe interne de développement.

par rapport à ses organes) qui lui a été donnée dès sa création, et qui fait son caractère individuel. Et c'est ce qui fait que chacune de ces substances, représentant exactement tout l'univers à sa manière et suivant un certain point de vue, et les perceptions ou expressions des choses externes arrivant à l'âme à point nommé, en vertu de ses propres lois, comme dans un monde à part, et comme s'il n'existait que Dieu et elle (pour me servir de la manière de parler d'une certaine personne d'une grande élévation d'esprit, dont la sainteté est célébrée [1]), il y aura un parfait accord entre toutes ces substances, qui fait le même effet qu'on remarquerait si elles communiquaient ensemble par une transmission des espèces [2], ou des qualités que le vulgaire des Philosophes s'imagine. De plus, la masse organisée, dans laquelle est le point de vue de l'âme, étant exprimée plus prochainement par elle, et se trouvant réciproquement prête à agir d'elle-même, suivant les lois de la machine corporelle, dans le moment que l'âme le veut, sans que l'un trouble les lois de l'autre, les esprits [3] et le sang ayant justement alors le mouvement qu'il leur faut pour répondre aux passions et aux perceptions de l'âme, c'est ce rapport mutuel et réglé par avance dans chaque substance de l'univers, qui produit ce que nous appelons leur *communication*, et qui fait uniquement l'*union de l'âme et du corps*. Et l'on peut entendre par là comment l'âme a son siège dans le corps par une présence immédiate, qui ne saurait être plus grande, puisqu'elle y est comme l'unité est dans le résultat des unités qui est la multitude [4].

---

1. Sainte Thérèse.
2. Expression scolastique : c'est l'idée d'une influence réelle, par l'échange de certaines qualités.
3. Esprits animaux.
4. Cf. *Monadologie*, §1.

XV

HEGEL

L'ÂME ET LE CORPS NE S'UNISSENT PAS COMME DES *CHOSES*

Hegel, *Encyclopédie des sciences philosophiques*.
t. III, *Philosophie de l'esprit*, §389, trad. B. Bourgeois,
Paris, Vrin, 1988, p. 185-187 et 405-408.

L'âme chez Hegel est à la charnière d'une philosophie de la nature et d'une philosophie de l'esprit : c'est l'anthropologie qui, en articulant ces deux champs, doit prendre en charge cette notion ambiguë, en devenir vers son accomplissement comme conscience. L'origine de l'âme humaine est dans la nature, sa destination dans l'esprit absolu. L'âme doit devenir esprit, en prolongeant le mouvement d'intériorisation qui la fait émerger de la nature. Mais dans ce processus, le corps intervient évidemment de façon directe, puisque l'âme est toujours pour un corps qu'elle anime – c'est même là ce qui justifie qu'on l'appelle « esprit nature » (*Encyclopédie*. §387). Comment se représenter le rapport de l'âme et du corps ? Hegel répond clairement : certainement pas comme le rapport de deux êtres absolument indépendants, chacun existant en soi, certainement pas comme des êtres particuliers, c'est-à-dire comme des *choses*. Si le problème de l'union est donc insoluble, c'est qu'il est dès le départ mal posé. On a voulu penser l'âme « comme une chose », et la matière comme « vraie », comme un domaine indépendant et se soutenant de lui-même. C'est vrai de la psychologie rationnelle, c'est vrai aussi de la psychologie empirique, qui derrière sa rigueur scientifique emprunte ses concepts à une « pensée abstraite », une « métaphysique de l'entendement » qui n'ose pas dire son nom (*Ibid.*. §34, §378), et dont tous les problèmes sont tributaires d'une imagerie calquée sur les choses physiques (simplicité, composition, forces, parties, doctrines des facultés et classifications *ad hoc*). On se tromperait cependant en ne voyant là que la critique d'une approche « physique » de l'âme, ou même d'une erreur de catégorie au sens où Ryle, par exemple, dénonce l'application à l'esprit de concepts relevant de la mécanique des corps (cf. texte cité). La critique est bien plus radicale, puisqu'elle porte sur les catégories elles-mêmes, qu'elles soient appliquées aux corps ou aux esprits. Ce qui est visé, c'est l'ensemble des présupposés sur lesquels repose l'usage de certaines catégories et la construction par leur moyen de certains problèmes. Kant lui-même, auquel Hegel reconnaît pourtant le mérite d'avoir débarrassé la philosophie de l'âme-chose avec sa critique des paralogismes, n'a pas remis en question les catégories elles-mêmes (substance, simplicité) ni l'abstraction de cette pensée qui pose des « choses mortes », face à face, dans des oppositions figées (*Ibid.*, §47). La critique kantienne était bonne, mais pour les mauvaises raisons : ce sont les catégories elles-mêmes qui n'allaient pas, peu importe que l'on ait pu avec elles penser ou non un objet. C'est la logique de la « chose » – ou du rapport sujet-objet – qui faisait poser à propos de l'âme les mauvaises questions (celles de son immortalité, de son immatérialité, de sa simplicité ou de sa composition). Or l'âme est un *résultat*, en même temps qu'elle est le *processus* de son propre passage vers les moments supérieurs de l'esprit (conscience et subjectivité) ; la matière elle aussi n'est qu'un moment de l'esprit. L'âme et

l'animation doivent donc être appréhendées comme l'esprit en termes de force, d'énergie, d'activité pure, et non de nature ou d'essence sans vie (*Ibid.*, §34). C'est pourquoi d'abord, comme l'indique le §389, l'âme n'est pas une nature immatérielle, mais l'immatérialité même de la nature, c'est-à-dire l'éveil de l'esprit dans la nature et de la nature par l'esprit. La question de son rapport au corps demeure inadmissible tant qu'elle est posée dans les termes d'une confrontation extérieure entre deux natures (matérielle, immatérielle) qui seraient toutes deux subsistantes par elles-mêmes. Il faut partir au contraire de l'unité originaire d'une âme et de son corps. Dans la remarque et l'additif, Hegel évalue toute la problématique postcartésienne de l'union en fonction de cette exigence.

§389

L'âme n'est pas seulement pour elle-même immatérielle, mais elle est l'immatérialité universelle de la nature [1], la vie idéelle simple de celle-ci. Elle est la *substance* [2], ainsi la base absolue de toute particularisation et singularisation de l'esprit, de telle sorte qu'il a en elle tout matériau de sa détermination et qu'elle reste l'identité pénétrante, identique, de celle-ci. Mais dans cette détermination encore abstraite, elle est seulement le

---

1. La nature considérée par opposition à la dispersion dans l'extériorité de la matière.
2. Non pas *une* substance, mais *la* substance : la matière, le fonds de tout travail de l'esprit.

sommeil de l'esprit [1] ; – le *nous* passif [2] d'Aristote, qui, suivant la *possibilité*, est tout [3].

Remarque. La question de l'immatérialité de l'âme ne peut plus avoir d'intérêt que si l'on se représente, d'un côté, la matière comme quelque chose de *vrai* [4]. et, d'autre part, l'esprit comme une *chose* [5]. Mais, dans les Temps modernes, la matière s'est raréfiée même dans les mains des physiciens ; ils sont parvenus à des éléments *impondérables*, comme la chaleur, la lumière, etc., au nombre desquels ils pourraient aisément compter aussi l'espace et le temps. Ces impondérables, qui ont perdu la propriété – caractéristique de la matière – de la pesanteur, dans un certain sens aussi la capacité de s'opposer de la résistance, ont pourtant encore, par ailleurs, un être-là sensible, un être-extérieur-à-soi, tandis qu'à la *matière vitale*, que l'on peut aussi trouver comprise parmi de tels êtres, ne manque pas seulement la pesanteur, mais aussi tout autre être-là suivant lequel elle se laisserait encore compter comme quelque chose de *matériel*. En réalité, dans l'Idée de la vie, l'être-extérieur-à-soi [6] de la nature est déjà *en soi* supprimé, et le concept, la substance de la vie, est en tant que subjectivité, toutefois seulement de telle sorte que l'existence ou objectivité échoit encore, en même temps, à cet être-extérieur-à-soi qu'on a dit. Mais, dans l'esprit en tant qu'il est le concept dont l'existence n'est pas la singularité immédiate, mais l'absolue négativité, la liberté, de telle sorte que l'objet ou la réalité du concept est le concept lui-même, l'être-extérieur-à-soi, qui constitue la détermination fondamentale de la matière, est totalement volatilisé en l'idéalité subjective du concept, en l'univer-

---

1. Mais le sommeil est en puissance la veille ; l'âme est donc en puissance esprit.
2. L'étoffe de la pensée selon Aristote (*De l'âme*. 430a). Cf. « Intellect ».
3. L'âme est forme des formes, elle est en puissance toute chose, non pas matériellement, mais quant à la forme sensible (cf. *De l'âme*. 431b).
4. Substantiel, se tenant soi-même.
5. On pense à la caractérisation cartésienne de l'âme comme « chose pensante ».
6. Être-hors-de-soi, extériorité.

salité. L'esprit est la vérité existante de la matière, à savoir que la matière elle-même n'a aucune vérité.

Une question se rattachant à la première est celle de la *communauté de l'âme et du corps*. Cette communauté fut admise comme un *fait*, et il s'agissait seulement de savoir comment elle était à *concevoir*. On peut tenir pour la réponse habituelle, que cette communauté est un mystère *inconcevable*. Car, en fait, si les deux réalités sont présupposées comme des réalités *absolument subsistantes-par-soi* [1] l'une en face de l'autre, elles sont tout aussi impénétrables l'une à l'autre que, ainsi qu'il a été admis, chaque matière est impénétrable pour une autre et qu'elle ne peut se trouver que dans le non-être réciproquement offert, les pores, de l'autre ; ainsi qu'Épicure a bien assigné aux dieux leur séjour dans les pores, mais, de façon conséquente, ne leur a imposé aucune communauté avec le monde. – On ne peut regarder comme ayant la même signification que cette réponse celle qu'ont donnée tous les philosophes depuis que ce rapport est devenu une question. *Descartes, Malebranche, Spinoza, Leibniz* ont, tous ensemble, désigné *Dieu* comme cette relation, et cela en ce sens que la finité de l'âme et la matière ne sont que des déterminations idéelles l'une vis-à-vis de l'autre et n'ont aucune vérité, de telle sorte que Dieu, chez ces philosophes, n'est pas simplement – comme c'est souvent le cas – un autre mot pour l'inconcevabilité dont on vient de parler, mais est, bien plutôt, saisi comme l'*identité* seule vraie, de celles-là. Cette *identité* est, toutefois, tantôt trop abstraite, comme l'identité spinoziste, tantôt, comme la monade des monades leibnizienne, certes aussi identité qui *crée*, mais seulement en tant qu'elle *juge*, de telle sorte que l'on parvient à une différence de l'âme et de ce qui est corporel, matériel, tandis que l'identité est seulement une *copule* du jugement et ne progresse pas de

---

1. Autonomes.

façon à être le développement et le système du syllogisme absolu [1].

Additif. [...] Mais lorsque nous nous éloignons du *sentiment* et progressons en direction de la *réflexion* [2], l'opposition de l'âme et de la matière, de mon Moi subjectif et de sa corporéité, devient une opposition fixe, et la relation réciproque du corps et de l'âme devient une influence, l'un sur l'autre, d'êtres subsistants-par-soi. La considération physiologique et psychologique habituelle ne sait pas surmonter l'immobilité rigide de cette opposition. Alors, au Moi en tant que ce qui est pleinement simple, un – cet abîme de toutes les représentations –, fait face, de manière absolument cassante, la matière en tant que ce qui est multiple, composé, et la réponse à la question de savoir comment l'être multiple que nous avons ici est réuni avec l'être abstraitement un que nous avons là est déclarée naturellement impossible.

L'immatérialité de l'un des côtés de cette opposition, à savoir de l'âme, on l'accorde aisément ; mais son autre côté, l'être matériel, subsiste, pour nous, à l'intérieur du point de vue de la pensée simplement réfléchissante, comme quelque chose de fixe, comme quelque chose que nous admettons aussi bien que l'immatérialité de l'âme ; de telle sorte que nous attribuons à ce qui est matériel le même être qu'à ce qui est immatériel, que nous les tenons tous deux pour également substantiels et absolus. Cette manière de considérer les choses régnait aussi dans l'ancienne métaphysique. Celle-ci avait cependant beau fixer l'opposition du matériel et de l'immatériel comme une opposition insurmontable, elle la supprimait néanmoins en retour, d'un autre côté, de manière inconsciente, en faisant de l'âme une *chose*, par conséquent quelque chose qui, tout en étant entièrement abstrait, est

1. Allusion à la méthode spéculative qui consiste à suivre le développement de l'Idée logique (et ici de l'identité) dans son autodifférenciation. L'âme réalise dialectiquement son unité avec le corps en passant de l'universel abstrait (l'immatérialité de la nature) à l'universel concret (l'âme et son corps).
2. *Réflexion, réfléchissant,* par opposition à *spéculatif.*

pourtant aussitôt déterminé suivant des rapports sensibles. Cela, une telle métaphysique le faisait à travers sa question sur le siège de l'âme – par là, elle posait celle-ci dans l'*espace* –, et de même à travers sa question sur la naissance et la disparition de l'âme – par là, celle-ci était posée dans le *temps* –, et, troisièmement, à travers la question portant sur les propriétés de l'âme – car, alors, l'âme est considérée comme un être en repos, fixe, comme le point de jonction de ces déterminations. Leibniz, lui aussi, a considéré l'âme comme une chose, en faisant d'elle, comme de tout le reste, une monade ; la monade est un être tout autant en repos qu'une chose, et toute la différence entre l'âme et l'être matériel consiste, d'après Leibniz, seulement en ceci, que l'âme est une monade un peu plus claire, un peu plus développée, que le reste de la matière – c'est là une représentation par laquelle l'être matériel est bien relevé, mais l'âme davantage dégradée en un être matériel que différenciée d'un tel être.

Au-dessus de toute cette façon simplement réfléchissante de considérer les choses nous élève déjà la logique *spéculative*, en tant qu'elle montre que toutes ces déterminations appliquées à l'âme – telles que : « chose », « simplicité », « indivisibilité », « un » – ne sont pas, prises abstraitement, quelque chose de vrai, mais se renversent en leur contraire. Cependant, la philosophie de l'esprit développe cette preuve de la non-vérité de telles catégories de l'entendement en démontrant comment, du fait de l'idéalité de l'esprit, toutes les déterminations fixes sont supprimées en celui-ci.

Pour ce qui concerne l'autre côté de l'opposition en question – à savoir la matière –, l'extériorité, la singularisation, la multiplicité sont regardées, ainsi qu'on l'a déjà fait remarquer, comme sa détermination fixe, et, par suite, l'unité de ce multiple est présentée seulement comme un lien superficiel, comme une composition, donc tout être matériel comme dissociable. Assurément, il faut accorder que, tandis que, dans le cas de l'esprit, l'unité concrète est l'essentiel, et le multiple une apparence, dans le cas de la matière, c'est l'inverse qui se produit ; il y a là quelque chose dont déjà l'ancienne métaphysique montrait un pressentiment en se demandant si, dans le cas de l'esprit, c'est l'un ou le multiple qui est en premier. Mais, que l'extériorité et multiplicité de la matière ne puisse pas être surmontée par la nature, c'est une présupposition que nous avons, là où nous nous tenons, dans le point de vue de la philosophie spéculative, laissée depuis longtemps derrière nous comme une présupposition nulle et non avenue. La philosophie de la nature nous enseigne comment la nature supprime par degrés son extériorité – comment la matière, déjà par la *pesanteur*, réfute la subsistance-par-soi du singulier, du multiple – et comment cette réfutation inaugurée par la pesanteur et, plus encore, par la *lumière* indissociable, simple, est achevée par la vie animale, par l'être sentant, puisque celui-ci nous révèle l'omniprésence de l'âme une en tous les points de sa corporéité, par conséquent l'être-supprimé de l'extériorité réciproque de la matière. En tant qu'ainsi tout ce qui est matériel est supprimé par l'esprit étant-en-soi à l'œuvre dans la nature, et que cette suppression s'achève dans la substance de l'*âme*, l'âme vient au jour comme l'idéalité de *tout* ce qui est matériel, comme *toute* immatérialité, de telle sorte que tout ce qui s'appelle matière – en toute la subsistance-par-soi qu'il peut faire miroiter devant la représentation – est connu comme ce quelque chose qui, face à l'esprit, n'a pas de subsistance-par-soi.

L'opposition de l'âme et du corps doit, assurément, être réalisée. Tout comme l'âme universelle indéterminée se détermine, s'individualise, tout comme l'esprit, précisément par là, devient conscience – et son progrès l'y conduit nécessairement –, il se situe à l'intérieur du point de vue de l'opposition de lui-même et de son autre, son autre lui apparaît comme quelque chose de réel, comme quelque chose d'extérieur à lui et à soi-même, comme quelque chose de matériel. À l'intérieur de ce point de vue, la question de la possibilité de la communauté de l'âme et du corps est une question tout à fait naturelle. Si l'âme et le corps, comme l'affirme la conscience d'entendement, sont absolument opposés l'un à l'autre, aucune communauté n'est possible entre eux deux. Or, l'ancienne métaphysique reconnaissait cette communauté comme un fait indéniable ; c'est pourquoi la question se posait de savoir comment pouvait être résolue la contradiction consistant en ce que des termes absolument subsistants-par-soi, étant-pour-soi, sont néanmoins dans une unité l'un avec l'autre. Une telle position de la question interdisait qu'il y fût répondu. Mais cette position précisément doit être reconnue comme une position inadmissible ; car, en vérité, l'immatériel ne se rapporte pas au matériel comme du particulier à du particulier, mais comme l'universel véritable ayant prise sur la particularité se rapporte au particulier ; ce qui est matériel, en sa particularisation, n'a aucune vérité, aucune subsistance-par-soi, face à ce qui est immatériel. Ce point de vue – dont on vient de parler – de la séparation ne peut donc pas être considéré comme un point de vue ultime, absolument vrai. Bien plutôt, la séparation du matériel et de l'immatériel ne peut être expliqué que sur la base de l'unité originaire des deux. C'est pourquoi, dans la philosophie de Descartes, Malebranche et Spinoza, on fait retour à une telle unité de la pensée et de l'être, de l'esprit et de la matière, et cette unité est placée en Dieu. Malebranche disait : « Nous voyons tout en Dieu. » Il considérait celui-ci comme la médiation, comme le médium positif entre le pensant et le non-pensant, et cela en tant que l'être immanent, passant au travers, dans lequel les deux côtés sont supprimés – par conséquent, non pas comme un troisième terme faisant face aux deux extrêmes qui auraient eux-mêmes une effectivité ; car, autrement, naîtrait, à nouveau, la question de savoir comment ce troisième terme viendrait s'unir à ces deux extrêmes. Mais, en tant que l'unité du matériel et de l'immatériel est, par les philosophes cités, posée en Dieu, qui est à saisir essentiellement comme esprit, ils ont voulu donner à connaître que cette unité ne peut pas être considérée comme un terme neutre en lequel deux extrêmes d'importance et subsistance-par-soi égales viendraient se rassembler, puisque l'être matériel n'a absolument que le sens d'un négatif à l'égard de l'esprit et à l'égard de soi-même, ou – ainsi que s'exprimaient

Platon et d'autres anciens philosophes – doit être désigné comme l'« autre de soi-même », alors que, par contre, la nature de l'esprit est à connaître comme le positif, comme le spéculatif, parce que l'esprit traverse librement l'être matériel non-subsistant-par-soi face à lui – a prise sur cet autre qui est le sien, ne le laisse pas valoir comme quelque chose de véritablement réel, mais l'idéalise et le rabaisse à quelque chose de médiatisé.

À cette appréhension spéculative de l'opposition de l'esprit et de la matière fait face le *matérialisme,* qui présente la pensée comme un résultat de l'être matériel, qui dérive du multiple la simplicité de la pensée. Il n'y a rien de plus insuffisant que les analyses – faites dans les écrits matérialistes – des rapports et liaisons de toutes sortes par le moyen desquels serait produit un résultat tel que la pensée. En la circonstance, on laisse totalement échapper le fait que, comme la cause dans l'effet, le moyen se supprime dans le but réalisé – et qu'ainsi cela même dont la pensée doit être le résultat est, bien plutôt, supprimé dans celle-ci, et que l'esprit en tant que tel n'est pas produit par quelque chose d'autre, mais se fait passer de son être-en-soi à son être-pour-soi, de son concept à l'effectivité, et fait de cela même par quoi il doit être posé quelque chose de posé par lui. Pourtant, il faut reconnaître dans le matérialisme la tendance exaltée à dépasser le dualisme qui admet deux mondes d'espèce différente comme également substantiels et vrais, à supprimer ce déchirement de ce qui est originairement un.

XVI

BERGSON

L'ÂME ET LE CERVEAU

Bergson, *L'Énergie spirituelle*, « L'âme et le corps »,
Paris, PUF, 1940, p. 33-34, 36-37, 42-43.

La conférence prononcée en 1912 et intitulée « L'âme et le corps » montre bien, à propos de la question précise des rapports du cerveau et de l'esprit, la manière dont Bergson entend formuler la

thèse dualiste d'une âme indépendante du cerveau : une sorte
de va-et-vient continuel entre les
données de la science et de l'expérience ordinaire et celles de la
pensée philosophique et de l'expérience intérieure, dans un
mouvement d'approfondissement
et de resserrement autour d'une
seule et même difficulté. Bergson
commence par prendre acte de la
solidarité des états de l'esprit et
de ceux du cerveau, attestés
depuis peu (au moment où il
parle) par les expériences sur les
localisations cérébrales. Mais
c'est pour aussitôt invalider les
prétentions des matérialistes qui
réduisent la conscience à une
simple émanation du cerveau : ce
que montre l'expérience, ce n'est
en effet rien de plus qu'une solidarité. Suit la thèse de Bergson
lui-même, qui sera étayée dans la
suite de la conférence par l'exemple de l'aphasie : le cerveau est
l'organe où l'esprit s'insère dans
la matière, il n'est rien d'autre
qu'un dispositif récepteur qui
traduit et prolonge en mouve-
ments• extérieurs (moteurs) les
mouvements purement inté-
rieurs de l'âme. Mais contre le
parallélisme des métaphysiques
classiques, dont le matérialisme
n'est qu'un épigone ingrat
lorsqu'il affirme que *tout* ce qui
est dans la conscience peut se lire
dans le cerveau, Bergson refuse
de concevoir une stricte équiva-
lence des mouvements intérieurs
et des mouvements extérieurs.
Les mouvements intérieurs n'ont
justement rien à voir avec des
mouvements dans l'espace, ils
sont des coulées de pure durée,

infiniment plus riches, dans leurs
transformations perpétuelles,
libres et imprévisibles, que ce qui
s'en exprime à travers le corps.
C'est là le fondement du dualisme de Bergson : une opposition radicale de la vie psychologique (durée, indivisibilité,
continuité, hétérogénéité) et du
monde physique (espace, divisi-
bilité, discontinuité, homogé-
néité), qui ne peut être ramenée
au dualisme « vulgaire » de la
substance immatérielle et de la
substance matérielle. Non plus
l'âme et le corps, pensés comme
substances, mais la conscience et
le cerveau, comme activités renvoyant à des sujets actifs. En
somme, l'opposition de deux
directions : ligne d'intériorisation spirituelle, ligne d'extériorisation matérielle. Le cerveau n'est
à cet égard qu'un « organe de
pantomime », et « l'activité cérébrale est à l'activité mentale ce
que les mouvements du bâton du
chef d'orchestre sont à la symphonie. La symphonie dépasse de
tous côtés les mouvements qui la
scandent ; la vie de l'esprit
déborde de même la vie cérébrale. Mais le cerveau, justement
parce qu'il extrait de la vie de
l'esprit tout ce qu'elle a de jouable
en mouvement et de matéria-
lisable, justement parce qu'il
constitue ainsi le point d'inter-
section de l'esprit dans la
matière, assure à tout instant
l'adaptation de l'esprit aux cir-
constances, maintient sans cesse
l'esprit en contact avec les
réalités. » (*L'Énergie spirituelle*.
p. 47). Ainsi le cerveau est-il
« l'organe de l'*attention à la vie* ».

On voit comment ce que la philosophie de Bergson sépare absolument se trouve en même temps ramené à la relation qu'éprouve l'expérience (car il ne suffit pas de prouver l'indépendance de la conscience vis-à-vis du cerveau, il faut encore en comprendre les relations concrètes). La conférence résume ainsi en quelques pages tout le travail entrepris dans *Matière et mémoire*, à partir de la différence de nature entre la perception et la mémoire : le cerveau, pour le dire d'un mot, c'est ce qui convertit la mémoire virtuelle en perception actuelle en sélectionnant les souvenirs, en les insérant dans la réalité et en les utilisant pour l'action. Mais si le cerveau est effectivement le simple organe ou instrument d'une âme qui, indépendante, le déborde infiniment, « nous n'avons aucune raison de supposer que le corps et l'esprit soient inséparablement liés l'un à l'autre » (*Ibid.*, p. 58) et « la survivance devient si vraisemblable que l'obligation de la preuve incombera à celui qui nie, bien plutôt qu'à celui qui affirme » (*Ibid.*, p. 59).

On nous dit : « [...] Mais y a-t-il réellement une âme distincte du corps ? Nous venons de voir que des changements se produisent sans cesse dans le cerveau, ou, pour parler plus précisément, des déplacements d'atomes et des groupements nouveaux de molécules et d'atomes. Il en est qui se traduisent par ce que nous appelons des sensations, d'autres par des souvenirs ; il en est, sans aucun doute, qui correspondent à tous les faits intellectuels, sensibles et volontaires : la conscience s'y surajoute comme une phosphorescence ; elle est semblable à la trace lumineuse qui suit le mouvement de l'allumette qu'on frotte, dans l'obscurité, le long d'un mur. Cette phosphorescence, s'éclairant pour ainsi dire elle-même, crée de singulières illusions d'optique intérieure ; c'est ainsi que la conscience s'imagine modifier, diriger, produire les mouvements dont elle n'est que le résultat ; en cela consiste la croyance en la volonté libre. La vérité est que si nous pouvions, à travers le crâne, voir ce qui se passe dans le cerveau qui travaille, si nous disposions, pour en observer l'intérieur, d'instruments capables de grossir des millions de millions de fois autant que ceux de nos microscopes qui grossissent le plus, si nous assistions ainsi à la danse des molécules, atomes et électrons dont

l'écorce cérébrale est faite, et si, d'autre part, nous possé-
dions la table de correspondance entre le cérébral et le
mental, je veux dire le dictionnaire permettant de
traduire chaque figure de la danse en langage de pensée et
de sentiment, nous saurions aussi bien que la prétendue
"âme" tout ce qu'elle pense, sent et veut, tout ce qu'elle
croit faire librement alors qu'elle le fait mécaniquement.
Nous le saurions même beaucoup mieux qu'elle, car cette
soi-disant âme consciente n'éclaire qu'une petite partie de
la danse intracérébrale, elle n'est que l'ensemble des feux
follets qui voltigent au-dessus de tels ou tels groupements privilégiés d'atomes, au lieu que nous assisterions
à tous les groupements de tous les atomes, à la danse
intracérébrale tout entière. Votre "âme consciente" est
tout au plus un effet qui aperçoit des effets : nous
verrions, nous, les effets et les causes. »
    Voilà ce qu'on dit quelquefois au nom de la science.
Mais il est bien évident, n'est-ce pas ?, que si l'on appelle
« scientifique » ce qui est observé ou observable,
démontré ou démontrable, une conclusion comme celle
qu'on vient de présenter n'a rien de scientifique, puisque,
dans l'état actuel de la science, nous n'entrevoyons même
pas la possibilité de la vérifier. […]
    Que nous dit en effet l'expérience ? Elle nous montre
que la vie de l'âme ou, si vous aimez mieux, la vie de la
conscience, est liée à la vie du corps, qu'il y a une
solidarité entre elles, rien de plus. Mais ce point n'a
jamais été contesté par personne, et il y a loin de là à
soutenir que le cérébral est l'équivalent du mental, qu'on
pourrait lire dans un cerveau tout ce qui se passe dans la
conscience correspondante. Un vêtement est solidaire du
clou auquel il est accroché ; il tombe si l'on arrache le
clou ; il oscille si le clou remue ; il se troue, il se déchire
si la tête du clou est trop pointue ; il ne s'ensuit pas que
chaque détail du clou corresponde à un détail du
vêtement, ni que le clou soit l'équivalent du vêtement ;
encore moins s'ensuit-il que le clou et le vêtement soient
la même chose. Ainsi la conscience est incontestablement
attachée à un cerveau mais il ne résulte nullement de là
que le cerveau dessine tout le détail de la conscience, ni

que la conscience soit une fonction du cerveau. Tout ce que l'observation, l'expérience, et par conséquent la science nous permettent d'affirmer, c'est l'existence d'une certaine *relation* entre le cerveau et la conscience.

Quelle est cette relation ? Ah ! c'est ici que nous pouvons demander si la philosophie a bien donné ce qu'on était en droit d'attendre d'elle. À la philosophie incombe la tâche d'étudier la vie de l'âme dans toutes ses manifestations. Exercé à l'observation intérieure, le philosophe devrait descendre au-dedans de lui-même, puis, remontant à la surface, suivre le mouvement graduel par lequel la conscience se détend, s'étend, se prépare à évoluer dans l'espace. Assistant à cette matérialisation progressive, épiant les démarches par lesquelles la conscience s'extériorise, il obtiendrait tout au moins une intuition vague de ce que peut être l'insertion de l'esprit dans la matière, la relation du corps à l'âme. Ce ne serait sans doute qu'une première lueur, pas davantage. Mais cette lueur nous dirigerait parmi les faits innombrables dont la psychologie et la pathologie disposent. Ces faits, à leur tour, corrigeant et complétant ce que l'expérience interne aurait de défectueux ou d'insuffisant, redresseraient la méthode d'observation intérieure. Ainsi par des allées et venues entre deux centres d'observation, l'un au-dedans, l'autre au-dehors, nous obtiendrions une solution de plus en plus approchée du problème – jamais parfaite, comme prétendent souvent l'être les solutions métaphysiques, mais toujours perfectible, comme celles du savant. Il est vrai que du dedans serait venue la première impulsion, à la vision intérieure nous aurions demandé le principal éclaircissement ; et c'est pourquoi le problème resterait ce qu'il doit être, un problème de philosophie. […]

Je vous dirai donc qu'un examen attentif de la vie de l'esprit et de son accompagnement physiologique m'amène à croire que le sens commun a raison, et qu'il y a infiniment plus, dans la conscience humaine, que dans le cerveau correspondant. Voici, en gros, la conclusion où j'arrive. Celui qui pourrait regarder à l'intérieur d'un cerveau en pleine activité, suivre le va-et-vient des atomes

et interpréter tout ce qu'ils font, celui-là saurait sans
doute quelque chose de ce qui se passe dans l'esprit, mais
il n'en saurait que peu de chose. Il en connaîtrait tout
juste ce qui est exprimable en gestes, attitudes et mouvements du corps, ce que l'état d'âme contient d'action en
voie d'accomplissement, ou simplement naissante : le
reste lui échapperait. Il serait, vis-à-vis des pensées et des
sentiments qui se déroulent à l'intérieur de la conscience,
dans la situation du spectateur qui voit distinctement
tout ce que les acteurs font sur la scène, mais n'entend pas
un mot de ce qu'ils disent. Sans doute, le va-et-vient des
acteurs, leurs gestes et leurs attitudes ont leur raison
d'être dans la pièce qu'ils jouent ; et si nous connaissons
le texte, nous pouvons prévoir à peu près le geste ; mais
la réciproque n'est pas vraie, et la connaissance des gestes
ne nous renseigne que fort peu sur la pièce, parce qu'il y
a beaucoup plus dans une fine comédie que les mouvements par lesquels on la scande. Ainsi, je crois que si
notre science du mécanisme cérébral était parfaite, et
parfaite aussi notre psychologie, nous pourrions deviner
ce qui se passe dans le cerveau pour un état d'âme
déterminé ; mais l'opération inverse serait impossible,
parce que nous aurions le choix, pour un même état du
cerveau, entre une foule d'états d'âme différents,
également appropriés. Je ne dis pas, notez-le bien, qu'un
état d'âme *quelconque* puisse correspondre à un état
cérébral donné : posez le cadre, vous n'y placerez pas
n'importe quel tableau : le cadre détermine quelque
chose du tableau en éliminant par avance tous ceux qui
n'ont pas la même forme et la même dimension ; mais,
pourvu que la forme et la dimension y soient, le tableau
entrera dans le cadre. Ainsi pour le cerveau et la
conscience. Pourvu que les actions relativement
simples – gestes, attitudes, mouvements –, en lesquelles
se dégraderait un état d'âme complexe, soient bien
celles que le cerveau prépare, l'état mental s'insérera
exactement dans le cadre cérébral ; mais il y a une
multitude de tableaux différents qui tiendraient aussi
bien dans le cadre ; et, par conséquent, le cerveau ne

détermine pas la pensée ; et, par conséquent, la pensée, en grande partie du moins, est indépendante du cerveau.

XVII

RYLE

« LE FANTÔME DANS LA MACHINE »

Ryle, *La Notion d'esprit*. trad. S. Stern-Gillet, Paris, Payot, 1978, p. 18-23.

Le livre de Gilbert Ryle, *The Concept of Mind* (1949), est sans doute à l'origine d'une attitude qui caractérise toute la littérature anglo-saxonne d'après-guerre sur le « *mind-body problem* », et qui consiste à s'affirmer d'emblée contre une certaine forme de « dualisme » dont Descartes, en le théorisant, aurait été l'instigateur. Les premières pages, dont est tiré le passage suivant, commencent par exposer cette « doctrine officielle » qui sera désignée dans la suite par l'expression du « mythe de Descartes ». Il s'agit du mythe du « fantôme dans la machine », qui renvoie lui-même plus profondément au partage supposé, en l'homme, entre un intérieur et un extérieur : « Tout être humain est à la fois un esprit et un corps. L'esprit et le corps sont généralement attelés ensemble mais, après la mort corporelle, l'esprit préalablement associé à un corps peut continuer d'exister et de fonctionner. [...] chaque individu vit deux vies parallèles, celle de son corps et celle de son esprit. La première est publique, la seconde est privée. Les événements de la première histoire appartiennent au monde physique, ceux de la seconde appartiennent au monde mental » (*La Notion d'esprit*. p. 11-12). Mais Ryle ne se contente pas de critiquer l'image, il en propose une genèse conceptuelle en remontant aux sources mêmes d'une erreur catégorielle (*category mistake*) fondamentale, qui consiste selon lui à penser l'esprit selon les mêmes catégories que les choses – et donc à commencer par en faire une chose. « Un mythe, certes, diffère d'un conte de fées. Il est une présentation de faits appartenant à une catégorie dans un idiome approprié à une autre catégorie. Faire exploser un mythe – ce qui est mon propos – ne consiste donc pas à nier des faits mais à les réorganiser » (*Ibid.*. p. 8). De façon plus incisive : « J'espère montrer que cette théorie est complètement fausse, fausse en principe et non en détail, car elle n'est pas seulement un assemblage d'erreurs particulières mais une seule grosse erreur d'un genre particulier, à savoir une erreur de catégorie. En effet, cette théorie représente les faits de la vie mentale comme s'ils appartenaient à un type logique ou à une catégorie (ou à une série de types logiques ou de catégories), alors qu'en fait ils appartiennent à une autre catégorie ou à un type logique différent » (*Ibid.*, p. 16). La position cartésienne du problème de l'esprit et de son rapport aux comportements observables ne serait donc pas tant fausse que tout simplement maladroite, et par conséquent « absurde ». La question de l'union de l'âme et du corps sera toujours un faux problème tant que l'on se les représentera tous deux comme des choses, selon les catégories appropriées aux choses physiques. Reste la question : si l'esprit n'est pas une chose, si même il n'existe pas comme existent les choses, mais plutôt comme existe « l'opinion publique » ou « les nombres premiers », selon quels procédés, par le moyen de quels concepts allons-nous pouvoir encore en parler, et éviter une position béhavioriste qui prétendrait s'en

passer définitivement en niant que quelque chose lui corresponde ? La suite du livre tente de répondre à ce souci en examinant une série de notions (intention, volonté, émotion, intellect, connaissance de soi) ; c'est la face constructive du projet critique. Ryle renvoie en fait dos à dos le matérialiste et le dualiste. Il ne leur reproche pas la manière dont respectivement ils conçoivent la nature de l'esprit, mais plutôt l'erreur qu'ils commettent tous deux en rangeant l'esprit et le corps sous la même catégorie, quelle qu'elle soit. Trente ans après avoir écrit ce texte, Ryle explique : « Ce que j'espère avoir dit en 1949 est que "esprit" et "corps" sont des noms d'assemblages, chacun pour une myriade de mots concrets et variés et qu'aucun des mots assemblés sous le label "esprit" ne doit avoir de contrepartie conceptuelle sous le label "corps". Nous pourrions (ou devrions essayer de) nous passer de ces deux mots-couvercles » (« Dernières pensées sur *La Notion d'esprit* », 1979).

Voici, à mon avis, l'une des origines de l'erreur de catégorie cartésienne. Après que Galilée eut montré que ses méthodes de découvertes scientifiques pouvaient fournir une théorie mécanique susceptible de s'appliquer à tout occupant de l'espace, Descartes a ressenti en lui la présence de deux tendances contradictoires. En tant que génie scientifique, il ne pouvait qu'endosser les prétentions de la mécanique et, en tant que croyant préoccupé de problèmes moraux, il ne pouvait accepter, comme

Hobbes, la clause déprimante du mécanisme selon laquelle il n'y a qu'une différence de complexité entre la nature humaine et un mécanisme d'horloge. Pour Descartes, le mental ne pouvait pas n'être qu'une variété du mécanique.

Assez naturellement, mais à tort, Descartes et ses successeurs ont adopté une échappatoire. Puisqu'il fallait se garder d'interpréter les termes de la conduite mentale comme désignant le déroulement de processus mécaniques, il fallait les interpréter comme rapportant des processus non mécaniques. Puisque les lois de la mécanique expliquaient les mouvements dans l'espace comme des effets d'autres mouvements dans l'espace, il fallait d'autres lois pour expliquer certains fonctionnements non spatiaux de l'esprit comme des effets d'autres fonctionnements non spatiaux de l'esprit. La différence entre les conduites humaines décrites comme intelligentes et celles qualifiées d'inintelligentes doit être d'ordre causal. Ainsi, tandis que certains mouvements de la langue et des membres sont des effets de causes mécaniques, d'autres doivent provenir de causes non mécaniques. En d'autres termes, certains de ces mouvements ont leur origine dans les mouvements de particules matérielles, d'autres dans le fonctionnement de l'esprit.

Les différences entre le physique et le mental étaient donc placées à l'intérieur du schéma commun des catégories de « chose », de « substance », d'« attribut », d'« état », de « processus », de « changement », de « cause » et d'« effet ». L'esprit était considéré comme une « chose » différente du corps ; les processus mentaux étaient des causes et des effets bien que d'un genre différent des mouvements corporels et ainsi de suite. De même que l'étranger s'attendait à ce que l'université soit un bâtiment supplémentaire, à la fois semblable aux collèges et considérablement différent d'eux, de même les détracteurs du mécanisme représentaient l'esprit comme un centre supplémentaire de processus de causalité, assez semblable aux machines tout en différant considérablement d'elles. Cette hypothèse était donc une hypothèse paramécanique.

Que cette hypothèse soit au cœur de la doctrine est rendu manifeste par le fait que, dès le début, ses adhérents se sont rendu compte d'une difficulté théorique majeure : comment l'esprit peut-il influencer le corps et être influencé par lui ? Comment un processus mental tel que le vouloir peut-il être la cause de mouvements spatiaux tels que ceux de la langue ? Comment un changement physique dans le nerf optique peut-il avoir, parmi ses effets, la perception par l'esprit d'un trait de lumière ? Cette célèbre difficulté suffit à montrer le moule logique dans lequel Descartes a coulé sa doctrine de l'esprit. Il s'agissait en fait d'un moule identique à celui dans lequel lui-même et Galilée avaient élaboré leur mécanique. Adhérant encore, sans le savoir, à la grammaire de la mécanique, il a tenté d'éviter le désastre en décrivant l'esprit dans un vocabulaire qui n'était que l'inverse du précédent. Il s'est vu dans l'obligation de décrire le fonctionnement de l'esprit comme la simple négation de la description spécifique du corps ; l'esprit n'est pas dans l'espace, ne se meut pas, n'est pas une modification de la matière et n'est pas accessible à l'observation publique. L'esprit n'est pas un rouage d'une horloge, mais il est un rouage de quelque chose qui n'est pas une horloge.

Vu de la sorte, l'esprit n'est pas seulement un fantôme attelé à une machine ; il est lui-même une machine fantomatique. Quoique le corps humain soit une machine, il n'est pas une machine ordinaire ; certains de ses fonctionnements sont commandés par une autre machine intérieure à lui et cette machine-pilote intérieure est d'un genre très spécial. Invisible, inaudible, elle n'a ni taille ni poids. On ne peut la démonter, et les lois qui la gouvernent ne sont pas connues de l'ingénieur ordinaire. Par ailleurs, on ne sait rien de la façon dont elle gouverne la machine corporelle. [...]

Quand deux termes appartiennent à une même catégorie, il est normal de construire deux propositions coordonnées les incorporant. Ainsi, une personne pourrait dire qu'elle a acheté un gant pour la main droite et un gant pour la main gauche, mais non qu'elle a acheté un gant pour la main droite, un gant pour la main gauche et une paire de gants. « Elle est arrivée à la maison en pleurs et en chaise à porteurs » ; c'est là une plaisanterie bien connue qui est fondée sur l'absurdité qu'il y a à coordonner des termes appartenant à des types différents. Il eût été tout aussi ridicule de construire la disjonction : « Elle est arrivée à la maison soit en pleurs soit en chaise à porteurs. » Or, c'est ce que fait précisément le dogme du fantôme dans la machine en maintenant qu'il existe à la fois des corps et des esprits, des processus physiques et des processus mentaux et qu'il y a des causes mécaniques et des causes mentales aux mouvements corporels. Je tenterai de démontrer que ces conjonctions, ainsi que d'autres de même type, sont absurdes. Toutefois – notons-le –, ma démonstration n'impliquera pas que chacune des propositions liées de la sorte est absurde en elle-même. Je ne nie pas qu'il y ait des processus mentaux consistant, par exemple, à effectuer une longue division ou à faire une plaisanterie. Ce que je prétends, c'est que la phrase : « des processus mentaux ont lieu » n'a pas le même sens que la phrase : « des processus physiques ont lieu ». Les coordonner ou opérer sur elles une disjonction n'a donc aucun sens.

Si ma démonstration réussit, il en découlera certaines conséquences intéressantes. Tout d'abord, l'opposition classique entre l'esprit et la matière sera dissipée, non par l'absorption également classique de l'esprit par la matière ou inversement, mais tout différemment. Je montrerai que le contraste apparent entre les deux est tout aussi dépourvu de fondement que le contraste entre : « elle est arrivée en pleurs à la maison » et « elle est arrivée à la maison en chaise à porteurs ». Croire qu'il y a une dichotomie entre la matière et l'esprit revient à croire que ce sont là deux termes appartenant au même type logique.

De mon argumentation, il suivra également que l'idéalisme et le matérialisme sont des réponses à des questions mal posées. La « réduction » du monde matériel à des états et processus mentaux aussi bien que la « réduction » des états et processus mentaux à des états et processus physiques présupposent la légitimité de la disjonction : « Ou il existe des esprits ou il existe des corps (mais pas les deux). » Ce qui équivaut à dire : « Ou elle a acheté un gant pour la main droite et un gant pour la main gauche ou elle a acheté une paire de gants (mais pas les deux). »

On peut parfaitement et logiquement dire qu'il existe des corps et, tout aussi logiquement, dire qu'il existe des esprits. Mais ces expressions n'indiquent pas qu'il y ait deux genres différents d'existence car « existence » n'est pas un terme générique comme « colorié » ou « sexué ». Elles montrent simplement que le verbe « exister » a deux sens différents, de même que « monter » a des sens différents dans la « marée monte », l'« espoir monte » ou « les cours de la bourse montent ». On ne considérerait pas qu'une personne disant : « il y a actuellement trois choses qui montent, à savoir la marée, l'espoir et les cours de la bourse » ferait une plaisanterie bien spirituelle. Cela équivaudrait à dire qu'il existe des nombres premiers, des mercredis, une opinion publique et des marines ou qu'il existe à la fois des corps et des esprits.

IV

LES MONDES DE L'ÂME

LES MONDES DE L'AM

XVIII

PLATON

L'ATTELAGE AILÉ

Platon, *Phèdre*. 246a-249b, trad. L. Brisson, Paris, GF-Flammarion, 1989, p. 117-121.

Platon vient d'administrer la preuve de l'immortalité de l'âme, conçue comme mouvement qui se meut lui-même et donc principe universel de mouvement : « Or, s'il en est bien ainsi, si ce qui se meut soi-même n'est autre chose que l'âme, il s'ensuit nécessairement que l'âme ne peut être ni quelque chose d'engendré ni quelque chose de mortel » (246a). Est-ce assez pour se faire « une conception juste de la nature de l'âme » (245c) ? Non, sans doute. On ne sait pas vraiment, au-delà de sa caractérisation comme spontanéité motrice, ce qu'est cette chose, ou ce « quelque chose » d'immortel. À moins de s'en tenir strictement à un discours « physique » qui ramène l'âme au principe de vie – en somme, une notion bien empirique –, il n'y a pas à attendre d'appréhension immédiate ni de description directe de cette réalité, qui pose au discours rationnel les mêmes problèmes que l'Idée à laquelle elle s'apparente (cf. texte cité du *Phédon*). Mais s'il est difficile de dire « quelle sorte de chose » est l'âme (246a), c'est-à-dire de concevoir sa nature dans les termes d'une ontologie (l'essence de l'âme), il est toujours possible de « dire de quoi elle a l'air », et

plus particulièrement de tenter de la comprendre « en considérant ses états et ses actes » (245c), à partir donc de ce qui l'affecte et de ce qu'elle peut faire. Or ce que l'âme fait ne se réduit pas à donner le branle aux corps, comme principe universel d'animation et de mouvement. Elle a une histoire et un devenir, qui ne peut être dit qu'en ayant recours à l'image et au mythe : l'âme est cette « puissance composée par nature d'un attelage ailé et d'un cocher », et ses déplacements entre les mondes (sensible et intelligible) sont décrits comme ceux d'un char sensible qui s'élève vers le ciel ou au contraire perd ses ailes pour chuter. On retrouve là clairement la structure tripartite établie dans la *République*, livre IV (cf. texte cité) : l'intellect, la partie irascible et la partie désirante. L'âme est unité d'une multiplicité : l'écart est comblé entre la réalité des âmes singulières, dotées de caractéristiques morales à chaque fois différentes, et l'âme dans son essence (vie, pensée ou mouvement automoteur). Il y a place maintenant pour toute une échelle des âmes. La résurrection et la réincarnation, déjà évoquées dans le *Phédon*, jouent à cet égard un rôle dynamique qui permet de rendre compte, entre autres choses, de la dignité du corps avec lequel l'âme se voit associée. L'histoire des âmes est ainsi scandée par des cycles où les vies dans des corps d'hommes ou de bêtes alternent avec les séjours dans le ciel : la destinée s'ordonne sur plusieurs plans, plusieurs mondes. Le monde sensible et la vie terrestre correspondent à ce qui dans la *République* (VI, 514a-517a) est décrit comme la caverne obscure où l'homme est plongé. Dans le ciel, la qualité de la contemplation de l'intelligible est l'épreuve qui permet de distinguer les âmes selon leur dignité. En fonction de leur capacité à s'élever et à se maintenir dans l'intelligible, les âmes humaines sont réparties en plusieurs groupes. Un certain nombre acquièrent la capacité de demeurer au ciel ; les autres chutent dans le monde. Mais cette sélection se double d'une autre : selon la manière dont les âmes auront vécu dans le monde sen-

sible (selon qu'elles auront agi d'après la justice et pratiqué la contemplation, médiatisée par la réminiscence), leur destinée pour le cycle suivant de réincarnations sera partiellement déterminée. Les âmes de ceux qui trois fois de suite mènent une vie juste, aspirant au savoir et au beau, sont libérées du cycle des réincarnations.

Le mythe répond donc à une double fonction symbolique, qui correspond à deux points de doctrine fondamentaux du platonisme : d'une part, une psychologie construite sur la tripartition de l'âme et, d'autre part, l'idée d'une vision préempirique des essences, elle-même associée à l'idée d'une chute dans le monde sensible – cadre nécessaire à la fondation épistémologique de la possibilité de la connaissance (thèse de la réminiscence développée dans le *Ménon*), mais aussi à la justification éthique de l'inégalité des destinées humaines.

Aussi bien, sur son immortalité, voilà qui suffit. Pour ce qui est de sa forme, voici ce qu'il faut dire. Pour dire quelle sorte de chose c'est, il faudrait un exposé en tout point divin et fort long ; mais, dire de quoi elle a l'air, voilà qui n'excède pas les possibilités humaines. Aussi notre discours procédera-t-il de cette façon.

Il faut donc se représenter l'âme comme une puissance composée par nature d'un attelage ailé et d'un cocher. Cela étant, chez les dieux, les chevaux et les cochers sont tous bons et de bonne race, alors que, pour le reste des vivants, il y a mélange. Chez nous – premier point – celui qui commande est le cocher d'un équipage apparié ; de ces deux chevaux – second point –, l'un est beau et bon pour celui qui commande, et d'une race bonne et belle, alors que l'autre est le contraire et d'une race contraire. Dès lors, dans notre cas, c'est quelque chose de difficile et d'ingrat que d'être cocher.

Comment, dans ces conditions, se fait-il que l'être vivant soit qualifié de mortel et d'immortel ? Voilà ce qu'il faut tenter d'expliquer. Tout ce qui est âme a charge de tout ce qui est inanimé ; or, l'âme circule à travers la totalité, venant à y revêtir tantôt une forme, tantôt une autre. C'est ainsi que lorsqu'elle est parfaite et ailée, elle chemine dans les hauteurs et administre le monde entier ; quand, en revanche, elle a perdu ses ailes, elle est entraînée jusqu'à ce qu'elle se soit agrippée à quelque chose de solide ; là, elle établit sa demeure, elle prend un corps de terre qui semble se mouvoir de sa propre initiative grâce à la puissance qui appartient à l'âme. Ce qu'on appelle « vivant » c'est cet ensemble, une âme et un corps fixé à elle, ensemble qui a reçu le nom de « mortel ». Quant au qualificatif « immortel », il n'est aucun discours argumenté qui permette d'en rendre compte rationnellement ; il n'en reste pas moins que, sans en avoir une vision ou une connaissance suffisante, nous nous forgeons une représentation du divin : c'est un vivant immortel, qui a une âme, qui a un corps, tous deux naturellement unis pour toujours. Mais, sur ce point, qu'il en soit et qu'on en parle comme il plaît à la divinité. Et maintenant, comprenons pourquoi l'âme a perdu ses ailes, pourquoi elles sont tombées. Voici quelle peut être cette raison.

La nature a donné à l'aile le pouvoir d'entraîner vers le haut ce qui est pesant, en l'élevant dans les hauteurs où la race des dieux a établi sa demeure ; l'aile est, d'une certaine manière, la réalité corporelle, qui participe le plus au divin. Or, le divin est beau, sage, bon et possède toutes les qualités de cet ordre : en tout cas, rien ne contribue davantage que ces qualités à nourrir et à développer ce que l'âme a d'ailé, tandis que la laideur, le mal et ce qui est le contraire des qualités précédentes dégradent et détruisent ce qu'en elle il y a d'ailé.

Voici donc celui qui, dans le ciel, est l'illustre chef de file, Zeus ; conduisant son attelage ailé, il s'avance le premier, ordonnant toutes choses dans le détail et pourvoyant à tout. Le suit l'armée des dieux et des démons, rangée en onze sections car Hestia reste dans la demeure des dieux, toute seule. Quant aux autres, tous ceux qui, dans ce nombre de douze, ont été établis au rang de chefs de file, chacun tient le rang qui lui a été assigné. Cela étant, c'est un spectacle varié et béatifique qu'offrent les évolutions circulaires auxquelles se livre, dans le ciel, la race des dieux bienheureux, chacun accomplissant la tâche qui est la sienne, suivi par celui qui toujours le souhaite et le peut, car la jalousie n'a pas de place dans le chœur des dieux. Or, chaque fois qu'ils se rendent à un festin, c'est-à-dire à un banquet, ils se mettent à monter vers la voûte qui constitue la limite intérieure du ciel ; dans cette montée, dès lors, les attelages des dieux, qui sont équilibrés et faciles à conduire, progressent facilement, alors que les autres ont de la peine à avancer, car le cheval en qui il y a de la malignité rend l'équipage pesant, le tirant vers la terre, et alourdissant la main de celui des cochers qui n'a pas bien su le dresser.

C'est là, sache-le bien, que l'épreuve et le combat suprêmes attendent l'âme. En effet, lorsqu'elles ont atteint la voûte du ciel, ces âmes qu'on dit immortelles passent à l'extérieur, s'établissent sur le dos du ciel, se laissent transporter par leur révolution circulaire et contemplent les réalités qui se trouvent hors du ciel.

Ce lieu qui se trouve au-dessus du ciel, aucun poète, parmi ceux d'ici-bas, n'a encore chanté d'hymne en son honneur, et aucun ne chantera en son honneur un hymne qui en soit digne. Or, voilà ce qui en est : car, s'il se présente une occasion où l'on doive dire la vérité, c'est bien lorsqu'on parle de la vérité. Eh bien ! l'être qui est sans couleur, sans figure, intangible, qui est réellement, l'être qui ne peut être contemplé que par l'intellect – le pilote de l'âme –, l'être qui est l'objet de la connaissance vraie, c'est lui qui occupe ce lieu. Il s'ensuit que la pensée d'un dieu, qui se nourrit de l'intellection et de connaissance sans mélange – et de même la pensée de toute âme qui se souvient de recevoir l'aliment qui lui convient –, se réjouit, lorsque, après un long moment, elle aperçoit la réalité, et que, dans cette contemplation de la vérité, elle trouve sa nourriture et son délice, jusqu'au moment où la révolution circulaire la ramène au point de départ [1]. Or, pendant qu'elle accomplit cette révolution, elle contemple la justice en soi, elle contemple la sagesse, elle contemple la science, non celle à laquelle s'attache le devenir, ni non plus sans doute celle qui change quand change une de ces choses que, au cours de notre existence actuelle, nous qualifions de réelles, mais celle qui s'applique à ce qui est réellement la réalité. Et, quand elle a, de la même façon, contemplé les autres réalités qui sont réellement, quand elle s'en est régalée, elle pénètre de nouveau à l'intérieur du ciel, et revient à sa demeure. Lorsqu'elle est de retour, le cocher installe les chevaux devant la mangeoire, y verse de l'ambroisie, puis leur donne à boire le nectar.

Voilà quelle est la vie des dieux. Passons aux autres âmes. Celle qui est la meilleure, parce qu'elle suit le dieu et qu'elle cherche à lui ressembler, a dressé la tête de son cocher vers ce qui se trouve au-dehors du ciel et elle a été entraînée dans le mouvement circulaire ; mais, troublée par le tumulte de ses chevaux, elle a eu beaucoup de peine à porter les yeux sur les réalités. Cette autre a tantôt levé, tantôt baissé la tête, parce que ses chevaux la gênaient ; elle a aperçu certaines réalités, mais pas d'autres. Quant au reste des âmes, comme elles aspirent toutes à s'élever, elles cherchent à suivre, mais impuissantes elles s'enfoncent au cours de leur révolution ; elles se piétinent, se bousculent, chacune essayant de devancer l'autre. Alors le tumulte, la rivalité et l'effort violent sont à leur comble ; et là, à cause de l'impéritie des cochers, beaucoup d'âmes sont estropiées, beaucoup voient leur plumage gravement endommagé. Mais toutes, recrues de fatigues, s'éloignent sans avoir été initiées à la contemplation de la réalité et, lorsqu'elles se sont éloignées, elles

---

1. Sans doute une allusion à la « Grande année » (*Timée*. 39d), qui dans le contexte du *Phèdre* (248e) compte dix mille ans.

ont l'opinion pour nourriture. Pourquoi faire un si grand effort pour voir où est la « plaine de la vérité » ? Parce que la nourriture qui convient à ce qu'il y a de meilleur dans l'âme se tire de la prairie qui s'y trouve, et que l'aile, à quoi l'âme doit sa légèreté, y prend ce qui la nourrit.

Voici maintenant le décret d'Adrastée [1]. Toute âme qui, faisant partie du cortège d'un dieu, a contemplé quelque chose de la vérité reste jusqu'à la révolution suivante exempte d'épreuve, et, si elle en est toujours capable, elle reste toujours exempte de dommage. Mais, quand, incapable de suivre comme il faut, elle n'a pas accédé à cette contemplation, quand, ayant joué de malchance, gorgée d'oubli et de perversion, elle s'est alourdie, et quand, entraînée par ce poids, elle a perdu ses ailes et qu'elle est tombée sur terre, alors une loi interdit qu'elle aille s'implanter dans une bête à la première génération ; cette loi stipule par ailleurs que l'âme qui a eu la vision la plus riche ira s'implanter dans une semence qui produira un homme destiné à devenir quelqu'un qui aspire au savoir, au beau, quelqu'un qu'inspirent les Muses et Éros ; que la seconde (en ce domaine) ira s'implanter dans une semence qui produira un roi qui obéit à la loi, qui est doué pour la guerre et pour le commandement ; que la troisième ira s'implanter dans une semence qui produira un homme politique, qui gère son domaine, qui cherche à faire de l'argent ; que la quatrième ira s'implanter dans une semence qui produira un homme qui aime l'effort physique, quelqu'un qui entraîne le corps ou le soigne ; que la cinquième ira s'implanter dans une semence qui produira un homme qui aura une existence de devin ou de praticien d'initiation ; à la sixième, correspondra un poète ou tout autre homme qui s'adonne à l'imitation [2] ; à la septième, le démiurge et l'agriculteur ; à la huitième, le sophiste ou le démagogue ; à la neuvième, le tyran.

Dans toutes ces incarnations, l'homme qui a mené une

---

1. Surnom de Némésis. Le décret d'Adrastée, c'est le destin.
2. Pour une explication de la place médiocre des poètes dans la hiérarchie des types humains, cf. *République*, III, 393c-397b, et X, 595a-599c.

vie juste reçoit un meilleur lot, alors que celui qui a mené une vie injuste en reçoit un moins bon. En effet, chaque âme ne revient à son point de départ qu'au bout de dix mille ans. Car l'âme ne reçoit pas d'ailes avant tout ce temps, exception faite pour l'homme qui a aspiré loyalement au savoir ou qui a aimé les jeunes gens pour les faire aspirer au savoir [1]. Lorsqu'elles ont accompli trois révolutions de mille ans chacune, les âmes de cette sorte, si elles ont choisi trois fois de suite ce genre de vie, se trouvent pour cette raison pourvues d'ailes et, à la trois millième année, elles s'échappent. Les autres, elles, à la fin de leur première vie, passent en jugement. Le jugement rendu, les unes vont purger leur peine dans les prisons qui se trouvent sous la terre, tandis que les autres, allégées par l'arrêt de la justice, vont en un lieu céleste [2], où elles mènent une vie qui est digne de la vie qu'elles ont menée, lorsqu'elles avaient une forme humaine.

XIX

PLOTIN

LA DESCENTE DE L'ÂME DANS LE CORPS

Plotin, *Ennéades*. IV, 8, 5-7, trad. É. Bréhier, Paris, Les Belles Lettres, 1964, p. 223-225.

L'union de l'âme et du corps semble constituer une objection contre la nature immortelle et divine de l'âme. Comment expliquer la descente de l'âme dans le corps ? Comment comprendre cette situation paradoxale, comme à cheval entre deux mondes ?

Le mythe du *Phèdre* décrit la descente comme une chute (cf. texte cité). Dans l'imagerie populaire, c'est le symbole même du platonisme, entendu à tort comme doctrine de la séparation du monde intelligible et du monde sensible, elle-même corrélative du mépris des corps. Mais Plotin

---

1. Allusion à Socrate lui-même (cf. l'éloge prononcé par Alcibiade à la fin du *Banquet*).
2. Prisons sous terre et lieu céleste sont des sortes d'intermondes où l'âme attend d'être envoyée dans un nouveau corps, et non les états définitifs que nous représentent l'enfer et le paradis. Tout ce qui est décrit ici vaut seulement pour la première vie.

refuse cette caricature grossière popularisée par les interprétations gnostiques de Platon. Rompant avec l'image des espaces célestes et du voyage de l'âme, il commence (ce sont les premières phrases du traité) par nous ramener à l'évidence d'une expérience intérieure. Nous appartenons au monde intelligible dans la méditation qui nous arrache à nos occupations ordinaires, et s'il y a chute, elle n'est pas d'abord physique, mais spirituelle : c'est l'affaissement de l'attention, la retombée d'une tension, le retour à la dispersion des sensations et des émotions. « Souvent je m'éveille à moi-même en m'échappant de mon corps ; étranger à tout autre chose, dans l'intimité de moi-même, je vois une beauté aussi merveilleuse que possible. Je suis convaincu, surtout alors, que j'ai une destinée supérieure ; mon activité est le plus haut degré de la vie ; je suis uni à l'être divin, et, arrivé à cette activité, je me fixe en lui au-dessus des autres êtres intelligibles. Mais, après ce repos dans l'être divin, redescendu de l'intelligence à la pensée réfléchie, je me demande comment j'opère actuellement cette descente, et comment l'âme a jamais pu venir dans le corps, étant en elle-même comme elle m'est apparue, bien qu'elle soit en un corps » (*Ennéades*, IV, 8, 1). Mais Plotin n'en reste pas là. La vie intérieure de l'âme pose en effet la question de sa nature métaphysique : quel genre d'être doit être l'âme pour pouvoir ainsi s'élever et retomber, circuler

entre la vision intelligible et la perception sensible ? Tout le traité reflète à cet égard la tension platonicienne entre les textes d'inspiration morale (*Phédon*, *Phèdre*), où le corps et le monde sensible sont représentés comme un mal pour l'âme, et les textes plus cosmologiques où la situation intermédiaire de l'âme prend sens dans la perspective du Tout, selon l'idée d'une finalité universelle (*Timée*). Pourquoi l'âme plonge-t-elle dans le corps, avec tout son cortège de passions et de désordres ? Faut-il supposer une volonté mauvaise de l'âme, qui perd ses ailes pour avoir voulu se séparer de l'intelligible, se retrancher en elle-même comme une partie isolée (cf. IV, 8, 2-4) ? Mais un tel dérangement de l'ordre cosmique fait violence à l'exigence d'intelligibilité du réel, et Plotin veut une raison métaphysique qui soit inscrite dans l'ordre lui-même. La solution qu'il propose consiste à approfondir le sens même de la procession, c'est-à-dire du déploiement de l'être et de ses régions (mondes) à partir de l'Un qui, comme déjà Platon le disait, est « au-delà de l'Être ». L'être tout entier est ordonné selon le principe d'une diffusion ou d'un rayonnement du supérieur vers l'inférieur. L'incarnation n'est pas un événement dramatique, imprévisible (faute, péché, chute), elle relève de la nécessité métaphysique de la procession (cf. le « décret d'Adrastée » du *Phèdre*, 248c-d) selon laquelle l'âme, pour déployer toutes ses puissances, doit partiellement s'unir à un corps qu'elle dirige et organise. Les forces « irrationnelles » de l'âme, inactives dans le monde incorporel, seraient vaines si elles ne passaient jamais à l'acte. Mais l'âme n'est du même coup pas tout entière dans le corps : elle a une tête dans l'intelligible, elle est à la frontière des mondes, quoiqu'elle n'en ait pas toujours conscience. Étant par principe supérieure au corps, il faut dire aussi que le corps est en elle plus qu'elle n'est dans le corps (cf. *Timée*. 30b) : « L'âme, à son tour, n'est pas dans le monde ; mais le monde est en elle ; car le corps n'est point un lieu pour l'âme. L'âme est dans l'Intelligence ; le corps est dans l'âme ; l'Intelligence est en un autre principe. Mais cet autre principe n'a plus rien de différent, où il puisse être ; il n'est donc pas en soi quoi que ce soit, et, en ce sens, il n'est nulle part. Où sont donc les autres choses ? En lui » (V, 5, 9).

5. [...] Ainsi l'âme, cet être divin, issu des régions supérieures, vient à l'intérieur d'un corps : elle qui est la dernière des divinités vient ici par inclination volontaire, pour exercer sa puissance et mettre de l'ordre en ce qui est après elle ; et si elle fuit au plus vite, elle ne subit aucun dommage pour avoir pris connaissance du mal, pour avoir connu la nature du vice, pour avoir manifesté ses puissances et avoir produit des actes et des actions : toutes ces forces, inactives dans le monde incorporel, seraient vaines si elles ne passaient toujours à l'acte ; l'âme même ignorerait qu'elle les possède si elles ne se manifestaient et ne procédaient d'elle ; car l'acte manifeste toujours une puissance cachée et invisible qui n'est pas en elle-même, une vraie réalité. De fait, chacun est émerveillé des richesses intérieures d'un être en voyant la variété de ses effets extérieurs, tels qu'ils sont dans les ouvrages délicats qu'il fabrique.

6. Il ne doit pas exister une seule chose ; sinon, tout demeurerait caché, puisque les choses n'ont dans l'Un aucune forme distincte ; aucun être particulier n'existerait, si l'Un restait immobile en lui-même ; il n'y aurait pas cette multiplicité d'êtres issus de l'Un, s'il n'y avait eu après lui la procession des êtres qui ont le rang d'âmes. De même les âmes ne doivent pas exister seules, sans qu'apparaissent les produits de leur activité ; il est inhérent à toute nature de produire après elle et de se

développer en allant d'un principe indivisible, sorte de semence, jusqu'à un effet sensible ; le terme antérieur reste à la place qui lui est propre ; mais son conséquent est le produit d'une puissance ineffable qui était en lui ; il ne doit pas immobiliser cette puissance et, par jalousie, en borner les effets ; mais elle doit avancer toujours, jusqu'à ce que tous ses effets parviennent dans les limites du possible au dernier des êtres, en raison de l'immensité de cette puissance qui étend ses dons à tous les êtres et ne peut rien laisser sans une part d'elle-même. Car il n'y a rien qui empêche un être d'avoir la part de bonté qu'il est capable de recevoir. Si la nature de la matière est éternelle, il est impossible, puisqu'elle existe, qu'elle n'ait pas sa part du principe qui fournit le bien à chaque chose, autant qu'elle est capable de le recevoir ; et si la production de la matière est une suite nécessaire des causes antérieures à elle, elle ne doit pas non plus dans ce cas être séparée de ce principe, comme si ce principe, qui lui donne, par grâce, l'existence, s'arrêtait par impossibilité d'aller jusqu'à elle. Donc ce qu'il y a de plus beau dans l'être sensible est la manifestation de ce qu'il y a de meilleur dans les êtres intelligibles, de leur puissance et de leur bonté ; tout se tient, et pour toujours, réalités intelligibles et réalités sensibles ; celles-là existent par elles-mêmes, celles-ci reçoivent éternellement l'existence, en participant aux premières ; et elles imitent autant qu'elles le peuvent la nature intelligible.

7. Il y a deux natures, la nature intelligible et la nature sensible ; il est mieux pour l'âme d'être dans l'intelligible, mais il est nécessaire, avec la nature qu'elle a, qu'elle participe à l'être sensible ; il ne faut pas s'irriter contre elle, si elle n'est pas un être supérieur en toutes choses : c'est qu'elle occupe dans les êtres un rang intermédiaire ; elle a une portion d'elle-même qui est divine ; mais placée à l'extrémité des êtres intelligibles et aux confins de la nature sensible, elle lui donne quelque chose d'elle-même. Elle reçoit en échange quelque chose de cette nature, si elle ne l'organise pas en restant elle-même en sûreté, et si, par trop d'ardeur, elle se plonge en elle sans rester tout entière elle-même ; d'ailleurs, il lui

est possible de remonter à la surface, et, ayant acquis l'expérience de ce qu'elle a vu et de ce qu'elle a subi ici, de comprendre ce qu'est l'existence dans l'intelligible et d'apprendre à connaître plus clairement le bien par la comparaison avec son contraire. Car l'épreuve du mal constitue une connaissance plus exacte du bien chez les êtres dont la puissance est trop faible pour connaître le mal de science certaine avant de l'avoir éprouvé. La pensée discursive est une descente jusqu'au degré inférieur de l'intelligence ; elle ne peut remonter jusqu'à l'au-delà ; mais, agissant d'elle-même, et ne pouvant rester en elle-même à cause d'une nécessité et d'une loi naturelle, elle va jusqu'à l'âme ; là est pour elle la fin de sa descente ; et tandis qu'elle remonte en sens inverse, elle abandonne l'être qui vient à sa suite. Il en est de même de l'acte de l'âme ; ce qui vient à sa suite, ce sont les êtres d'ici ; ce qui est avant elle, c'est la contemplation des réalités ; pour certaines âmes, cette contemplation s'opère partie par partie et successivement, et la conversion vers le mieux s'opère dans un lieu inférieur : mais ce qu'on appelle l'âme de l'univers ne se trouve jamais en train de mal agir ; elle ne subit aucun mal ; elle saisit par la contemplation intellectuelle ce qui est au-dessous d'elle, et elle se rattache toujours aux êtres supérieurs, autant que les deux choses sont possibles simultanément ; et elle prend à ces êtres pour donner en même temps à ceux d'ici, puisque, étant une âme, il est impossible qu'elle ne soit pas en contact avec eux.

8. Et s'il faut oser dire ce qui nous paraît juste contrairement à l'opinion des autres, il n'est pas vrai qu'aucune âme, pas même la nôtre, soit entièrement plongée dans le sensible ; il y a en elle quelque chose qui reste toujours dans l'intelligible ; mais si la partie qui est dans le sensible domine, ou plutôt si elle est dominée et troublée, elle ne nous permet pas d'avoir le sentiment des objets contemplés par la partie supérieure de l'âme ; car l'objet de sa pensée ne vient en nous que lorsqu'il est descendu jusqu'à notre sentiment. Nous ne connaissons pas tout ce qui se passe en une partie quelconque de l'âme, avant d'être arrivés à la connaissance complète de l'âme ; par

exemple le désir, s'il reste dans la faculté appétitive, n'est pas connu de nous ; il est connu lorsque nous le percevons par la faculté du sens intérieur, par la réflexion, ou par toutes les deux. Toute âme a un côté inférieur tourné vers le corps et un côté supérieur tourné vers l'intelligence. L'âme totale[1], celle de l'univers, organise l'univers par la partie d'elle-même qui est du côté du corps ; elle est supérieure au tout et agit sans fatigue, parce qu'elle se décide non par raisonnement, comme nous, mais par intuition intellectuelle comme l'art : c'est la partie inférieure de cette âme, qui organise l'univers. Les âmes particulières, celles d'une portion de l'univers, ont, elles aussi, une portion supérieure ; mais elles sont occupées par les sens et les impressions ; elles perçoivent beaucoup d'objets contraires à leur nature, qui les font souffrir et qui les troublent ; la portion dont elles ont la surveillance est défectueuse, et rencontre tout autour d'elle beaucoup d'objets étrangers ; elle en désire beaucoup d'autres ; elle y a plaisir, et son plaisir la trompe. Mais l'âme a aussi une partie insensible à ces plaisirs passagers, et vivant d'une vie semblable à l'âme totale.

XX

PLOTIN

L'ÂME À LA FRONTIÈRE DES MONDES

Plotin, *Ennéades.* IV, 4, 1-3, trad. É. Bréhier, Paris, Les Belles Lettres, 1964, p. 102-105, et *Ennéades.* V, 1, 10-12, trad. É. Bréhier, Paris, Les Belles Lettres, 1967, p. 28-30.

Les deux passages suivants peuvent être considérés comme des gloses sur l'idée que l'âme appartient à la frontière des mondes, aux « confins » du monde intelligible et du monde sensible. Le premier passage s'insère dans un long développement où Plotin précise la fonction et la nature de la mémoire dans l'homme (*Ennéades.* IV, 3, 25 à IV, 4, 17). La question est de savoir, en particulier, si l'âme qui s'arrache au sensible (ou qui

---

1. Âme du monde.

généralement atteint le monde intelligible par la contemplation) se souvient de quoi que ce soit. L'enjeu est de taille : il en va de la possibilité même d'une expérience et d'une connaissance individuelle de l'intelligible. Y a-t-il un sujet de l'extase ? L'union au divin (ou à l'intelligible en général), n'est-elle pas plutôt perte de soi ? Plotin semble aller dans ce sens quand il explique que dans l'état de ravissement et d'extase (littéralement : sortie de soi), l'âme, qui « ne fait plus qu'une seule et même chose avec l'intelligible », ne se souvient plus d'elle-même. C'est pourquoi « l'âme bonne est oublieuse » (IV, 3, 32). Mais, « intermédiaire entre le sensible et l'intelligible », l'âme « ne devient pas parfaitement toutes choses » : tantôt unie et tantôt isolée, tantôt concentrée et tantôt dispersée, elle circule d'un monde à l'autre, tiraillée entre le souvenir de la contemplation et celui des choses périssables. L'acte naturel et nécessaire par lequel l'âme anime le corps risque toujours de se prolonger par un acte où elle s'y lie de volonté. L'âme produit l'image, puis, par un second coup d'œil, en tombe amoureuse (III, 9, 2). Elle va ainsi plus loin qu'il ne faudrait selon la loi de procession, entraînée vers son propre reflet dans le sensible. Dans cet état, le sujet introduit comme une coupure entre lui-même et la partie supérieure de son âme, coupure qui n'existe que pour lui, et qui n'empêche pas la continuité réelle entre le monde intelligible et le monde sensible.

En d'autres termes, le moi, ce que le sujet est pour lui-même, ne coïncide pas toujours avec l'âme. Le second passage approfondit ce problème en le restituant encore plus clairement dans la logique de la procession et l'ordre des mondes. Sans doute il faut admettre que l'âme « est complètement en dehors du lieu », puisque dire le contraire serait d'emblée chercher à la situer dans l'espace du monde physique. Elle n'en a pourtant pas moins une place, une situation, qui est justement d'être à la charnière des mondes. Cette position étant rappelée, il en découle pour la vie de l'âme une conséquence singulière : si la partie supérieure de l'âme est dans l'intelligible, et que la partie inférieure est engagée dans le corps qu'elle organise, il en résulte que « nous ne sentons pas tout ce qui se passe dans notre âme ». Qui, nous ? Justement, le moi de l'âme, qui n'est pas toute l'âme. Il n'appartient pas à l'âme, essentiellement, d'être consciente de ses états. Il faut même dire que l'âme possède ses qualités propres avec d'autant plus de force qu'elle en a moins conscience (IV, 4, 4). Dans les états spirituels tels que la contemplation ou l'extase, le sentiment de personnalité disparaît, en même temps que l'attention aux choses extérieures : on atteint une « surconscience » dans l'absolue transparence d'une intuition où s'identifient le sujet et l'objet. C'est l'Intelligible qui se pense lui-même. Il n'y a pas de point où l'on puisse décider de fixer ses propres limites, et jamais l'on ne peut dire : « Jusque-là, c'est moi » (VI, 5, 7). Il y a vraiment comme trois hommes en un (VI, 7, 6), qui ne prennent sens que si on les restitue dans leurs espaces propres : le corps et les corps, autrement dit le monde sensible ; le raisonnement et la pensée discursive, qui unit les principes intelligibles et les impressions extérieures, et participe ainsi à l'âme du monde, frontière du sensible et de l'intelligible ; l'intelligence enfin, qui participe pleinement à l'Intelligible. Enfin, en sa pointe extrême, l'âme peut atteindre l'Un, par-delà l'espace et les mondes : « Dès qu'elle est en elle seule et non plus dans l'être, elle est par là même en lui » (VI, 9, 11).

[Ennéades, IV, 4, 1-3]

1. Que dira-t-il ? Quels souvenirs conservera une âme qui est dans le monde intelligible, auprès de la substance ? La conséquence est qu'elle contemple les êtres intelligibles, qui sont l'objet de son activité et au milieu desquels elle se trouve ; sinon, elle ne serait pas parmi eux. Elle ne se rappelle aucun des événements terrestres ; elle ne se rappelle pas, par exemple, qu'elle se livrait à la philosophie, et que, d'ici-bas, elle contemplait déjà les intelligibles. Il n'est pas possible, lorsque sa pensée s'applique aux intelligibles, de faire autre chose que de les penser et de les contempler ; et la pensée actuelle n'implique pas le souvenir d'avoir pensé. Sans doute, après avoir cessé de penser, si cela arrivait, elle pourrait dire : j'ai pensé ; mais cela supposerait qu'elle change. Si elle est dans la pure contemplation des intelligibles, elle ne saurait garder la mémoire des événements qui lui sont advenus ici-bas. En outre, si, comme il paraît bien, toute pensée est intemporelle, puisque les intelligibles sont dans l'éternité et non dans le temps, il est impossible qu'il y ait là-bas le moindre souvenir non seulement des choses terrestres, mais même de n'importe quoi ; chaque essence lui est présente ; et elle n'a pas à les parcourir successivement et à passer de l'une à l'autre. […]

2. Admettons. Mais comment se souvient-il de lui-même [lorsqu'il est dans le monde intelligible] ? – Il n'a pas du tout le souvenir de lui-même ; il ne se rappelle pas par exemple que c'est lui, Socrate, qui contemple, il ne sait pas s'il est une intelligence ou une âme. Que l'on

songe à ces états de contemplation les plus distincts, même ici-bas, où la pensée ne fait aucun retour sur elle-même ; nous nous possédons nous-mêmes ; mais toute notre activité est dirigée sur l'objet contemplé ; nous devenons cet objet ; nous nous offrons à lui comme une matière ; nous prenons forme d'après ce que nous voyons ; nous ne sommes plus nous-mêmes qu'en puissance. – Quoi ! L'être qui est dans l'intelligible n'est lui-même en acte, que lorsqu'il ne pense à rien ! – Ce serait exact, s'il était comme un espace vide de tout ; mais puisqu'il est lui-même toutes choses, en se pensant lui-même, il pense en même temps toutes choses ; dans l'intuition et la vision en acte qu'il a de lui-même se trouvent comprises toutes les choses ; et dans l'intuition qu'il a du tout, il se trouve compris lui-même. – Mais, s'il procède ainsi, ses pensées changent, et, plus haut, nous jugions le contraire. – L'intelligence seule reste identique à elle-même ; mais l'âme, située aux confins du monde intelligible, peut changer, puisqu'elle peut toujours y pénétrer plus avant : lorsqu'une chose se trouve autour d'un point immobile, il faut bien que sa position par rapport à ce point soit variable et qu'elle ne demeure pas également immobile. Ou plutôt, ce n'est pas un véritable changement que de passer des intelligibles à soi-même, et de soi-même aux autres intelligibles ; car le moi est toutes choses ; le moi et son objet ne font qu'un. – Il n'en reste pas moins que l'âme, placée dans le monde intelligible, a une série d'affections différentes relatives à elle-même et aux choses qui sont en elles. – Non ; si elle vit purement dans le monde intelligible, elle possède, elle aussi, l'immutabilité ; elle est ce que sont ces objets. Même en ce lieu terrestre d'ailleurs, elle doit aboutir à l'union avec l'intelligence, si elle se tourne vers elle ; ainsi tournée, elle n'a plus aucun intermédiaire entre l'intelligence et elle ; elle va vers l'intelligence, puis elle s'accorde avec elle ; enfin elle arrive à un état d'union impérissable, si bien que les deux ne font qu'un. Dans cet état, elle ne peut changer : elle a un rapport immuable à la pensée, et elle possède en même temps la conscience d'elle-même, parce qu'elle ne fait plus qu'une seule et même chose avec l'intelligible.

3. Mais l'âme sort du monde intelligible et ne se tient pas ferme à son unité ; elle s'aime pour elle-même et veut en être distincte ; elle se penche au-dehors. C'est alors, paraît-il, qu'elle a souvenir d'elle-même. Elle a alors le souvenir des intelligibles qui l'empêche encore de tomber, le souvenir des choses terrestres qui la pousse ici-bas, et le souvenir des choses célestes qui la retient dans le ciel ; en général l'âme est et devient la chose dont elle se souvient. Le souvenir est ou bien une pensée ou bien une image ; or l'imagination ne possède pas son objet, mais elle en a la vision, et elle se dispose comme lui ; ainsi quand elle voit des choses sensibles, elle acquiert la même étendue que ce qu'elle regarde. C'est que l'âme possède toutes choses ; mais elle les possède en second, et, ainsi, elle ne devient pas parfaitement toutes choses ; elle est intermédiaire entre le sensible et l'intelligible, et, dans cette situation, elle se porte vers l'un comme vers l'autre.

[Ennéades, V, 1, 10-12]

10. Voici donc ce qu'il faut croire : il y a d'abord l'Un, qui est au-delà de l'Être, tel que notre exposé a voulu le montrer, autant qu'il est possible de démontrer en pareil sujet ; puis, à sa suite, l'Être et l'Intelligence, et, au troisième rang, la nature de l'Âme. Comme ces trois réalités sont dans la nature des choses, il faut penser qu'elles sont aussi en nous. J'entends non pas en ce qu'il y a de sensible en nous (car ces réalités sont séparées des choses sensibles), mais en ce qui est extérieur à l'élément sensible (extérieur s'entend dans le même sens où l'on dit que ces réalités sont extérieures au ciel) ; telles sont les parties de l'homme que Platon appelle l'*homme intérieur.* Donc notre âme est chose divine ; elle est d'une nature différente de l'être sensible ; elle est telle que l'âme universelle. L'âme qui possède l'intelligence est parfaite. Mais il faut distinguer l'intelligence qui raisonne, et celle qui fournit les principes du raisonnement. La faculté de raisonner de l'âme n'a pas besoin d'un organe corporel pour son opération ; elle garde son action pure de tout

corps, pour être capable de raisonner purement ; elle est séparée et sans mélange avec le corps ; et l'on ne se trompera pas en la plaçant dans le premier intelligible. Car il ne faut pas demander le lieu où la situer ; il faut admettre qu'elle est complètement en dehors du lieu. Voici donc ce qu'est être en soi, extérieur et immatériel, c'est être isolé du corps et ne tenir rien de sa nature. C'est pourquoi le démiurge *mit l'âme encore au-dehors du monde, et en enveloppa le monde*, dit Platon à propos de l'univers ; il veut désigner la partie de l'âme qui reste dans l'intelligible ; pour nous, il dit que notre âme « émerge par sa tête jusqu'aux sommets ». Quand il nous recommande de nous *séparer* du corps, il ne veut pas parler d'une séparation locale (car cette séparation est établie par la nature) ; il entend que l'on n'ait pas d'inclinations vers le corps, même en imagination, et qu'on lui reste étranger ; c'est ce qui arrive si l'on sait remonter et si l'on amène jusqu'en haut cette partie de l'âme qui est située ici-bas, et qui, à elle seule, fabrique le corps, le façonne et y consacre son activité.

11. L'âme qui raisonne s'occupe des choses justes ou belles, pour se demander si telle chose est juste ou si telle chose est belle. Il faut donc qu'il y ait une idée stable de la justice, d'après laquelle l'âme raisonne ; sinon, comment raisonner ? Et, puisque l'âme tantôt raisonne et tantôt ne raisonne pas, ce ne doit pas être la partie raisonnable, mais l'intelligence qui en nous garde toujours l'idée du juste. Il y a donc aussi en nous le principe et la cause de l'intelligence qui est Dieu ; non pas que Dieu se divise, puisqu'il reste immobile ; mais, bien qu'il ne soit pas dans un lieu et qu'il reste immobile, on le voit dans les êtres multiples, selon que chacun est apte à le recevoir, et comme s'il avait des parties différentes. De même le centre reste en lui-même, mais chacun des points du cercle le contient en lui, et les rayons rapportent à lui leurs propriétés. C'est par cet élément de nous-mêmes que nous touchons à Dieu, que nous sommes avec lui et que nous nous suspendons à lui : et nous nous établissons en lui, dès que nous nous inclinons vers lui.

12. Si nous avons en nous de si grandes choses, comment ne les percevons-nous pas ? Pourquoi restons-nous la plupart du temps sans exercer de telles activités ? Pourquoi certains hommes ne les exercent-ils jamais ? Les êtres de là-bas persistent toujours dans leur activité, aussi bien l'Intelligence que le principe antérieur qui reste toujours en lui-même ; l'Âme aussi est animée d'un mouvement éternel ; mais nous ne sentons pas tout ce qu'il y a dans l'âme ; ce qui pénètre jusqu'à la sensation arrive seul jusqu'à nous ; tant qu'une activité ne se transmet pas à la sensibilité, son action ne traverse pas encore l'âme tout entière ; donc nous ne connaissons pas encore puisque nous avons la faculté de sentir, et que nous ne sommes pas une partie de l'âme, mais l'âme avec toutes ses facultés. En outre chaque partie de l'âme vit et agit toujours selon sa fonction propre ; mais nous n'en avons connaissance que lorsqu'il y en a communication et perception. Il est donc nécessaire, pour que nous percevions la présence de ces actions, de tourner nos perceptions vers l'intérieur de nous-mêmes, et d'y maintenir notre attention. De même qu'un homme, dans l'attente d'une voix qu'il désire entendre, s'écarte des autres sons et prête l'oreille à celui qu'il estime le meilleur lorsque ce son arrive jusqu'à lui, de même il nous faut ici laisser tous les bruits sensibles, à moins de nécessité, et garder la puissance perceptive de l'âme intacte et prête à entendre les voix d'en haut.

XXI

MAÎTRE ECKHART

IL EST DANS L'ÂME UN CHÂTEAU FORT OÙ MÊME LE REGARD DU DIEU EN TROIS PERSONNES NE PEUT PÉNÉTRER

Maître Eckhart, *Traités et sermons*. trad. A. de Libera, Paris, GF-Flammarion, 1993, p. 233-236.

Toute la prédication d'Eckhart vise une seule chose : dire le projet de l'union avec Dieu. Mais il le dit en philosophe et en théologien autant qu'en mystique, et ce faisant il reconstruit entièrement le concept de l'âme. Le fond de l'âme, le « château fort », ce n'est pas seulement une image pour l'état de grâce du mystique, c'est l'essence même de l'âme, autour de laquelle le jeu des parties et des puissances vient s'ordonner. C'est aussi, précisément, le lieu d'une union entre l'âme et Dieu considéré lui aussi dans son essence ou sa pure unité, au-delà de ses manifestations, au-delà même de la déclinaison de ses figures ou Personnes (Père, Fils, Saint-Esprit). Union substantielle donc, puisqu'en ce point, l'âme et la Déité ne font qu'un dans l'unité sans visage de l'Un : « Dieu et moi sommes un » (sermon 6, p. 263). C'est la structure de l'âme qui, du coup, change radicalement avec Eckhart par rapport au modèle qu'on pourrait dire aristotélico-thomiste (cf. « Parties de l'âme »). « Il y a dans l'âme quelque chose qui est tellement apparenté à Dieu que c'est un et non uni » (sermon 12, p. 297). L'âme s'ouvre en sa pointe sur l'Être de Dieu même, sans pouvoir être renfermée dans le cercle de sa part « supérieure ». « Quelque chose », dit Eckhart, et non pas une partie secrète ou cachée. Est-ce le lieu de l'*union* de l'un de l'âme et de l'Un divin ? Mais ce serait encore poser une distinction entre ce qui unit et ce qui s'y unit. Il faut dire plutôt que ce « quelque chose » n'est que le nom de l'unité, à la fois lieu de l'âme et de Dieu. Dans le sermon qui nous occupe, Eckhart commence par décrire l'intellect qui émane de l'esprit (*mens.* dirait saint Augustin). Or ce n'est pas encore là l'essence de l'âme. L'esprit, c'est l'âme comme source des puissances, intellect et volonté. Si belle que soit l'âme quand elle touche à cette source, vierge de toutes les représentations et de toutes les images des choses créées, elle reste encore en deçà de sa pure essence. Sans doute dans l'état de virginité où il se trouve, l'intellect touche-t-il à l'éternité, par-delà temps et espace ; sans doute la volonté est-elle une avec celle de Dieu. Mais il ne suffit pas de souffrir pour Dieu ou de vouloir comme lui, il faut encore se désapproprier de sa volonté, comme il faut cesser tout à fait de voir et de contempler quoi que ce soit par l'intellect. Il s'agit donc de nommer l'âme « d'une manière plus noble » qu'elle ne l'a jamais été. Eckhart veut parler d'un au-delà des puissances, d'un lieu dans l'âme où l'intellect et volonté n'auraient plus cours : non pas l'esprit, qui est leur source, mais la « lumière de l'esprit », sa « garde », le « petit château fort » de l'âme, aussi simple et un que Dieu lui-même. « Il y a dans l'âme on ne sait quoi de tout à fait secret et caché, qui est bien plus haut dans l'âme que là où se diffusent les puissances que sont l'intellect et la volonté » (sermon 7, p. 268). Au-delà des puissances, cela signifie à la fois au-delà des opérations de l'âme, et au-delà des opérations des Personnes divines dans l'âme, car l'on ne s'unit pas par l'amour ou la connaissance, qui toujours saisissent Dieu par ses aspects (la

LES MONDES DE L'ÂME

bonté pour l'amour, l'infinité insondable pour l'intellect) : il est question ici d'une « union dans l'être, et non par l'opération » (sermon 7, p. 266). Il faut que l'âme n'œuvre plus et ne soit plus œuvrée, dépassant ainsi toutes les images, tout le règne du créé. Dans ce dépouillement absolu, dans ce néant et cette nudité, Dieu n'est que comme Déité, Un sans nom ni forme, qui n'advient plus sous le visage de ses Personnes, mais *est* simplement, « ni dans le monde ni hors du monde », « ni dans le temps ni dans l'éternité ». On comprend que ce sermon ait provoqué l'inquiétude des censeurs de Cologne qui reprochaient à Eckhart des thèses hétérodoxes. Non seulement se trouve fondée la possibilité d'une union substantielle, mais l'âme elle-même se trouve promue comme jamais on ne l'avait peut-être vu avant lui : ce ne sont pas uniquement les puissances de l'âme (intellect et volonté) qui sont incommensurables à son essence, et donc indignes « de regarder ne fût-ce qu'une seule fois et un instant » au-dedans ; c'est aussi bien Dieu lui-même, tant qu'il est conçu selon ses modes et ses propriétés, ses noms et ses Personnes. Il n'y a que l'Un qui puisse regarder dans l'âme. Mais là où il n'y a plus de nom pour Dieu (car l'Un n'est pas un nom), il n'y a plus de nom pour l'âme : « Ce que l'âme est dans son fond, personne ne le sait » (sermon 7, p. 268).

Je l'ai déjà dit souvent aussi : il est dans l'âme une puissance [1] qui n'est touchée ni par le temps, ni par la chair, qui émane de l'esprit et reste dans l'esprit et est absolument spirituelle. Dans cette puissance, Dieu se trouve totalement, il y verdoie et fleurit dans toute la joie et toute la gloire qu'Il est en lui-même. Cette joie est tellement du cœur, elle est d'une grandeur si inconcevable, que nul ne saurait l'exprimer pleinement avec des mots. Car le Père éternel engendre sans cesse son Fils éternel dans cette puissance, en sorte que cette puissance collabore à l'engendrement du Fils et d'elle-même en tant que ce Fils, dans l'unique puissance du Père. Et si un homme possédait tout un royaume ou tous les biens de ce monde et qu'il les laissât par pur amour de Dieu pour devenir un des hommes les plus pauvres qui aient jamais vécu sur terre, et si Dieu lui donnait ensuite autant à souffrir qu'Il a jamais donné à un homme, et si cet

---

1. L'intellect.

homme endurait tout cela jusqu'à sa mort, et si Dieu lui accordait alors, une seule fois, de contempler en un instant comment Il est dans cette puissance, sa joie serait si grande que toute cette souffrance et toute cette pauvreté seraient encore trop peu de chance. Oui, même si, ensuite, Dieu ne lui accordait jamais le royaume du ciel, il aurait néanmoins reçu trop large salaire pour toute sa souffrance ; car, dans cette puissance, Dieu est comme dans l'instant éternel. Si en tout temps l'esprit était uni à Dieu dans cette puissance, l'homme ne pourrait pas vieillir, car l'instant où Dieu fit le premier homme, l'instant où le dernier homme disparaîtra, et l'instant où je parle, sont égaux en Dieu : ils n'y sont qu'un seul et même instant. Or, voyez ! cet homme demeure dans une seule et même lumière avec Dieu ; c'est pourquoi il n'y a en lui ni souffrance ni succession, mais une même éternité. Cet homme, vraiment, ne peut plus s'étonner de rien, et toutes choses sont en lui d'une manière substantielle. Aussi ne reçoit-il rien de nouveau de choses à venir ni d'un accident quelconque ; car il habite dans un présent, qui, toujours et sans cesse, est nouveau. Telle est la souveraineté divine qui réside dans cette puissance.

Il est encore une autre puissance [1], également incorporelle, qui émane de l'esprit et reste dans l'esprit et est absolument spirituelle. Dans cette puissance, Dieu arde et brûle sans cesse avec toute sa richesse, toute sa douceur, tous ses délices. En vérité ! il y a dans cette puissance une si grande joie et des délices si grands et si immenses, que personne ne peut en parler ou les révéler pleinement. Je dis plus : y eût-il un seul homme pour, ne fût-ce qu'un instant, y contempler intellectuellement et en vérité ces délices et ces joies – tout ce qu'il voudrait souffrir et tout ce que Dieu voudrait qu'il eût souffert, tout cela serait pour lui peu de chose, pour ne pas dire rien de rien. Je vais encore plus loin : ce serait pour lui une joie et un agrément complets. [...]

----

1. La volonté.

Comme je l'ai dit au début de ce sermon : « Jésus monta dans un petit château fort et il y fut reçu par une vierge qui était une femme [1]. »

Pourquoi ? Parce qu'il était nécessaire qu'elle fût à la fois « vierge » et « femme ». Je vous ai dit également que Jésus « fut reçu » ; mais je n'ai pas encore dit ce qu'est ce « petit château fort ». Je vais donc en parler maintenant.

Je dis parfois qu'il est une puissance dans l'esprit, qui seule est libre. Je dis également parfois que c'est une garde de l'esprit ; parfois je dis que c'est une lumière de l'esprit ; parfois je dis que c'est une petite étincelle. Mais maintenant je vous dis : ce n'est ni ceci ni cela. Pourtant c'est un quelque chose, qui est plus élevé au-dessus de ceci et de cela que le ciel ne l'est au-dessus de la terre. C'est pourquoi je le nomme maintenant d'une manière plus noble que je ne l'ai jamais nommé. Pourtant il dépasse aussi bien la noblesse que la manière, et il est au-dessus de tout cela. Il est libre de tout nom et dénué de toute forme, absolument vide et libre, tout comme Dieu est en lui-même vide et libre. *Il est si totalement un et simple, tout comme Dieu est un et simple,* que l'on n'y peut d'aucune façon regarder. La même puissance dont j'ai parlé, cette puissance où Dieu fleurit et verdoie, avec toute sa déité et où l'esprit <fleurit> en Dieu, dans cette même Puissance le Père engendre son Fils unique aussi véritablement qu'en lui-même, parce qu'Il vit vraiment dans cette Puissance ; et l'esprit engendre avec le Père le même Fils unique et il s'engendre lui-même comme le même Fils, et il est le même Fils dans cette lumière et il est la vérité. Si vous pouviez saisir cela avec mon cœur, vous comprendriez bien ce que je dis, car c'est vrai, et c'est la Vérité qui le dit elle-même.

Voyez et remarquez-le bien ! Il est tellement un et si simple, tellement au-dessus de tout, ce petit château fort dans l'âme dont je vous parle et auquel je pense, que cette noble puissance, dont je vous ai parlé tout à l'heure, n'est pas digne de regarder ne fût-ce qu'une seule fois et un

---

1. C'est la citation de l'Évangile qui ouvre le sermon : « *Intravit Jesus in quoddam castellum et mulier quaedam excepit illum. etc.* » (Lc, 10, 38).

instant, dans ce château fort, pas plus que cette autre
puissance dont j'ai parlé, et dans laquelle Dieu arde et
brûle avec toute sa richesse et toutes ses délices, n'osera
jamais y regarder. Ce petit château fort est *si totalement un
et simple, si élevé au-dessus de tout mode* et de toutes
puissances est cet unique Un, que jamais puissance ni
mode ni Dieu lui-même ne peuvent y regarder. En bonne
vérité et aussi vrai que Dieu vit ! *Dieu* lui-même n'y
regardera jamais, ne fût-ce qu'un clin d'œil, et *Il n'y a
encore jamais regardé, dans la mesure où Il agit selon le mode et
la propriété de ses Personnes.* Il faut bien remarquer cela, car
cet *unique Un n'a ni mode ni propriété. C'est pourquoi, si Dieu
veut jamais y jeter un regard, cela lui coûtera nécessairement tous
ses noms divins et ses propriétés personnelles. Il lui faudra tout
laisser à l'extérieur, s'Il veut jamais regarder à l'intérieur. Mais
c'est en tant qu'Il est un Un simple, sans mode ni propriété, là
où Il n'est ni Père, ni Fils, ni Saint-Esprit, et cependant en
tant qu'il est un quelque chose qui n'est ni ceci, ni cela,
oui, voyez ! ce n'est qu'autant qu'il est un et simple qu'Il
pénètre dans cet Un, que j'appelle un « château fort dans
l'âme »* : et il n'y peut entrer d'aucune autre manière ; ce
n'est qu'ainsi qu'il y pénètre et s'y installe. Par cette
partie d'elle-même, l'âme est semblable à Dieu, et elle ne
l'est d'aucune autre façon. Ce que je vous ai dit est vrai.
J'en prends la Vérité à témoin et je vous donne mon âme
en gage.

Puissions-nous être, nous aussi, un petit château fort
où Jésus monte et où il soit reçu, pour qu'il reste éternellement en nous de la manière que je vous ai décrite ! Que
Dieu nous y aide ! Amen.

XXII

MOLLÂ SADRÂ

LE MONDE INTERMÉDIAIRE

Sohravardî, *Le Livre de la sagesse orientale*, trad.
H. Corbin, Paris, Verdier, 1986, p. 664-665 et
656-658.

On a tort de croire que la philosophie islamique se perd dans les sables avec Averroès, ou après lui. Mollâ Sadrâ (1571-1640), le maître de l'école d'Ispahan[1], témoigne de la vitalité d'une tradition qui remonte à Avicenne et Ibn'Arabî. Dans son commentaire de la théosophie orientale de Sohravardî (*Le Livre de la sagesse orientale*), il donne à la notion de monde imaginal toute sa consistance philosophique en la fondant dans une métaphysique des degrés de l'être. C'est le geste révolutionnaire de ce contemporain de Descartes : l'existence ou l'acte d'être d'une chose a une priorité originelle sur son essence. D'une certaine manière qui pourrait rappeler – malgré tout ce qui l'en sépare – le fameux mot d'ordre existentialiste, il faut dire que *l'existence précède l'essence*, parce que c'est l'exister qui actualise et détermine l'essence. Les mondes participent donc d'un unique acte d'exister (unité de l'être) qui se diffracte selon toute une échelle de degrés, selon des intensifications ou des dégradations, des exhaussements ou des affaiblissements d'une infinie diversité. Ainsi se trouve fondée, contre l'immutabilité d'un royaume des essences, la possibilité d'un degré intermédiaire entre le monde sensible et le monde intelligible, le monde des corps et le monde des intelligences : « Il t'est donc loisible de dire que le monde imaginal est intermédiaire entre le monde intelligible et le monde sensible [...]. Il précède ontologiquement notre monde. [...] le monde imaginal est intermédiaire en dignité entre ces deux mondes. Il est donc intermédiaire quant au rang dans l'être » (*Le Livre de la Sagesse orientale*, p. 545). Monde intermédiaire (*barzakh*), monde imaginal (*'âlam al-mithâl*). Ce « lieu » renvoie à toute une métaphysique de l'imagination, conçue comme faculté créatrice de l'âme : les sens, l'imagination et l'intellect répondent aux trois mondes du sensible, de l'imaginal et de l'intelligence, et peut-être aux trois modes d'être de l'homme (corps, âme et esprit). Le passage d'un monde à l'autre

---

1. Bien qu'il soit né à Shiraz en Perse, et qu'il ait vécu à Ispahan, capitale de la monarchie safavide, Mollâ Sadrâ a rédigé ses traités en langue arabe. Il faut citer, outre le commentaire de Sohravardî, *Le Livre des pénétrations métaphysiques*. Paris, Verdier, 1988.

est lui-même rendu possible par la métaphysique des degrés d'existence : « L'acte d'être de la substance elle-même est susceptible d'intensification, de perfection, de mutation, c'est-à-dire de ces métamorphoses que postule le passage du monde physique à des univers transphysiques » (*Ibid.*, p. 652). Le monde imaginal est ainsi le lieu de l'âme par excellence : l'espace de son devenir posthume et de sa « seconde croissance » (premier extrait) en même temps que son monde intérieur (second extrait). Il rompt avec toutes les dimensions du monde extérieur sensible, au point qu'un de ses noms soit précisément « le pays du Non-où » – non pas une utopie, mais le lieu où la question « où ? » n'a plus aucun sens. Il est à la frontière des mondes, pour reprendre une formule de Plotin. Il est ce séjour qui dure « comme dure l'aube entre la nuit et le jour », il est une « séparation idéale », comme la « ligne de démarcation entre l'ombre et le soleil »… Royaume des évidences, son statut ontologique reste paradoxal, entre l'existant et le non-existant. Des formes subsistent ou insistent à sa surface, sans substrat, comme en suspens dans un miroir. Là, « parce qu'elle a cessé de se disperser aux différents seuils qui sont les cinq sens du corps physique » (*Ibid.*, p. 647), l'âme se recueille elle-même dans son monde, elle réalise ce qu'elle imagine, actualise les formes qu'elle conçoit. L'allusion au rêve ne doit pas tromper : le monde de l'âme n'est pas imaginaire ou irréel, ce n'est pas un monde des apparences – l'expression conviendrait bien mieux au monde sensible –, mais un monde de l'apparaître où tout ce que l'âme imagine est en même temps réalisé : « Il n'y a donc pas d'imagination fausse, elle est tout entière juste » (*Ibid.*, p. 659).

[664-665]

Nous te l'avons déjà exposé, la structure de l'exister a été déployée par Dieu en trois univers, ce monde-ci (*donyâ*), l'intermonde (*barzakh*) et l'outremonde (*âkhira*). Dieu a créé le corps matériel en rapport avec ce monde-ci, l'âme en rapport avec l'intermonde et l'esprit, c'est-à-dire l'Intelligence, en rapport avec l'outremonde. Il a constitué au nombre de trois les intermédiaires qui opèrent le transfert à chacun de ces mondes : il y a l'Ange de la mort, il y a le *coup* de la Trompette sonnant « l'Heure ultime » (cf. 101 : 1)[1].

---

1. Toutes ces références renvoient au Coran.

La mort concerne les corps matériels : la Trompette sonnant l'Heure ultime concerne les âmes ; la Trompette à l'éclat fulgurant concerne les Esprits. Tant que l'homme est présent à ce monde-ci, son statut est celui d'une visibilité correspondant à la nature du corps matériel. C'est ce corps qui est visible, c'est par lui que s'accomplissent les actes et les effets pratiques. L'âme et l'esprit sont involués dans l'existence du corps, cachés tous deux sous le voile du corps ; les moyens de subsistance (*amdâdât*) leur parviennent par son intermédiaire. Lorsque Dieu veut transférer l'âme de ce monde-ci dans l'intermonde, il fait mourir le corps par l'intermédiaire de l'Ange de la mort. Et voici que, née à cet intermonde, l'âme commence sa seconde croissance, la croissance qui est propre à une âme. C'est elle alors qui est le manifesté et le visible ; c'est elle qui, dans l'intermonde, est à même de produire des effets pratiques ; c'est elle qui y trouve directement les moyens de subsister, et c'est par son intermédiaire à elle que ceux-ci parviennent à son esprit et à son corps. En effet, c'est elle qui est manifestée dans l'intermonde et c'est elle-même qui y configure sa propre forme correspondant à son *ethos* et à ses *habitus*. C'est pourquoi l'intermonde constitue un monde distinct entre ce monde-ci et l'outremonde. C'est le Séjour qui dure (*dâr al-qarâr*, 40 : 42) comme dure l'aube entre la nuit et le jour. C'est le séjour des âmes et des esprits qui ont été transférés de ce monde-ci depuis l'origine des temps, et qui le seront encore jusqu'à la consommation des temps, lorsque sonnera l'Heure ultime, celle du Grand Bouleversement (79 : 34).

Maints versets y réfèrent : « Et derrière eux un *barzakh* jusqu'au Jour où ils seront ressuscités » (23 : 100)… Tout cela pour ce qui est de la croissance dans l'intermonde et le séjour du vivant à partir de sa croissance dans ce monde-ci, parce qu'étant entre les deux mondes, il y a dans l'intermonde une influence venant des deux, esprit et corps, de même que l'âme est entre le monde de l'esprit et le monde des corps.

[656-658]

Sache que les formes humaines avec les voies d'accès à la perception et à la conscience dont elles sont pourvues, sont la plus grande « Preuve de Dieu », répondant pour sa création, et le premier Témoin de l'existence des trois univers : le monde des sens et d'ici-bas, le monde du suprasensible et de l'au-delà, le monde de l'Intelligible et du séjour à demeure. À ces trois univers correspondent dans l'être humain des seuils qui sont les voies par lesquelles chemine la conscience : les sens, l'imagination, l'intellect. Chacun de ces seuils est en effet une fenêtre (*rûzana*) vers un autre monde.

Nous avons déjà donné une preuve décisive de l'existence du monde intermédiaire (*'âlam awsat*) et de sa transcendance à l'égard de ce monde-ci, en démontrant l'immatérialité de la faculté imaginative et des objets qu'elle perçoit. [En revanche], il n'y a pas pour la faculté estimative (*wahm*) un monde, puisqu'elle n'a pas de plein droit une forme, étant l'intellect dans sa relation avec une chose particulière. Or la relation ne fait pas partie des existants premiers [1]. Il est donc évident que les univers sont au nombre de trois.

Le Shaykh Moh. Ibn'Arabî déclare dans le chapitre soixante-trois de son livre, « sur la connaissance de la persistance de l'âme dans le *barzakh* entre la vie terrestre et la résurrection », que le *barzakh* est une séparation idéale entre deux choses voisines qui jamais n'empiètent l'une sur l'autre, par exemple la ligne de démarcation entre l'ombre et le soleil, bien que les sens soient incapables d'établir une séparation matérielle entre les deux. C'est l'intellect qui juge qu'il y a là quelque chose qui les sépare. Cette séparation idéale, c'est cela le *barzakh*. Ce qu'on perçoit par les sens, c'est l'une des deux choses, ce n'est pas le *barzakh*. Or les deux choses, étant voisines, ont besoin d'un *barzakh*, qui ne soit ni l'un ni l'autre, mais en qui il y ait la virtualité de l'une et de l'autre. Et comme le *barzakh* est quelque chose qui se

---

1. Contrairement à la création des formes par l'imagination, la relation de l'intellect à ses objets n'a pas la consistance d'un monde.

tient à la limite entre le connaissable et l'inconnaissable, l'existant et le non-existant, le positif et le négatif, l'intelligible et l'inintelligible, on l'appelle techniquement ainsi. Il est simplement imagination. Lors donc que tu le perçois et le comprends, tu sais que tu perçois quelque chose qui existe ; sur quoi tombe ton regard. Tu sais par un indice certain qu'il y a là quelque chose. Mais alors, qu'est-ce que cette chose dont on affirme qu'elle a une existence au moment où on la lui dénie ?

C'est que l'imagination n'est ni existante ni non existante *(lâ ma'dûm)*, ni connue ni ignorée, ni négative ni positive. C'est comme lorsque l'homme perçoit son image dans le miroir, il sait de façon sûre qu'il perçoit une certaine forme de lui-même, et il sait aussi que d'une certaine manière ce n'est pas exactement sa forme qu'il perçoit. Suivant que le miroir est trop petit ou trop grand, il sait que sa forme est trop petite ou plus grande que cela. Cependant, il ne peut pas nier qu'il voit sa forme. Il sait aussi qu'elle n'est pas *dans* le miroir, ni entre lui et le miroir, qu'elle n'est pas le réfléchissement d'une irradiation de sa forme sur sa forme vue dans le miroir extérieurement, que ce soit sa forme ou celle de quelqu'un d'autre. Car s'il en était ainsi, il percevrait sa forme telle qu'elle est. Il n'est donc à la fois ni vrai ni faux de dire qu'il voit sa forme et qu'il ne la voit pas.

Qu'est-ce alors que cette image qu'il voit ? Où est son substrat ? Quelle est sa condition ? Elle est négative-positive, existante-non existante, connue-ignorée. Dieu a manifesté cette vérité à son serviteur à la façon d'un symbole, pour qu'il comprenne que si déjà il est impuissant à connaître ce qu'il en est de cette réalité alors qu'elle fait partie de ce monde, il sera encore plus impuissant, frappé d'une plus grande stupeur, s'il s'agit de comprendre le Créateur. Il l'a éveillé par là à la conscience que les théophanies [1] (*Tajallîyât al-haqq*) sont encore plus subtiles. Les intelligences en sont si éblouies qu'elles en viennent à se demander : cela a-t-il une

---

1. Manifestations du divin. Elles ont lieu dans le monde imaginal.

quiddité[1] ou non ? Car elles n'y atteignent ni par le pur non-être, puisque le regard perçoit quelque chose, ni par l'être absolument, puisqu'elles comprennent que ce n'est pas quelque chose d'objectif, ni par la potentialité pure.

C'est vers une réalité de cet ordre que l'homme passe pendant le sommeil et après la mort. Il voit les accidents comme des formes subsistant en elles-mêmes ; elles lui parlent et il leur parle, comme à des réalités corporelles dont il ne doute pas. Le mystique visionnaire voit à l'état de veille ce que le dormeur voit pendant son sommeil, ce que le défunt voit après sa mort, en voyant dans l'outre-monde les formes de ses propres actions...

XXIII

KANT

NOUS SOMMES DÉJÀ DANS L'AUTRE MONDE

Kant, *Leçons de métaphysique*, trad. M. Castillo, Paris, Le Livre de poche, 1993, p. 368-373.

Ce texte extrait des cours de métaphysique donnés par Kant à Königsberg entre 1775 et 1780 doit être replacé dans le prolongement des *Rêves d'un visionnaire* qui, dix à quinze ans plus tôt, proposaient, sur un mode ironique, l'examen des récits visionnaires de Swedenborg. Le deuxième chapitre de ce livre exposait la possibilité d'un monde immatériel d'êtres purement spirituels, rassemblés en communauté. L'âme humaine serait « rattachée dès la vie présente aux deux mondes à la fois », et, quoiqu'elle n'en ait pas bien conscience, elle recevrait en plus de l'action des corps « les influences pures des natures immatérielles » (*Rêves d'un visionnaire*. p. 65). C'est très exactement la position d'un Plotin (cf. texte cité). Mais à ce point, Kant s'arrêtait : « J'ai de plus en plus de mal à continuer de tenir le langage prudent de la raison. » Là où il n'y a plus d'expérience possible, la raison risque toujours de partir en délire. Il n'y a pas mille manières en effet de parler des mondes de l'âme : soit on part du concept d'une nature spirituelle en général, pour en tirer *a priori* une connaissance hypothétique ou du moins certains principes généraux, soit on part de l'expérience. Or il ne peut s'agir de

1. Essence.

l'expérience physique, qui, par définition, ne nous dit rien de l'autre monde. Restent les témoignages des inspirés. Mais tous les récits visionnaires peuvent être justifiés en invoquant l'intervention des esprits sur le nôtre par le principe d'une sorte d'« influx spirituel » (*Ibid.*, p. 73-76), si bien que, pour peu qu'un esprit « prévenu » joue de la « souplesse » des hypothèses métaphysiques, toute divagation peut valoir pour une preuve. En somme, « la connaissance intuitive de l'autre monde ne peut s'acquérir ici-bas qu'au prix d'une partie de l'intelligence dont on a besoin pour celui-ci » (*Ibid.*, p. 76). Il semble donc qu'il n'y ait pas d'autre voie que celle d'un examen *a priori* des concepts de substance spirituelle et de monde spirituel – autrement dit la voie de la métaphysique spéculative elle-même. Mais comment éviter de divaguer ou de se livrer sans repères à des théories qui, même cohérentes, restent toujours purement conjecturales ? La réponse qu'esquissent les *Leçons de métaphysique* consiste à s'en tenir aux principes généraux, sans essayer d'appliquer à d'hypothétiques natures spirituelles les schèmes et les catégories qui ne valent que pour le monde sensible. Le texte qu'on présente ici peut étonner par sa tonalité « mystique », qui tranche franchement avec les accents sceptiques des *Rêves* (il est d'ailleurs frappant de voir Swedenborg réhabilité). Mais il ne faut pas oublier que l'idée d'une communauté spirituelle, d'un *corpus mysticum* ou d'une Église invisible va de pair chez Kant avec l'idée morale elle-même. Le « royaume des fins », ce monde possible où toutes les natures agiraient selon la loi morale, est un réquisit pratique (cf. *La Religion dans les limites de la simple raison*). La vraie question n'est donc pas de savoir s'il faut penser à la survie spirituelle, mais jusqu'à quel point une représentation nous en est permise. Kant combat sur un double front : contre les matérialistes qui refusent *a priori* d'y penser, et contre une forme de réalisme mystique qui conçoit les natures et les liens spirituels selon des modèles physiques et mécaniques. Il s'agit donc de démythifier, pour commencer, les versions naïves et populaires de la survie, du ciel et de l'enfer. Il faut purger ces représentations de ce qu'elles ont de trop empirique, de trop matériel pour les reconduire à leur vraie signification morale et spirituelle. Le procédé consiste en fait à ramener les notions en jeu à notre possibilité de connaître. Ainsi l'autre monde n'est-il pas « ailleurs » ou « au-delà », mais proprement « nulle part ». *Nous sommes déjà dans l'autre monde,* parce que l'autre monde ne diffère de ce monde-ci que par l'intuition qu'on lui applique, il est « seulement une autre intuition ». C'est le règne des choses en soi, ou plus exactement des noumènes (non le « monde tel qu'il apparaît mais tel qu'il est »). Seules les structures de notre intuition sensible nous séparent de cette réalité absolue et nous masquent les liaisons spirituelles qui rendent possible notre appartenance à la communauté des âmes. Aussi la destination spirituelle de l'âme n'est-elle pas tant de rejoindre l'autre monde, puisqu'elle y est déjà, mais de développer l'intuition intellectuelle qui le lui dévoilera. Notre devenir posthume, enfer ou paradis, ne fera que refléter la qualité de notre vie morale en ce monde, notre appartenance dès ici-bas à la communauté des méchants ou à celle des justes.

Quel statut donner à cet essai de métaphysique spéculative ? On songe bien sûr à l'usage polémique de l'hypothèse que Kant recommande contre les « contradicteurs » matérialistes. En même temps, en s'interdisant toute description « réaliste » ou « matérielle » de l'autre monde, en en rapportant systématiquement la conception à notre pouvoir de connaître, la philosophie des natures spirituelles remplit un office négatif : celui de tracer les limites de ce qui peut être positivement conçu et de ce qui n'a au contraire, du point de vue spéculatif, qu'une « consistance aérienne » (*Ibid.*, p. 88). Mais cette construction minimale de l'autre monde semble répondre aussi à un véritable besoin métaphysique : comme principe d'espérance, elle prolonge et donne corps à un postulat qui rigoureusement ne supposait rien de plus que le principe de l'immortalité de l'âme.

Or si l'âme a conscience d'elle-même [1], la question se pose de savoir si elle a conscience de soi *comme d'un pur esprit ou comme étant liée à un corps organique*. On ne peut rien dire de certain à ce sujet. On a là-dessus deux sortes d'opinions :

(1) Ou bien on peut s'imaginer un rétablissement de la vie animale, qui peut être d'un mode terrestre ou d'un mode supraterrestre. Suivant le mode terrestre, mon âme devrait adopter ce corps-ci ou un autre ; suivant le mode supraterrestre, qui constituerait un passage de cette vie-ci à une autre vie animale, mon âme devrait adopter un corps transfiguré.

Ou bien on peut aussi :

(2) s'imaginer une vie spirituelle pure où l'âme n'aura plus du tout de corps. Cette dernière opinion est la plus conforme à la philosophie. Car si le corps est un obstacle

---

1. Ce passage s'inscrit dans la section intitulée « Sur l'état de l'âme après la mort ». Après avoir établi la survie de l'âme, Kant s'interroge maintenant sur son état.

à la vie, et que la vie future doit être parfaite, elle doit être *intégralement spirituelle*. Or si nous admettons une vie intégralement spirituelle, on peut alors de nouveau se poser les questions suivantes : Où est le ciel ? Où est l'enfer ? Et quel est le lieu de notre destination future ? La séparation de l'âme et du corps ne saurait consister dans un changement de lieu. La présence de l'esprit ne peut s'expliquer en termes de lieu *(localiter)*. Car si on l'explique en termes de lieux, je peux me demander, lorsque l'homme est mort : l'âme reste-t-elle encore longtemps dans le corps ou s'en retire-t-elle immédiatement ? Se trouve-t-elle dans la chambre ou dans la maison ? Et combien de temps peut-elle bien passer en voyage, que ce soit vers le paradis ou vers l'enfer ? Sinon, en quel lieu est-elle ? Mais toutes ces questions tombent quand on ne pose ni n'explique la présence de l'esprit en termes de lieux. Les lieux ne constituent que des rapports entre des choses corporelles, mais non entre des choses spirituelles. C'est pourquoi il ne faut pas voir l'âme, qui n'occupe pas de lieu, quelque part dans le monde physique. Elle n'a pas de lieu déterminé dans le monde physique, elle est dans le monde spirituel. Elle est en liaison et en relation avec d'autres esprits. Or si ces esprits sont des êtres saints et bien intentionnés, et si l'âme est en communauté avec eux, elle se trouve alors *au ciel*. Mais si la communauté des esprits dans laquelle elle se trouve est mauvaise, l'âme est alors *en enfer*. *Le ciel se trouve donc partout où existe une telle communion d'êtres spirituels saints.* Mais il n'est nulle part, car il n'occupe pas de lieu dans le monde, la communion n'étant pas établie dans le monde physique. Le ciel ne sera donc pas l'espace incommensurable qu'occupent les corps célestes, qui se montre sous sa couleur bleue et qu'on ne pourrait rejoindre qu'en empruntant la voie des airs. Mais le ciel est le monde des esprits, et être en relation et en communion avec le monde spirituel équivaut à être au ciel. C'est pourquoi l'âme, si elle a été mauvaise, n'« ira » pas en enfer, mais se verra seulement dans la société des esprits mauvais, et cela équivaut à *être en enfer*.

Nous avons une connaissance du monde physique par l'intuition sensible en tant que celui-ci nous apparaît. Notre conscience est liée à l'intuition animale. Le monde présent est le commerce de tous les objets en tant qu'ils sont intuitionnés dans une intuition actuelle. Mais si l'âme se sépare du corps, elle n'aura plus la même intuition sensible de ce monde, elle n'aura pas l'intuition du monde tel qu'il apparaît mais tel qu'il est. C'est pourquoi *la séparation de l'âme et du corps consiste dans la transformation de l'intuition sensible en intuition spirituelle, et c'est cela l'autre monde.* L'autre monde n'est donc pas un autre lieu, mais seulement une autre intuition. Pour ce qui est des objets, l'autre monde demeure le même ; pour ce qui est des substances, il n'est pas différent, seulement il est l'objet d'une *intuition spirituelle.* Ceux qui se représentent l'autre monde comme un *lieu nouveau,* séparé de celui-ci, et auquel on n'accède qu'après y avoir été transporté, ceux-là doivent considérer aussi en termes de lieux la séparation de l'âme, et expliquer en termes de lieux sa présence. Sa présence tiendrait en ce cas à des conditions physiques comme le toucher, l'extension dans l'espace, etc. ; mais cela donnerait lieu à de multiples questions et l'on tomberait dans le matérialisme. Mais comme la présence de l'âme est spirituelle, la séparation ne doit pas non plus être considérée dans l'acte de sortir du corps et d'entrer dans un autre monde ; mais plutôt, puisque l'âme tient du corps une intuition sensible du monde physique, elle aura, une fois libérée de l'intuition sensible attachée au corps, une intuition spirituelle, et c'est l'autre monde. – Entrant dans l'autre monde, on n'entre pas dans la communauté d'autres choses, comme on irait sur d'autres planètes ; car je suis déjà en rapport avec ces choses, quoique seulement dans un rapport lointain. Au contraire, on reste dans ce monde-ci, mais on a, de l'univers, une intuition spirituelle. L'autre monde n'est donc pas, pour ce qui est du lieu, différent de celui-ci ; sur ce point, le concept de lieu n'est absolument d'aucune utilité. C'est pourquoi l'état de la béatitude, autrement dit le ciel, et l'état de misère, autrement dit l'enfer, tout ce que l'autre monde renferme en soi, ne sont pas non plus à chercher dans ce monde sensible ; mais plutôt, si j'ai toujours été juste ici-bas, si j'obtiens après la mort une intuition spirituelle de l'univers, et que j'entre dans la communauté d'êtres pareillement justes, alors je suis au ciel. Mais si, selon ma conduite, j'acquiers une intuition spirituelle d'êtres dont la volonté contredit à toutes les règles de la moralité, et que j'échoue dans une telle communauté, alors je suis en enfer. À vrai dire, cette opinion sur l'autre monde ne peut faire l'objet d'une démonstration, mais elle est une hypothèse nécessaire de la raison, hypothèse qui est opposable aux contradicteurs.

La pensée de *Swedenborg* a sur ce point de la hauteur. Il dit que le monde des esprits forme un Univers réel particulier ; c'est le monde intelligible (*mundus intelligibilis*) qu'il faut distinguer de ce monde sensible (*mundus sensibilis*). Il dit que toutes les natures spirituelles sont liées les unes aux autres ; seulement, la communauté et la liaison des esprits ne tiennent pas à la condition corporelle. En l'occurrence, un esprit ne se trouve pas près d'un autre ou loin d'un autre, mais on a affaire à une liaison spirituelle. Or nos âmes, en tant qu'esprits, sont entre elles en cette liaison et communauté et cela, en vérité, dès ce monde-ci. Mais nous ne nous voyons pas nous-mêmes dans cette communauté, parce que nous avons encore une intuition sensible. Or quoique nous ne nous y voyions pas, nous y sommes pourtant bien. Cependant, si l'obstacle constitué par l'intuition sensible est tout à coup levé, alors nous nous voyons dans cette communauté spirituelle, et c'est cela l'autre monde. Et il ne s'agit pas ici d'autres choses, mais des mêmes choses dont nous avons une autre intuition. Un homme qui a été un homme juste dans le monde, c'est-à-dire dont la volonté est une volonté bien intentionnée, appliquée à mettre en pratique les règles de la moralité, est déjà en ce monde dans la communauté des âmes justes et bien intentionnées, qu'elles soient en Inde ou en Arabie. Seulement, il ne se voit pas encore dans cette communauté tant qu'il n'est pas délivré de l'intuition sensible. Il en est de même pour le méchant, qui se trouve dès maintenant dans la communauté de tous les méchants, qui se détestent entre eux, seulement il ne s'y voit pas encore. Mais, quand il sera délivré de l'intuition sensible, il se rendra compte alors qu'il y est. C'est pourquoi toute bonne action de l'homme vertueux est un pas vers la béatitude, tout de même que toute mauvaise action est un pas vers la communauté des pervers. L'homme vertueux ne va donc pas au ciel, mais il s'y trouve déjà maintenant, quoique ce ne soit qu'après la mort qu'il se verra dans cette communauté. De la même façon, les méchants ne peuvent se voir en enfer, bien qu'ils y soient déjà effectivement. Mais ce n'est qu'une fois délivrés du corps qu'ils voient où ils sont. Pensée effrayante pour le méchant ! Ne doit-il pas craindre à chaque instant que les yeux de l'esprit s'ouvrent pour lui ? Et ils ne sont pas plus tôt ouverts, qu'il est déjà en enfer.

V

LES USAGES DE L'ÂME

XXIV

PLATON

LA STRUCTURE TRIPARTITE DE L'ÂME

Platon, *République*, IV, 439a-442d, trad. R. Baccou,
Paris, GF-Flammarion 1966, p. 191-195.

Il s'agit ici du plus célèbre texte platonicien sur les parties de l'âme, au moins aussi célèbre, en tous cas, que l'attelage ailé du *Phèdre* (cf. texte cité). On y trouve la structure tripartite de l'âme : intellect (*nous*) ou partie raisonnante, partie irascible (*thumos*). partie concupiscente, appétitive ou désirante (*epithumia*). Ou encore : raison, colère ou courage, désir. La différenciation des parties se fait de façon dynamique à partir d'un repérage des forces, suivant le principe que deux forces contraires ne peuvent s'exercer dans la même partie si elles sont relatives au même objet. Du rapport de contrariété, on passe à un rapport hiérarchique : la force qui l'emporte est celle qui commande, et la partie dont elle dépend peut être dite maîtresse des autres parties. Or le schéma à trois pôles vient en fait complexifier une représentation intuitive, exposée quelques pages plus haut, et qui tire toute sa puissance du rapport hiérarchique en quoi elle se résume tout entière. À propos d'une expression telle que « être maître de soi-même » (430e), Socrate explique : « Cette expression me paraît vouloir dire qu'il y a dans l'âme humaine deux parties ; l'une supérieure en qualité et l'autre inférieure ; quand la supérieure par nature commande à l'inférieure, on dit que l'homme est maître de lui-même – c'est un éloge assurément » (431a). Cette maîtrise, dont l'autre nom est tempérance, on peut en saisir la nature sur l'exemple de la cité : « La tempérance consiste en cette concorde, harmonie naturelle entre le supérieur et l'inférieur sur le point de savoir qui doit commander, et dans la cité et dans l'individu » (432a). Mais du coup, il faut prendre en compte une harmonie plus riche, puisque la tempérance, répandue dans l'ensemble de l'État, est ce qui met « à l'unisson de l'octave les plus faibles, les plus forts et les intermédiaires ». Il y a trois classes dans la cité : les chefs, les gardiens, le peuple. C'est là que commence proprement la justice, qui n'est pas simple rapport de force où le supérieur primerait sur l'inférieur, mais accord complexe où au moins trois parties entrent en jeu : « Ce principe qui ordonne à chacun de remplir sa propre fonction pourrait bien être, en quelque manière, la justice » (433a-b). Or, une fois saisie dans la cité, la nature de la justice peut être ramenée à l'individu : le détour politique aura eu le mérite, non seulement d'enrichir le modèle trop simpliste qui se contentait d'opposer une partie supérieure et une partie inférieure, mais aussi de déterminer plus précisément ces parties dans leurs fonctions (c'est-à-dire, dans les vertus qui leur sont propres et dans les vices qu'elles risquent d'occasionner) : « En chacun de nous se trouvent les mêmes formes et les mêmes caractères que dans la cité » (435e-436a). À l'image des trois classes, on distinguera donc ce qui comprend, ce qui s'irrite et ce qui désire. Mais parler de la justice de l'âme est plus difficile en un sens : comment savoir si, dans une opération donnée, l'âme tout entière intervient, ou si une ou deux de ses parties seulement est engagée (436b) ? Que se passe-t-il lorsque nous avons soif, et que nous refusons de céder à notre désir de l'étancher ? Qui

agit ? Et comment ne pas retomber dans l'opposition frontale de la raison et des forces irrationnelles ? C'est à cette question difficile qu'entreprend de répondre le passage, dont on voit qu'il fonde tout un usage moral de l'âme..Si la justice a un sens pour l'âme, elle doit prendre son modèle dans la cité. La justice dans l'âme consiste à « prendre le commandement » de soi-même, à « mettre de l'ordre » en soi-même (443d), donc à « établir selon la nature les rapports de domination et de sujétion entre les divers éléments » (444d). Nous sommes renvoyés aux combinaisons multiples de trois parties, aux alliances et aux rapports de force qu'elles dessinent. Par-delà les intuitions naïves de la morale, toute une politique de l'âme.

— Par suite, l'âme de celui qui a soif, en tant qu'elle a soif, ne veut pas autre chose que boire ; c'est là ce qu'elle désire, ce vers quoi elle s'élance.
— Évidemment.
— Si donc quand elle a soif quelque chose la tire en arrière, c'est, en elle, un élément différent de celui qui a soif et qui l'entraîne comme une bête sauvage vers le boire ; car, avons-nous dit, le même sujet, dans la même de ses parties, et relativement au même objet, ne peut produire à la fois des effets contraires.
— Certes non.
— De même, je pense, on aurait tort de dire de l'archer que ses mains repoussent et attirent l'arc en même temps ; mais on dit très bien que l'une de ses mains le repousse et l'autre l'attire.
— Assurément.

— Maintenant, affirmerons-nous qu'il se trouve parfois des gens qui, ayant soif, ne veulent pas boire ?

— Sans doute, répondit-il, on en trouve beaucoup et fréquemment.

— Eh bien ! repris-je, que dire de ces gens-là sinon qu'il y a dans leur âme un principe qui leur commande et un autre qui leur défend de boire, celui-ci différent et maître du premier ?

— Pour moi, je le pense.

— Or le principe qui pose de pareilles défenses ne vient-il pas, quand il existe, de la raison, tandis que les impulsions qui mènent l'âme et la tirent sont engendrées par des dispositions maladives ?

— Il le semble.

— Par conséquent, poursuivis-je, nous n'aurons pas tort d'estimer que ce sont là deux éléments distincts entre eux, et d'appeler celui par lequel l'âme raisonne, l'élément rationnel de cette dernière, et celui par lequel elle aime, a faim, a soif, et vole sans cesse autour des autres désirs, son élément irrationnel et concupiscible, ami de certaines satisfactions et de certains plaisirs.

— Non, dit-il, nous n'aurons pas tort de penser ainsi.

— Admettons donc que nous avons discerné ces deux éléments de l'âme ; mais le principe irascible, par quoi nous nous indignons, constitue-t-il un troisième élément, ou est-il de même nature que l'un des deux autres, et lequel ?

— Peut-être est-il de même nature que le second, le concupiscible.

— Il m'est arrivé, repris-je, d'entendre une histoire à laquelle j'ajoute foi : Léontios, fils d'Aglaïon, revenant un jour du Pirée, longeait la partie extérieure du mur septentrional lorsqu'il aperçut des cadavres étendus près du bourreau ; en même temps qu'un vif désir de les voir, il éprouva de la répugnance et se détourna ; pendant quelques instants il lutta contre lui-même et se couvrit le visage ; mais à la fin, maîtrisé par le désir, il ouvrit de grands yeux, et courant vers les cadavres : « Voilà pour vous, mauvais génies, dit-il, emplissez-vous de ce beau spectacle ! »

– J'ai, moi aussi, entendu raconter cela.

– Ce récit, fis-je observer, montre pourtant que la colère lutte parfois contre les désirs, et donc qu'elle en est distincte.

– Il le montre, en effet.

– En beaucoup d'autres occasions, aussi, poursuivis-je, quand un homme est entraîné de force par ses désirs, malgré sa raison, ne remarquons-nous pas qu'il se blâme lui-même, s'emporte contre ce qui lui fait violence, et que, dans cette sorte de querelle entre deux principes, la colère se range en alliée du côté de la raison ? Mais tu ne diras pas, je pense, que tu l'as vue associée au désir en toi-même ou chez les autres, quand la raison décide que telle action ne doit pas être faite à son encontre.

– Non, par Zeus !

– Mais quoi ? demandai-je, quand un homme croit avoir tort, dans la mesure où il est plus noble, n'est-il pas moins capable de s'emporter, souffrant de la faim, du froid ou de toute autre incommodité semblable, contre celui qui, pense-t-il, le fait souffrir justement ? En d'autres termes, ne se refuse-t-il pas à éveiller sa colère contre celui qui le traite ainsi ?

– C'est la vérité, répondit-il.

– Par contre, s'il se croit victime d'une injustice, n'est-ce pas qu'alors il bouillonne, s'irrite, combat du côté qui lui paraît juste – même s'il y va de la faim, du froid, et de toutes les épreuves de ce genre – et, ferme dans ses passions, triomphe, sans se départir de ces sentiments généreux qu'il n'ait accompli son dessein, ou ne meure, ou, comme un chien par le berger, ne soit, par sa raison, rappelé à lui et calmé.

– Cette image est tout à fait juste, observa-t-il ; aussi bien, dans notre cité, avons-nous établi que les auxiliaires seraient soumis aux chefs comme des chiens à leurs bergers.

– Tu comprends parfaitement ce que je veux dire ; mais fais-tu en outre cette réflexion ?

– Laquelle ?

– Que c'est le contraire de ce que nous pensions tout à l'heure qui se révèle à nous au sujet de l'élément irascible.

Tout à l'heure, en effet, nous pensions qu'il se rattachait à l'élément concupiscible, tandis que maintenant nous disons qu'il s'en faut de beaucoup et que, bien plutôt, quand une sédition s'élève dans l'âme, il prend les armes en faveur de la raison.

– Assurément.

– Est-il donc différent de la raison, ou l'une de ses formes, de sorte qu'il n'y aurait pas trois éléments dans l'âme, mais deux seulement, le rationnel et le concupiscible ? Ou bien, de même que trois classes composaient la cité – gens d'affaires, auxiliaires et classe délibérante – de même, dans l'âme, le principe irascible constitue-t-il un troisième élément, auxiliaire naturel de la raison quand une mauvaise éducation ne l'a point corrompu ?

– Il y a nécessité, répondit-il, qu'il constitue un troisième élément.

– Oui, dis-je, s'il apparaît différent de l'élément rationnel, comme il est apparu différent de l'élément concupiscible.

– Cela n'est pas difficile à voir, reprit-il. On peut, en effet, l'observer chez les enfants : dès leur naissance, ils sont pleins d'irascibilité, mais certains ne semblent jamais recevoir de raison, et la plupart n'en reçoivent que tard.

– Oui, par Zeus, tu dis vrai ; et l'on verrait encore chez les bêtes sauvages qu'il en est ainsi. De plus, le vers d'Homère que nous citions plus haut en rendra témoignage : *Se frappant la poitrine, il gourmanda son cœur...* Il est évident qu'Homère représente ici deux principes distincts, l'un, qui a raisonné sur le meilleur et le pire gourmandant l'autre, qui s'emporte de façon déraisonnable.

– C'est parfaitement bien dit.

– Voilà donc, repris-je, ces difficultés péniblement traversées à la nage, et voilà bien reconnu qu'il y a dans l'âme de l'individu des parties correspondantes et égales en nombre.

– Oui.

– Par suite, n'est-il pas déjà nécessaire que l'individu soit sage de la même manière et par le même élément que la cité ?

– Si, sans doute.

– Et que la cité soit courageuse par le même élément et la même manière que l'individu ? enfin que tout ce qui a trait à la vertu, se trouve pareillement dans l'une et dans l'autre ?

– C'est nécessaire.

– Ainsi, Glaucon, nous dirons, je pense, que la justice a chez l'individu le même caractère que dans la cité.

– Cela aussi est de toute nécessité.

– Or nous n'avons certainement pas oublié que la cité était juste du fait que chacune de ses trois classes s'occupait de sa propre tâche.

– Il ne me semble pas que nous l'ayons oublié.

– Souvenons-nous donc que chacun de nous également, en qui chaque élément remplira sa propre tâche, sera juste et remplira lui-même sa propre tâche.

– Oui, certes, il faut s'en souvenir.

– Dès lors, n'appartient-il pas à la raison de commander puisqu'elle est sage et a charge de prévoyance pour l'âme tout entière, et à la colère d'obéir et de seconder la raison ?

– Si, certainement.

– Mais n'est-ce pas, comme nous l'avons dit, un mélange de musique et gymnastique qui mettra d'accord ces parties, fortifiant et nourrissant l'une de beaux discours et par les sciences, relâchant, apaisant, adoucissant l'autre par l'harmonie et par le rythme ?

– Sans doute.

– Et ces deux parties élevées de la sorte, réellement instruites de leur rôle et exercées à le remplir, commanderont à l'élément concupiscible, qui occupe la plus grande place dans l'âme, et qui, par nature, est au plus haut point avide de richesses ; elles le surveilleront de peur que, se rassasiant des prétendus plaisirs du corps, il ne s'accroisse, ne prenne vigueur, et, au lieu de s'occuper de sa propre tâche, ne tente de les asservir et de les gouverner – ce qui ne convient point à un élément de son espèce – et ne bouleverse toute la vie de l'âme.

XXV

KANT

L'IMMORTALITÉ DE L'ÂME COMME POSTULAT
DE LA RAISON PRATIQUE

Kant, *Critique de la raison pratique*, trad. L. Ferry,
H. Wismann, Paris, Folio-Gallimard, 1985,
p. 167-169.

Le texte de la *Critique de la raison pure* présentait déjà le sens qu'on pouvait tirer, malgré l'ineptie théorique de la démarche, du projet d'une psychologie rationnelle. Au-delà des paralogismes où elle sombre nécessairement, il était possible d'entrevoir un usage pratique (moral) de la notion, pour contrer les matérialistes sur leur propre terrain en étant en quelque sorte plus dogmatique qu'eux, et pour montrer par contraste l'illégitimité de leurs prétentions. Mais la notion d'âme dans l'intérêt pratique ne relève pas du seul usage négatif de l'hypothèse comme « arme de guerre » : elle intervient aussi, positivement, comme postulat. L'âme répond alors à un problème théorique précis, celui de la possibilité de la vie morale, ainsi qu'à une demande pratique, celle de pouvoir continuer à espérer. Il n'est pas sûr en effet qu'aucune action ait jamais été accomplie par pur respect pour la loi morale, et, dans ces conditions, la perspective d'une temporalité éthique bornée par la mort physique menace de rendre tout espoir de progrès impossible. La sainteté, pour demeurer un idéal de réalisation morale,

doit pouvoir être considérée à l'horizon d'une marge infinie de progrès. C'est donc d'abord l'*immortalité* de l'âme qui entre en jeu. Sans doute, puisqu'il s'agit du sujet moral, la *personnalité* et l'*identité* de l'âme comptent autant que son immortalité : il ne servirait à rien de vivre éternellement sans être à chaque instant le même, car l'idée même de responsabilité morale n'aurait plus de sens. Mais il en va d'abord de l'agir humain, et la question métaphysique de la possibilité d'une entité spirituelle n'est abordée que de biais. D'autre part, l'idée d'un progrès indéfini semble annuler tout horizon du salut, toute eschatologie – l'immortalité en elle-même ne nous dit rien de l'autre monde. C'est que l'exaltation, autant que la résignation paresseuse, est une manière de manquer l'effort propre à l'agir moral. Il ne reste que l'espoir d'une béatitude qui récompenserait la vertu, et c'est précisément l'enjeu du second postulat, celui de l'existence de Dieu. S'il est vrai que c'est dans le concept de liberté que la *Critique* trouve sa clef de voûte, l'on voit comment l'éthique peut redonner un sens nouveau à la chose en soi – et peut-être en signaler par là l'origine. Kant abolit le savoir pour faire place à la foi, mais c'est pour en même temps jeter une lumière nouvelle sur tous les concepts dont il a fait la critique, et celui de l'âme en premier, qui

devient, du point de vue de l'intérêt pratique et de l'espérance d'une vie future, l'objet d'un « irrépressible désir de poser quelque part un pied ferme tout à fait au-delà des limites de l'expérience » (« Canon de la raison pure »).

L'IMMORTALITÉ DE L'ÂME
COMME POSTULAT DE LA RAISON PRATIQUE

La réalisation du souverain Bien dans le monde est l'objet nécessaire d'une volonté qui peut être déterminée par la loi morale. Mais, dans cette volonté, l'*entière conformité* des intentions à la loi morale est la condition suprême du souverain Bien. Elle doit donc être possible aussi bien que son objet, puisqu'elle est contenue dans l'ordre même de le mettre en œuvre. Or l'entière conformité de la volonté à la loi morale est la *sainteté*, une perfection dont aucun être raisonnable appartenant au monde sensible n'est capable à aucun moment de son existence. Puisque, cependant, elle n'en est pas moins exigée comme pratiquement nécessaire, elle peut uniquement être rencontrée dans un *progrès* allant à l'*infini* vers cette entière conformité, et, d'après les principes de la raison pure pratique, il est nécessaire d'admettre un tel progrès pratique comme l'objet réel de notre volonté.

Or ce progrès indéfini n'est possible que dans la supposition d'une *existence* et d'une personnalité *indéfiniment* persistantes du même être raisonnable (ce que l'on nomme immortalité de l'âme). Donc le souverain Bien n'est pratiquement possible que dans la supposition de l'immortalité de l'âme ; par conséquent celle-ci, comme inséparablement liée à la loi morale, est un *postulat* de la raison pure pratique (par où j'entends une proposition *théorique*, mais qui, comme telle, ne peut être prouvée, en tant qu'elle est inséparablement liée à une loi *pratique* ayant *a priori* une valeur inconditionnée).

188

La proposition relative à la destination morale de notre nature, à savoir que nous ne pouvons atteindre l'entière conformité avec la loi morale que par un progrès allant à l'infini, est de plus grande utilité, non seulement en vue de suppléer présentement à l'impuissance de la raison spéculative, mais aussi en ce qui concerne la religion. À défaut de cette proposition, ou bien la loi morale est totalement dépouillée de sa *sainteté*, par l'artifice de se la figurer *indulgente* et ainsi adaptée à notre commodité, ou bien sa fonction est exaltée, avec l'espoir d'une destination inaccessible, à savoir l'entière acquisition de la sainteté de la volonté, et l'on se perd dans des rêves *théosophiques* extravagants, tout à fait contraires à la connaissance de soi-même ; deux résultats qui ne font qu'empêcher l'incessant *effort* pour obéir de façon ponctuelle et constante à un commandement de la raison sévère et inflexible, qui n'est pourtant pas idéal, mais réel. Pour un être raisonnable, mais fini, il n'y a de possible que le progrès à l'infini des degrés inférieurs aux degrés supérieurs de la perfection morale. L'*infini*, pour qui la condition du temps n'est rien, voit dans cette série, sans fin pour nous, le fait entier de la conformité de la volonté à la loi morale, et la sainteté qu'exige inflexiblement son commandement, pour être en accord avec sa justice dans la part qu'il assigne à chacun du souverain Bien, peut être entièrement appréhendée dans une seule intuition intellectuelle de l'existence des êtres raisonnables. Ce qui seul peut revenir à la créature relativement à l'espoir d'obtenir cette part, ce sera la conscience de son intention éprouvée, lui permettant, d'après les progrès qui l'ont conduit d'un état pire à un état moralement meilleur, et d'après la résolution immuable dont elle a eu par là même connaissance, d'espérer une continuation ultérieure et ininterrompue de ce progrès, aussi longtemps que puisse durer son existence, et même au-delà de cette vie, et ainsi d'être, non certes ici-bas ni à un moment prévisible de son existence future, mais seulement dans l'infinité de sa durée (que Dieu seul peut embrasser), entièrement adéquate à sa volonté (sans indulgence ou rémission, lesquelles ne s'accordent pas avec la justice).

XXVI

HEGEL

L'ART DOIT ÊTRE UNE EXPRESSION DE L'ÂME

Hegel, *Cours d'esthétique*, I, trad. J.-P. Lefebvre et V. von Schenk, Paris, Aubier, 1995, p. 206-211.

Georg Simmel résume admirablement le point de départ de l'esthétique hégélienne : « Je suis convaincu que le corps et l'âme ne sont pas deux "parties" de l'être humain qui le composent et dont l'une a donnée immédiatement de façon sensible, tandis que l'autre est préalablement découverte. Bien plutôt, l'être humain est une unité vivante, qui n'est séparée en deux éléments que par une abstraction seconde, et c'est également comme une telle unité que nous le percevons. Ce n'est pas l'œil dans sa signification anatomique particulière comme un instrument isolé, mais c'est notre être unitaire, l'être humain entier, qui voit l'autre être humain […] l'être perçu est pour lui d'emblée le corps doué d'une âme […] » (*Philosophie et Modernité*, t. II, p. 152-153). On rapprochera ce passage de ce qu'écrit Hegel de l'unité de l'âme et du corps dans l'*Esthétique* (p. 161-167). Dans la peinture comme dans la vie, l'âme doit être manifestée à même le corps, comme son principe idéal d'unité. C'est la loi

intime d'une figure qui ne peut tirer sa cohésion du monde extérieur. Mais ce travail ne va pas de soi : le risque, c'est de manquer ce qu'il y a de proprement spirituel dans la forme animée et de privilégier le détail extérieur et contingent aux dépens de ce qui reflète l'esprit comme tel, ou tout au moins l'esprit sur le point de se réveiller. L'art du peintre, dans le regard qu'il porte sur les choses et dans la manière qu'il a de les restituer dans une image, consiste donc à saisir le spirituel dans l'extériorité de la forme. Or cela passe par une idéalisation des apparences, qui trouve son accomplissement dans la figure de la « belle individualité ». Hegel se plaint de ces portraitistes qui reproduisent dans leurs visages « sans âme » les irrégularités de la peau (poils, pores, cicatrices, taches) et empêchent ainsi la libre appréhension de l'individualité spirituelle du sujet. Le beau dans l'art est toujours un beau idéal, la nature y est transfigurée par l'esprit : « Mais ce qui nous sollicite aussitôt dans ce genre de contenu, pour autant qu'il nous est présenté par l'art, est justement ce paraître et cet apparaître des objets en ce qu'ils sont produits par l'*esprit*, lequel transforme ce qu'il y a d'extérieur et de sensible dans toute la matérialité. [...] Comparée à la réalité prosaïque déjà donnée, cette apparence produite par l'esprit est par conséquent le prodige de l'idéalité, un défi moqueur, si l'on veut, et une ironie à l'égard de l'existence naturelle extérieure » (*Cours d'Esthétique*. p. 218-219). L'art du peintre consistera donc à faire de chaque point de la surface un siège de l'âme. Mais l'art nous ramène paradoxalement à la nature, car « suivant sa détermination, il [le naturel] n'apparaît ici, dans la mesure où il est l'esprit qui s'incarne lui-même, que comme expression du spirituel, si bien qu'il apparaît déjà comme idéalisé » (*Ibid.*, p. 225). Par le regard de l'art, c'est toute la nature qui se révèle elle-même dans son idéalité.

Ce que nous pouvons dire de plus général et de façon purement formelle sur l'idéal de l'art, suivant l'examen que nous avons mené jusqu'à présent, revient à ce que, d'un côté, le vrai n'a certes d'existence et de vérité que dans son déploiement en une réalité extérieure, mais que, par ailleurs, il peut recueillir et contenir la dispersion de cette existence en une unité telle que chaque partie du déploiement fait dès lors apparaître en elle cette âme, le tout. Si, pour éclaircir plus précisément notre propos, nous prenons pour exemple la figure humaine, elle est, comme nous l'avons déjà vu antérieurement, une totalité d'organes dans lesquels le concept s'est réparti et où il manifeste, en chacun des membres, seulement une activité particulière et un mouvement partiel. Mais si nous demandons dans quel organe particulier l'âme tout entière apparaît en tant qu'âme, nous indiquerons aussitôt l'œil ; car c'est dans l'œil que se concentre l'âme, et non seulement elle voit à travers lui, mais elle est vue en lui. Or, de même qu'à la surface du corps humain les pulsations du cœur sont partout visibles, contrairement à ce qui se passe pour le corps animal, il faut dire dans le même sens que l'art transforme toute figure, en tout point de sa surface visible, en un œil qui est le siège de l'âme et qui porte l'esprit à la manifestation phénoménale. Ou encore, de même que Platon, dans ce célèbre

distique consacré à l'aster, s'écrie : « Quand tu lèves les
yeux vers les astres, ô mon astre, que ne suis-je le ciel /
Pour pencher alors vers toi des milliers d'yeux ! » de
même, inversement, l'art fait de chacun de ses ouvrages
un Argus aux mille yeux, afin que l'âme et la spiritualité
intérieures soient vues en tous points. Et ce n'est pas
seulement la figure corporelle, l'expression du visage, les
gestes et l'attitude, mais tout autant les actions et les
événements, les discours et les intonations, avec la suite
de leur déroulement à travers toutes les conditions de
l'apparaître phénoménal, que l'art doit partout transformer en un œil dans lequel l'âme libre se donne à
connaître dans son infinité intérieure.

(a) Avec ce réquisit d'une animation intégrale surgit
aussitôt la question plus précise de savoir *ce qu'est* cette
âme dont tous les points de la manifestation phénoménale doivent devenir les yeux, et, de façon plus déterminée encore, on peut se demander de quelle espèce est
l'âme qui se montre capable selon sa nature d'accéder
grâce à l'art à sa manifestation authentique. Car on parle
aussi au sens ordinaire d'une âme spécifique des métaux,
du minerai, des astres, des animaux, des caractères
humains diversement particularisés et de leurs extériori-
sations. Mais, pour les choses naturelles telles que les
pierres, les plantes, etc., le terme d'âme dans la signification que nous lui avons donnée plus haut ne peut être
employé que de manière impropre. L'âme des choses
simplement   naturelles   est   pour   soi-même   finie,
passagère, et doit plutôt être appelée nature spécifique
qu'âme. C'est pourquoi l'individualité déterminée de ce
genre d'existences ressort déjà complètement dans leur
existence finie. Elle ne peut exposer qu'une limitation
quelconque, et leur élévation à l'autonomie et à la liberté
infinies n'est rien qu'une apparence qui, certes, peut aussi
être prêtée à cette sphère, mais n'est jamais, lorsque tel
est effectivement le cas, que produite de l'extérieur par
l'art, sans que cette infinité soit fondée dans les choses
elles-mêmes. De la même façon, l'âme sentante comme
vie naturelle est certes une individualité subjective, mais
qui reste purement intérieure et n'est qu'*en soi* présente

dans la réalité sans se savoir elle-même comme retour à soi et, partant, sans être infinie en elle-même. Aussi son contenu demeure-t-il lui-même limité, et sa manifestation ne parvient, pour une part, qu'à une vivacité, une inquiétude, une mobilité, un état de désir, une angoisse et une peur formels de cette vie dépendante, et pour une autre part seulement à l'extériorisation d'une intériorité en elle-même finie. L'animation et la vie de l'*esprit* seule est l'infinité libre qui est pour soi-même comme intérieur dans l'existence réelle, parce que dans son extériorisation elle revient à elle-même et reste chez elle-même. C'est pourquoi il est donné à l'esprit, et à lui seul, de pouvoir apposer à son extériorité le sceau de sa propre infinité et de son libre retour à soi, même et y compris quand cette extériorité le fait s'engager dans la limitation. Néanmoins, dès lors que l'esprit ne devient libre et infini qu'à partir du moment où il saisit effectivement son universalité et élève à elle les fins qu'il pose en lui-même, il peut tout à fait aussi, suivant son propre concept, s'il n'a pas saisi cette liberté, exister comme contenu borné, comme caractère rabougri et vie intérieure étiolée et superficielle. Avec un tel contenu nul en lui-même, la manifestation infinie de l'esprit reste à son tour seulement formelle, puisque nous n'obtenons alors que la forme abstraite de la spiritualité consciente de soi, forme abstraite dont le contenu contredit l'infinité de l'esprit libre. C'est seulement par un contenu authentique et substantiel en lui-même que l'existence changeante et limitée acquiert de l'autonomie et de la substantialité, de sorte qu'alors sont effectifs en elle la déterminité et la pure solidité en soi-même, un contenu bien délimité et substantiel, et que l'existence obtient ainsi la possibilité d'être manifestée, à même la limitation de son propre contenu, comme universalité et comme âme étant chez soi-même. — En un mot, l'art a la vocation de concevoir et d'exposer l'existence dans sa manifestation phénoménale comme *vraie*, autrement dit de l'exposer dans son adéquation au contenu conforme à soi-même, au contenu qui est en soi et pour soi. La vérité de l'art ne doit donc pas être une simple exactitude – à quoi se cantonne la

fameuse imitation de la nature –, mais l'extérieur doit
concorder avec un intérieur qui concorde en lui-même et
qui peut, précisément de ce fait, se manifester en tant que
soi-même dans l'extérieur.

(b) Or donc, dès lors que ce qui est entaché par la
contingence et l'extériorité dans l'existence ordinaire est
ramené par l'art à cette harmonie avec son vrai concept,
l'art rejette tout ce qui ne correspond pas à ce même
concept dans la manifestation phénoménale, et c'est
seulement par cette *purification* qu'il produit l'idéal. On
peut faire passer cela pour une complaisance de l'art, de la
même façon que l'on fait aux portraitistes, par exemple,
la réputation de flatter leurs modèles. Mais même le
portraitiste le moins préoccupé de l'idéal de l'art *ne peut
faire autrement* que de flatter en ce sens, c'est-à-dire qu'il
est obligé de laisser de côté toutes les extériorités
présentes dans la figure et l'expression, dans la forme, le
coloris et les traits, tout ce qui n'est que la part naturelle
de l'existence indigente, les duvets, les pores, les petites
cicatrices, les taches de la peau : il lui faut saisir et rendre
le sujet dans son caractère général et son originalité caractéristique immuable. On aura affaire à deux choses tout à
fait différentes selon qu'il se contente de reproduire entièrement la physionomie telle qu'elle se tient immobile
devant lui, dans sa surface et sa figure extérieure, ou bien
qu'il s'entend à exposer les traits véritables qui sont
l'expression de l'âme la plus propre du sujet. Car l'idéal
exige toujours et partout que la forme extérieure corresponde pour soi à l'âme. C'est ainsi par exemple que les
tableaux en vogue actuellement et que l'on dit
« vivants » imitent des chefs-d'œuvre célèbres de façon
convenable et satisfaisante, en en reproduisant avec
exactitude tous les détails, le drapé, etc. ; mais l'on voit
souvent utiliser pour l'expression spirituelle des person-
nages des visages de tous les jours, et cela fait un effet
incongru. Les madones de Raphaël, au contraire, nous
montrent des formes de visage, de joues, d'yeux, de nez et
de bouche qui, tout simplement en tant que formes, sont
déjà adéquates à l'amour maternel heureux, gai, et en
même temps pieux et humble. Assurément, on pourrait

vouloir affirmer que toutes les femmes sont capables de ce sentiment, mais toute forme de physionomie ne satisfait pas à la pleine expression d'une telle profondeur d'âme.

(c) Or, c'est dans cette reconduction de l'existence extérieure au spirituel, par laquelle la manifestation phénoménale extérieure devient, en ce qu'elle est conforme à l'esprit, le dévoilement de celui-ci, qu'il faut chercher la nature de l'idéal artistique. Toutefois, il s'agit là d'une reconduction à l'intérieur qui ne va pas jusqu'à l'universel sous une forme abstraite, jusqu'à l'extrême de la *pensée*, mais qui s'arrête à ce centre où coïncident extérieur pur et intérieur pur. Il s'ensuit que l'idéal est l'effectivité, reprise hors de l'étendue des singularités de détail et des contingences, dans la mesure où l'intérieur apparaît lui-même dans cette extériorité élevée vers l'universel comme *individualité vivante*. Car la subjectivité individuelle qui porte en elle un contenu substantiel, et le fait en même temps apparaître extérieurement en elle, se trouve en ce centre où ce qu'il y a de substantiel dans le contenu ne peut ressortir abstraitement pour soi selon son universalité, mais reste encore enclos dans l'individualité et apparaît de ce fait comme étroitement enlacé à une existence déterminée – existence qui de son côté également, affranchie qu'elle est de la simple finitude et de la pure conditionalité, converge alors en libre harmonie avec l'intérieur de l'âme.

XXVII

KANDINSKY

LE BEAU PROCÈDE D'UNE NÉCESSITÉ INTÉRIEURE DE L'ÂME

Kandinsky, *Du spirituel dans l'art*, VIII, trad. N. Debrand, Paris, Folio-Gallimard, 1989, p. 197-204 (reproduit sans les notes). © Éd. Denoël.

Du spirituel dans l'art n'est pas le manifeste de l'art abstrait que l'on a souvent voulu y voir. Sans doute la publication de cet ouvrage, en 1912, coïncide avec les premières recherches abstraites attribuées à Kandinsky (sa première aquarelle dite « abstraite » est datée de 1910). Mais l'abstraction selon Kandinsky doit être aussi radicalement distinguée du réalisme ou du naturalisme que de l'impressionnisme, du cubisme ou de ce formalisme que l'on a appelé plus tard l'« abstraction géométrique » (Mondrian, Malévitch). Dans son essence véritable, l'abstraction a affaire au *spirituel*, et son domaine (qui n'est justement plus un *monde*) est celui de l'intériorité. L'intérêt de ce texte extrait du dernier chapitre est justement dans la manière dont la totale liberté de l'œuvre, qui découle du caractère absolu de sa nécessité intérieure, se trouve conciliée avec l'idée d'un but, et mieux, d'une mission de l'art – tout le contraire du « formalisme » souvent associé à la peinture abstraite. La réflexion sur le sens de l'art se prolonge donc par l'examen des devoirs de l'artiste et de son rôle dans la société. Or, c'est l'âme individuelle, celle de l'artiste, qui est convoquée à travers l'idée d'une « éducation de l'âme » affranchie des normes morales et sociales.

L'artiste a donc une mission, qui est de révéler à l'homme la dimension spirituelle de son existence – ce qui fait de l'art un moyen de connaissance et de salut, individuel aussi bien que collectif. Mais alors que cela même pourrait sembler assigner à l'art une fin qui lui extérieure, Kandinsky donne toujours à la notion d'âme le caractère d'une authentique catégorie *esthétique*. On peut distinguer ici trois dimensions de cet usage : l'élé-ment de la personnalité (l'âme de l'artiste), le langage de l'époque (l'âme de la société ou l'esprit du temps), et enfin le « pur et éternel artistique » (l'âme des formes). L'art est le langage de l'âme, et même le seul qui soit. Sans doute, l'âme conserve chez Kandinsky une résonance judéo-chrétienne, ou tout simplement spiritualiste (on sait que cet orthodoxe russe était aussi féru de théosophie). Il est bien question au fond, de l'âme comme principe spirituel. Mais s'il est clair qu'il ne s'agit pas de faire de la peinture le moyen d'une édification des masses (les « bons sentiments », c'est bien connu ne font pas de la bonne peinture) il faut se garder aussi bien de réduire la démarche de Kandinsky à une forme d'« expressionnisme » abstrait « Rendre visible l'invisible » pour reprendre le mot de Paul Klee qui fut aussi son élève, cela ne signifie pas que l'on ait à exprimer son âme dans les formes extérieures. « Je ne peins pas des états d'âme », explique Kandinsky dans sa *Conférence de Cologne* (1914). Il ne s'agit pas de mettre à jour un monde intime mais de faire involuer les formes pour creuser dans l'extérieur un intérieur qui soit la Vie même l'autoaffection du sentiment. Il ne s'agit pas de peindre son âme sur une toile, mais de donner à la toile même une âme, une intériorité qui ne préexiste pas à l'acte créateur. Kandinsky parle ainsi de la « surface intérieure », du « personnage intérieur » et de « l'âme » du tableau (p. 182

183 ; cf. aussi p. 139-141, sur la notion d'«élément intérieur», ce «quelque chose de plus qui est l'âme véritable de la création», et l'idée de «*lois de la nécessité intérieure*, que l'on peut tranquillement appeler *spirituelles*»). La nécessité interne de l'œuvre est ainsi soustraite à toute exigence extérieure, serait-ce celle de la «belle forme», cette idéalisation de la nature qui de fait n'en sort jamais, ou surtout celle d'une expression fidèle de la personnalité de l'artiste lui-même. Exactitude scientifique, canons artistiques, normes morales, valeurs et désirs de l'artiste, rien ne peut s'imposer à l'œuvre, qui se tient tout entière par elle-même. Pas plus donc qu'il ne cherche l'âme des choses – l'essence du visible –, Kandinsky ne veut peindre son âme : au-delà de la représentation de soi-même ou du monde, il s'agit d'abord de reconnaître l'âme des moyens de l'art, pour ensuite parvenir à l'intériorisation, à la méditation, au voyage spirituel, en bref, à une expérience de la « Beauté » qui soit une véritable *expérience de l'âme* – en quoi la peinture abstraite se démarque fondamentalement de toutes les figures de l'«art pour l'art ».

C'est d'une manière mystérieuse, énigmatique, mystique, que l'œuvre d'art véritable naît « de l'artiste ». Détachée de lui, elle prend une vie autonome, devient une personnalité, un sujet indépendant, animé d'un souffle spirituel, qui mène également une vie matérielle réelle – *un être*. Ce n'est donc pas une apparition indifférente et née par hasard qui séjournerait, également indifférente, dans la vie spirituelle ; au contraire, comme tout être elle possède des forces actives et créatrices. Elle vit, agit et participe à la formation de l'atmosphère spirituelle dont il a été question plus haut. C'est à ce point de vue intérieur qu'il faut se placer, et exclusivement à ce point de vue, pour répondre à la question de savoir si l'œuvre est bonne ou mauvaise. Si elle est « mauvaise » dans la forme ou trop faible, c'est que cette forme est mauvaise ou trop faible pour provoquer dans l'âme des vibrations d'une résonance pure. De même une image n'est pas « bien peinte », si ses valeurs (les inévitables valeurs des Français) sont convenablement choisies ou si elle est répartie d'une manière quasi scientifique entre le chaud et le froid mais, au contraire, *est bien peinte l'image qui intérieurement vit totalement. Et de même n'est un « bon dessin » que celui auquel rien ne peut être changé sans que cette vie intérieure soit détruite,* sans qu'il y ait lieu de considérer si le dessin est en contradiction avec l'anatomie, la botanique ou toute autre science. Ici la question n'est pas de savoir si une forme extérieure (et donc uniquement fortuite) est altérée, mais réside uniquement dans l'opportunité pour l'artiste d'utiliser ou non cette forme telle qu'elle existe extérieurement. *C'est de la même manière que doivent être utilisées les couleurs,* non pas parce qu'elles existent ou non dans la nature avec cette résonance, mais *parce qu'elles sont ou non nécessaires dans l'image avec cette résonance.* En bref, *l'artiste a non seulement le droit, mais le devoir de manier les formes ainsi que cela est NÉCESSAIRE à ses buts.* Et ni l'anatomie, ni les autres sciences du même ordre, ni le renversement *par principe* de ces sciences ne sont nécessaires, mais ce qui est nécessaire, c'est une liberté *totalement illimitée* de l'artiste dans le choix de ses moyens. Cette nécessité est le droit à la liberté illimitée, mais elle devient crime dès lors qu'elle ne repose pas sur cette nécessité. Pour l'art, ce droit est le plan moral intérieur dont nous avons parlé. Dans la vie tout entière (donc également en art) – pureté du but.

Et en particulier : l'observance sans but des règles scientifiques n'est jamais aussi nuisible qu'un inutile renversement de celles-ci. Dans le premier cas, il s'ensuit une imitation (matérielle) de la nature qui peut être utilisée pour certains objectifs. Dans le second, il s'ensuit une escroquerie sur le plan artistique qui, comme toute faute, est suivie d'une longue série de conséquences fâcheuses. Le premier cas laisse l'atmosphère morale vide. Il la pétrifie. Le second l'empoisonne et l'empeste.

La peinture est un art et l'*art* dans son ensemble *n'est pas une vaine création d'objets* qui se perdent dans le vide, mais une puissance qui a un but et doit servir à l'évolution et à l'affinement de l'âme humaine, au mouvement du Triangle [1]. Il est le langage qui parle à l'âme, dans la forme qui lui est propre, de choses qui sont

1. Triangle spirituel qui progresse vers l'avant et vers le haut, avec à sa tête l'artiste visionnaire qui voit ce que les autres ne voient pas encore.

le *pain quotidien* de l'âme et qu'elle ne peut recevoir que sous cette forme.

Si l'art se dérobe devant cette tâche, le vide ne pourra être comblé, car il n'existe pas d'autre puissance qui puisse remplacer l'art. Et toujours aux moments où l'âme humaine a une vie spirituelle plus forte, l'art revit car l'âme et l'art agissent réciproquement l'un sur l'autre et se perfectionnent mutuellement. Et dans les périodes où l'âme est engourdie par des visions matérialistes, par l'incrédulité, et par les tendances purement utilitaires qui en découlent, dans les périodes où elle est négligée, l'opinion se répand que l'art « pur » n'existe pas pour des buts déterminés de l'homme, mais qu'il est sans but, que l'art n'existe que pour l'art (l'art pour l'art). Ici, le lien entre l'art et l'âme est à demi anesthésié. Mais il y a une revanche, car l'artiste et le spectateur (qui communiquent entre eux par le langage spirituel) ne se comprennent plus, et ce dernier tourne le dos au premier, ou le considère comme un charlatan dont il admirerait l'habileté et l'imagination tout extérieures.

L'artiste doit alors essayer de redresser la situation en reconnaissant les devoirs qu'il a vis-à-vis de l'art et donc également *de lui-même* et en ne se considérant pas comme le maître de la situation, mais comme serviteur d'idéaux supérieurs, avec des tâches précises, importantes et sacrées. Il lui faut s'éduquer, s'approfondir dans son âme, soigner et développer cette âme, afin que son talent extérieur ait quelque chose à habiller et ne soit pas, comme un gant perdu, la vaine et vide apparence d'une main inconnue.

L'artiste doit avoir quelque chose à dire, car sa tâche ne consiste pas à maîtriser la forme, mais à adapter cette forme au contenu.

L'artiste n'est pas un enfant du dimanche de la vie : il n'a pas le droit de vivre sans devoirs, il a une lourde tâche à accomplir, et c'est souvent sa croix. Il doit savoir que chacun de ses actes, chacune de ses sensations, chacune de ses pensées est le matériau impalpable, mais solide, d'où naissent ses œuvres et que, pour cela, il n'est pas libre dans sa vie, mais seulement dans l'art.

Et il découle tout naturellement de tout cela que, comparé à celui qui est dépourvu de tout don artistique, l'artiste est triplement responsable : (1) il doit restituer le talent qui lui a été confié ; (2) ses actes, ses pensées, ses sensations, comme ceux de tout autre homme, contribuent à l'atmosphère spirituelle, de sorte qu'ils purifient ou empestent cette atmosphère, et (3) ces actes, pensées et sensations sont le matériau de ses œuvres, qui agissent à leur tour sur l'atmosphère spirituelle. Il n'est pas seulement « Roi » – comme le Sâr Péladan – par la grande puissance dont il dispose, mais également par l'importance de sa tâche.

Si l'artiste est le prêtre du « Beau », ce Beau doit également être recherché en fonction du même principe de *la grandeur intérieure*, que nous avons trouvée partout jusqu'ici. Ce « Beau » ne peut se mesurer qu'à l'échelle de la grandeur et de *la nécessité intérieure*, qui nous a déjà rendu si souvent service.

Est beau ce qui procède d'une nécessité intérieure de l'âme. Est beau ce qui est beau intérieurement.

Maeterlinck, l'un des premiers pionniers, l'un des premiers utilisateurs de la composition spirituelle dans l'art d'aujourd'hui, dont procédera l'art de demain, disait : « Il n'est rien sur terre qui soit plus avide de beauté et qui s'embellisse plus facilement qu'une âme [...]. C'est pourquoi peu d'âmes, sur terre, résistent à la domination d'une âme qui se voue à la beauté. »

XXVIII

FOUCAULT

L'ÂME, PRISON DU CORPS

Foucault, *Surveiller et punir*. Paris, Tel-Gallimard, 1975, p. 36-38.

« Objectif de ce livre : une histoire corrélative de l'âme moderne et d'un nouveau pouvoir de juger » (*Surveiller et punir*, p. 30). Tel est donc le projet de Michel Foucault, à travers ce qui se donne à la fois comme une réflexion philosophique sur la nature du pouvoir et de ses effets, et comme une enquête historique sur la formation du « complexe scientifico-judiciaire » des sociétés développées. Or cette analyse passe évidemment par la mise à jour de toutes les pratiques sociales où le pouvoir s'assure une prise sur les corps : une microphysique du pouvoir. On voit, par exemple, comment la technique disciplinaire (l'institution carcérale, elle-même relayée par une série d'appareils de normalisation : hôpitaux, casernes, écoles) remplace progressivement le supplice. Mais, et c'est là l'essentiel, ces technologies multiples tirent toute leur efficacité du savoir qui les double, et que d'une certaine manière elles produisent : savoirs et pratiques des sciences politiques, humaines, juridiques, psychiatriques.

Ainsi, dans la mécanique judiciaire : que juge-t-on ? Il n'y a qu'à entendre Mably : « Que le châtiment, si je puis ainsi parler, frappe l'âme plutôt que le corps. » Du coup, ce n'est plus seulement le crime qui est jugé, c'est l'âme du criminel. « L'appareil de la justice punitive doit mordre maintenant sur cette réalité sans corps » (*Ibid.*, p. 24), « on juge en même temps des passions, des instincts, des anomalies, des infirmités, des inadaptations, des effets de milieu ou d'hérédité ; on punit des agressions, mais à travers elles des agressivités ; des viols, mais en même temps des perversions ; des meurtres qui sont aussi des pulsions et des désirs » (*Ibid.*,

p. 25). Sous le prétexte de juger un acte, on qualifie un individu, on le définit, on le classe, on le traite, on le dresse.

L'important dans ce savoir sur l'âme qui est corrélatif du jugement, et qui s'exprime à travers les nouvelles disciplines que sont la criminologie ou l'expertise psychiatrique, c'est qu'il doit être pensé comme le relais nécessaire d'un certain mode de fonctionnement de la contrainte des corps. La punition n'agit pas sur l'âme par le moyen du corps sans qu'au préalable le jugement ait agi sur le corps à travers l'âme. Dès lors, il ne suffit pas de dire que l'âme est un concept réactionnaire, « répressif » et « idéologique », corrélatif d'un ordre moral qui nous apprendrait le mépris du corps et viendrait renforcer les effets de l'opium du peuple ; il faut encore montrer comment un certain usage de l'âme « donne corps » à des techniques effectives du pouvoir. Et il faut aussi, à cet égard, distinguer deux usages de l'âme : celui qui est fait, sans que la chose soit toujours nommée, dans la pratique des jugements appréciatifs, diagnostiques ou normatifs, et celui de Foucault lui-même. L'âme ici, ce n'est pas la « vie mentale », la « conscience », le « psychisme » en général, ou encore la « substance spirituelle » des métaphysiciens. Se demander, justement, quel est l'*usage* de l'âme, c'est éviter le double écueil qui consiste soit à questionner son essence, soit à la rejeter simplement comme une illusion dont il faudrait se libérer. « Cette âme réelle, et incorporelle, n'est point substance ; elle est l'élément où s'articulent les effets d'un certain type de pouvoir et la référence d'un savoir » (*Ibid.*, p. 38). Autrement dit, il s'agit de comprendre comment une « technologie de l'âme » (*Ibid.*, p. 39) s'insère dans l'engrenage où pouvoir et savoir se renforcent dans leurs effets sur les corps. L'âme n'a pas d'essence, elle n'est qu'une référence ou une fonction dans « l'économie politique des corps ». En ce sens, la vérité du sujet ne se définit pas par une essence ou par un fondement (l'âme, le corps ou le composé des deux), mais à partir de sa formation, à travers les forces qui s'exercent sur lui et le constituent ; l'âme intervient dans ce processus comme une surface intérieure au sujet où doivent pouvoir s'inscrire les pratiques d'objectivation et de contrôle.

Analyser l'investissement politique des corps et la microphysique du pouvoir suppose donc qu'on renonce – en ce qui concerne le pouvoir – à l'opposition violence-idéologie [1], à la métaphore de la propriété [2], au modèle du contrat ou à celui de la conquête ; en ce qui concerne le savoir, qu'on renonce à l'opposition de ce qui est « intéressé » et de ce qui est « désintéressé », au modèle de la connaissance et au primat du sujet. En prêtant au mot un sens différent de celui que lui donnaient au XVIIe siècle Petty et ses contemporains, on pourrait rêver d'une « anatomie » politique. Ce ne serait pas l'étude des États pris comme un « corps » (avec ses éléments, ses ressources et ses forces), mais ce ne serait pas non plus l'étude du corps et de ses entours pris comme un petit État. On y traiterait du « corps politique » comme ensemble des éléments matériels et des techniques qui servent d'armes, de relais, de voies de communication et de points d'appui aux relations de pouvoir et de savoir qui investissent les corps humains et les assujettissent en en faisant des objets de savoir.

Il s'agit de replacer les techniques punitives – qu'elles s'emparent des corps dans le rituel des supplices ou qu'elles s'adressent à l'âme – dans l'histoire de ce corps

---

1. C'est une conséquence de l'interpénétration du pouvoir et du savoir.
2. Le pouvoir n'est pas « propriété », mais « stratégie », il « s'exerce plutôt qu'il ne se possède ».

politique. Prendre les pratiques pénales moins comme une conséquence des théories juridiques que comme un chapitre de l'anatomie politique.

Kantorowicz [1] a donné autrefois du « corps du roi » une analyse remarquable : corps double selon la théologie juridique formée au Moyen Âge, puisqu'il comporte outre l'élément transitoire qui naît et meurt, un autre qui, lui, demeure à travers le temps et se maintient comme le support physique et pourtant intangible du royaume ; autour de cette dualité, qui fut, à l'origine, proche du modèle christologique, s'organisent une iconographie, une théorie politique de la monarchie, des mécanismes juridiques distinguant et liant à la fois la personne du roi et les exigences de la Couronne, et tout un rituel qui trouve dans le couronnement, les funérailles, les cérémonies de soumission, ses temps les plus forts. À l'autre pôle on pourrait imaginer de placer le corps du condamné ; il a lui aussi son statut juridique ; il suscite son cérémonial et il appelle tout un discours théorique, non point pour fonder le « plus de pouvoir » qui affectait la personne du souverain, mais pour coder le « moins de pouvoir » dont sont marqués ceux qu'on soumet à la punition. Dans la région la plus sombre du champ politique, le condamné dessine la figure symétrique et inversée du roi. Il faudrait analyser ce qu'on pourrait appeler en hommage à Kantorowicz le « moindre corps du condamné ».

Si le supplément de pouvoir du côté du roi provoque le dédoublement de son corps, le pouvoir excédentaire qui s'exerce sur le corps soumis du condamné n'a-t-il pas suscité un autre type de dédoublement ? Celui d'un incorporel, d'une « âme » disait Mably. L'histoire de cette « microphysique » du pouvoir punitif serait alors une généalogie ou une pièce pour une généalogie de l'« âme » moderne. Plutôt que de voir en cette âme les restes réactivés d'une idéologie, on y reconnaîtrait plutôt le corrélatif actuel d'une certaine technologie du pouvoir sur le corps. Il ne faudrait pas dire que l'âme est une

---

1. E. Kantorowicz, *The King's two Bodies*. 1959.

illusion ou un effet idéologique. Mais bien qu'elle existe, qu'elle a une réalité, qu'elle est produite en permanence, autour, à la surface, à l'intérieur des corps par le fonctionnement d'un pouvoir qui s'exerce sur ceux qu'on punit – d'une façon plus générale sur ceux qu'on surveille, qu'on dresse et corrige, sur les fous, les enfants, les écoliers, les colonisés, sur ceux qu'on fixe à un appareil de production et qu'on contrôle tout au long de leur existence. Réalité historique de cette âme, qui, à la différence de l'âme représentée par la théologie chrétienne, ne naît pas fautive et punissable, mais naît plutôt des procédures de punition, de surveillance, de châtiment et de contrainte. Cette âme réelle, et incorporelle, n'est point substance ; elle est l'élément où s'articulent les effets d'un certain type de pouvoir et la référence d'un savoir, l'engrenage par lequel les relations de pouvoir donnent lieu à un savoir possible, et le savoir reconduit et renforce les effets de pouvoir. Sur cette réalité-référence, on a bâti des concepts divers et on a découpé des domaines d'analyse : psyché, subjectivité, personnalité, conscience, etc. ; sur elle on a édifié des techniques et des discours scientifiques ; à partir d'elle, on a fait valoir les revendications morales de l'humanisme. Mais il ne faut pas s'y tromper : on n'a pas substitué à l'âme, illusion des théologiens, un homme réel, objet de savoir, de réflexion philosophique ou d'intervention technique. L'homme dont on nous parle et qu'on invite à libérer est déjà en lui-même l'effet d'un assujettissement bien plus profond que lui. Une « âme » l'habite et le porte à l'existence, qui est elle-même une pièce dans la maîtrise que le pouvoir exerce sur le corps. L'âme, effet et instrument d'une anatomie politique ; l'âme, prison du corps.

VADE-MECUM

ÂME DU MONDE

Dans le *Timée* (34a-37c), la conception platonicienne de l'âme du monde (âme universelle, souvent notée « Âme » par différence avec l'âme individuelle) intervient dans le cadre d'une genèse idéale du monde sensible, autrement dit dans l'effort pour fonder *a priori* une cosmologie rationnelle. Elle permet de penser l'univers sur le modèle de l'Idée du Tout (*Timée*. 31a-b), totalité qui n'est pas seulement la somme empirique des phénomènes, mais le principe idéal de leur unité. La diversité sensible est organisée sous la forme de l'Un, en vue du Tout ; l'âme du monde introduit ainsi le finalisme dans les sciences de la nature. Mais en tant que réalité intermédiaire entre sensible et intelligible, elle est aussi la solution du problème métaphysique de la transcendance de l'Un et des Idées par rapport au sensible, autrement dit du problème platonicien de la participation.

Toutes sortes de théories médicales, physiologiques et psychologiques, se sont greffées ensuite sur ce schème de l'âme du monde pour le réaliser comme un principe vital immanent à l'univers lui-même. L'âme du monde cesse alors d'être l'unité organique de l'univers ou le système de ses rapports mathématiques : c'est une matière subtile (éther ou feu volatile) qui s'étend en tous sens et qui est au principe de tout dynamisme physique, c'est le *pneuma* universel, dont les forces d'expansion et les tensions variables déterminent les différents degrés de la réalité spirituelle (structure dans les corps bruts, nature dans les plantes, âmes dans les animaux, raison chez les êtres pensants). La grande innovation stoïcienne, c'est le sens moral que prennent les figures de l'âme du monde à travers toute une série de notions : Dieu (raison séminale de l'Univers, loi de succession des formes, cause motrice de leur succession), Destin (infaillibilité et nécessité de la succession), Nature (cause de la génération des êtres), Providence (rectitude de la loi universelle du développement).

La problématique épistémologique de l'âme du monde n'a plus d'intérêt dès lors que la physique se trouve fondée sur le partage de la Pensée et de l'Espace, conçus sans intermédiaire, et que tout l'univers physique se résume en figures et mouvements. L'âme du monde survit cependant à sa fonction cosmologique. Elle fait retour dans la philosophie chez Spinoza et chez Leibniz avec la dispute autour du « Grand Animal », chez Schelling et chez Hegel, ou encore dans les œuvres des romantiques, sous le nom de Vie, Esprit, Tout. C'est qu'à côté du problème épistémologique de l'âme du monde, il y a un thème qui trouve ses origines dans les doctrines orphiques et pythagoriciennes, et qui repose tout entier sur le schème de l'intermédiaire entre sensible et intelligible. Au-delà du principe d'organisation ou d'animation universelle, l'âme du monde ouvre sur un monde de l'âme.

Elle est le lieu de l'union de l'âme individuelle et de l'intelligible, mais aussi, de façon plus dramatique, de son arrachement au sensible. Plotin parle d'une Âme à la charnière ou à la frontière des mondes intelligible et sensible (*Ennéades*. IV, 6, 31) : comme telle, elle parcourt d'un bout à l'autre la chaîne des réalités, et elle peut rejoindre à tous les niveaux l'âme individuelle. Dans la tradition philosophique islamique se trouve développée de façon encore plus explicite une théorie de l'Âme du monde comme monde de l'âme : monde intermédiaire, monde imaginal, lieu mystique de l'extase.

cf. Monde imaginal.

BÉHAVIORISME

De l'anglais *behavior* (comportement). Cette théorie s'est développée au début du siècle (Watson, Skinner) en réaction contre deux tendances de la psychologie : un parti pris philosophique, le spiritualisme, et une méthode, l'introspection. Le béhaviorisme consiste à ne se fonder que sur le comportement extérieur et observable des sujets (organismes), sans référence à la conscience. La psychologie doit être une étude des lois régissant les stimuli et les réponses d'un organisme placé dans son environnement. Mais la philosophie du béhaviorisme va au-delà de son ambition strictement scientifique : c'est une sorte de monisme matérialiste qui, dans sa forme extrême, rejette les états « subjectifs » ou « privés » (pen-sées, émotions, croyances) comme des fictions, en les réduisant purement et simplement à certaines dispositions de l'organisme.

cf. Langage privé.

CERVEAU

L'âme, explique Descartes, est « véritablement jointe à tout le corps », et l'on ne peut pas « proprement dire qu'elle soit en quelqu'une de ses parties, à l'exclusion des autres » (*Les Passions de l'âme*. art. 30). Mais il y a néanmoins en lui « quelque partie, en laquelle elle exerce ses fonctions plus particulièrement » (*Ibid.*, art. 31) : c'est une partie du cerveau, la glande pinéale, qui reçoit les mouvements des esprits animaux et les transmet à l'âme, et dont le mouvement propre a inversement le pouvoir de se propager au reste du corps. L'hypothèse cartésienne de ce « siège de l'âme » (*Ibid.*, art. 32), dont Spinoza disait qu'elle était « plus occulte que toute qualité occulte » (*Éthique*. préface au livre V), est la matérialisation physiologique de l'union intime qu'il y a entre l'âme et le corps, et qui ne peut être représentée autrement que par analogie avec la façon dont les corps agissent les uns sur les autres. La fonction de la glande pinéale n'est pas tant de fournir un *lieu* à l'âme, que de montrer que le corps à laquelle cette dernière s'unit est déjà en lui-même structuré selon une hiérarchie dominée par le cerveau, si bien qu'être uni à lui, c'est proprement être uni à tout le corps.

Reste que l'on ne voit pas bien comment une trace ou une impression véhiculée jusqu'à la glande pinéale par les esprits animaux peut se convertir en sensation. La machinerie du corps et du cerveau accompagne toutes nos perceptions : il y a là une corrélation, mais pas d'explication réelle. Comme l'écrit Leibniz à Bayle en 1702 : « On peut concevoir que la machine produise les plus belles choses du monde, mais jamais qu'elle s'en aperçoive » (cf. aussi *Monadologie*. §17). C'est dire que si par elle-même la machine ne suffit pas à produire une perception, elle ne peut pas non plus l'expliquer quand elle est associée à l'âme. Il semble que ce soient les termes mêmes du problème, posé à la manière dualiste, qui rendent impossible toute solution : « On ne voit pas moyen d'expliquer par quels canaux l'action d'une masse étendue passe sur un être indivisible » (lettre à Arnauld du 9 octobre 1687). Leibniz voit une solution dans la philosophie de l'expression, popularisée par l'idée de l'harmonie préétablie entre les mouvements du corps et les perceptions de l'âme (cf. texte cité du *Système nouveau*). Il n'y a en somme aucune communication réelle du corps et de l'âme, seulement un rapport d'expression entre l'âme et son site organique. L'organe majeur, cerveau ou autre, est ce dont les traces et les impressions sont plus particulièrement représentées dans une âme.

Bergson se livre à une critique de la position du parallélisme de la conscience et du cerveau dans *Matière et mémoire* et *L'Énergie spirituelle* (« L'âme et le corps », « Le cerveau et la pensée »). Le cerveau est bien le point d'insertion de l'esprit dans la matière, mais il n'en porte du coup qu'une trace : « La pensée est orientée vers l'action ; et, quand elle n'aboutit pas à une action réelle, elle esquisse une ou plusieurs actions virtuelles, simplement possibles. Ces actions réelles ou virtuelles, qui sont la projection diminuée et simplifiée de la pensée dans l'espace et qui en marquent les articulations motrices, sont ce qui en est dessiné dans la substance cérébrale » (*L'Énergie spirituelle*. p. 47). Cf. William James, « Human immortality ».

Une objection assez couramment adressée (dès le XVIIᵉ siècle) à l'idée d'une interaction possible de l'immatériel et de la matière, et en particulier d'une entité psychique et du cerveau, consiste à dire que les lois connues de la matière et de l'énergie la rendent impossible. Si l'on considère en effet le monde des objets physiques comme un système clos, il faut que la quantité d'énergie y soit constante (loi de la conservation de l'énergie). Or, pour toute modification physique, pour tout mouvement neuronal, il faut une dépense d'énergie. Cette dernière ne peut venir que d'un événement physique antécédent, puisque si l'on devait postuler une cause non physique, il faudrait en même temps admettre une augmentation de la quantité d'énergie dans l'univers. Récemment, le prix Nobel de médecine John C. Eccles a élaboré une réponse à cette objection qui s'appuie sur les recherches de la physique quantique. La conscience peut intervenir sur les constituants des synapses du cerveau sans violer la loi de conservation de l'énergie si l'on se représente le monde des événements mentaux comme un champ de probabilité au sens de la mécanique quantique, sans énergie ni matière, qui pourrait intervenir dans des « microsites » du cerveau par l'intermédiaire d'unités mentales ou « *psychons* » (Eccles, *Évolution du cerveau et création de la conscience*. p. 253-260 ; Eccles et Popper, *The Self and its Brain*). Cette extrapolation entre dans le cadre d'une pensée où l'âme développe et utilise tout au long de la vie biologique un cerveau dont on pourrait dire, métaphoriquement, qu'elle peut le programmer comme un ordinateur (*Ibid.*. p. 313-318). Pour une approche strictement matérialiste du rapport du cerveau et de la conscience, cf. J.-P. Changeux, *L'Homme neuronal*. Sur l'âme, le cerveau et l'intelligence artificielle, cf. J.-M. Besnier, in M.-P. Haroche, *L'Âme et le corps. philosophie et psychiatrie*.

cf. *Matérialisme. Parallélisme.*

CHOSE EN SOI

Pour ce qui concerne l'âme, l'idée reçue sur Kant pourrait se résumer de la manière suivante : il y a le moi « en soi » (disons, l'âme

insondable), et puis, comme son émanation dans le monde, le phénomène *pour nous* du moi empirique, seul susceptible d'être connu. Quel besoin, dira-t-on alors, d'un moi en soi ? Mon âme n'est-elle pas tout ce qu'elle m'apparaît ? Mais voilà : il faut bien supposer quelque chose derrière l'apparition, qui en soit comme la cause, sans quoi à proprement parler *rien* n'apparaîtrait (*Critique de la raison pure*, B XXVII).

C'est ce qui semble se dégager de la présentation même des paralogismes de la psychologie rationnelle. Tout se passe comme si la pensée entrait, en croyant pouvoir y gagner quelque chose en connaissance, dans le « champ des *noumènes* » (*Ibid.*. B 410), c'est-à-dire de ce qui, « derrière » les phénomènes, peut être pensé (mais certes pas connu) comme la « nature des objets considérés en eux-mêmes » (*Ibid.*. B 59), ce qui est parfaitement absurde dès lors que le *noumène* est défini comme cette nature qui, « indépendamment de toute réceptivité de notre sensibilité », « nous demeure entièrement inconnu » (*Ibid.*). « Ce que sont les objets en soi, c'est ce que nous ne saurons jamais, même avec la connaissance la plus claire de leurs phénomènes, seule chose qui nous soit donnée » (*Ibid.*). De l'âme comme chose en soi, il n'y a donc à attendre aucune révélation de l'expérience ou de la pensée pure, donc aucune connaissance.

Mais alors le risque est grand de se représenter l'âme comme une entité cachée, dotée de toutes les caractéristiques inconnues d'une chose bien réelle. Sur la nature de ce mystère, il ne nous resterait plus qu'à spéculer librement sans rien chercher à en connaître, mais tout en faisant comme s'il s'agissait là d'un objet en droit déterminé. Pour éviter de retomber aussitôt dans les paralogismes, c'est-à-dire dans l'illusion d'une connaissance de l'âme comme substance, il faut donc tenir compte de la distinction que fait Kant entre le noumène et la chose en soi. Le noumène, c'est l'idée, non d'un objet inconnaissable, qui serait « là-derrière », mais d'une limite absolue, qui marquerait le point à partir duquel la raison outrepasse les conditions de l'expérience possible, devient « dialectique » et « entre en délire ». L'âme comme chose en soi risque toujours de nous ramener aux paralogismes ; l'âme comme noumène nous en protège. Enfin comme Idée transcendantale, l'âme devient, positivement cette fois, un principe régulateur de l'expérience du sens interne, un schème pour la psychologie empirique. Tout se passe *comme si* une substance spirituelle unifiait les phénomènes psychiques en les fondant, et donnait ainsi aux explications psychologiques une cohérence plus forte et plus achevée qu'elles n'auraient autrement (*Ibid.*, B 711-712). L'âme, chose en soi, noumène et Idée, répond donc au triple souci (a) de poser une extériorité de la pensée, un réel irréductible (le sens interne n'est pas plus une pure sponta-

néité, un pur jaillissement de soi en soi, que le sens externe : je suis toujours *donné* à moi-même), (b) de tracer la limite de l'expérience possible, et donc aussi de l'« océan vaste et orageux » de la dialectique (l'âme insondable, garde-fou contre les paralogismes), (c) de constituer un *système* des connaissances psychologiques (Idée d'un sujet absolu de tous les prédicats psychologiques, figure de l'inconditionné ou de l'explication ultime donnant aux phénomènes une unité systématique).

Rigoureusement parlant, de même que pour Dieu « nous n'avons pas la moindre raison d'admettre absolument l'objet de cette Idée » (B 714) – sans avoir plus de raisons de le nier absolument –, on fera seulement *comme si* l'âme était là, derrière le moi empirique. Mais n'est-ce pas déjà l'« admettre », sinon « absolument », du moins en un certain sens ? Kant le dit lui-même : « La raison ne peut penser cette unité systématique sans donner en même temps à son idée un objet » (B 709). Y penser, n'est-ce pas déjà en faire l'hypothèse ? et en faire l'hypothèse, n'est-ce pas déjà y croire ? L'origine du concept de la chose en soi est peut-être en fin de compte à chercher dans l'éthique. On peut en effet accorder une réalité pratique à ce dont on refusait toute réalité objective dans l'usage seulement théorique : c'est la substance immortelle, la chose en soi comme *postulat* de la raison pratique. Que puis-je savoir de l'âme ? rien, mais il faut y penser. Que puis-je espérer d'elle ? tout, c'est pourquoi il faut y croire. Mais sans doute celui qui a fait de l'âme un principe spéculatif dans l'ordre du savoir a par là même déjà placé sa foi en elle.

cf. Je. Paralogismes.

DUALISME

Dans la problématique du rapport de l'âme et du corps, et plus généralement de l'esprit et de la matière, le dualisme s'oppose directement au monisme : dans le compte des catégories ou divisions fondamentales de la réalité, autrement dit des principes ultimes d'explication des choses, le premier compte jusqu'à deux, le second s'arrête à un. On distingue d'une part une forme de dualisme ontologique, qui oppose des genres d'être et qui prend souvent la forme d'un dualisme des substances (comme dans le dualisme « cartésien » de l'âme et du corps), et d'autre part une forme plus « modérée » de dualisme, une sorte de dualisme épistémologique qui se contente de relever des genres de phénomènes correspondant à des « aspects » irréductibles des choses, sans préjuger de leur fondement réel. Cette dernière forme renvoie par exemple à des oppositions entre certains types de description ou d'explication, entre sujet et objet, propositions en première personne et propositions en troisième personne, intériorité et extériorité, forme et matière, signification et symbole, etc.

cf. Matérialisme. Parallélisme. Substance.

ESPRIT

L'esprit (*spiritus*) est parfois synonyme d'intellect (*nous*). C'est alors une partie de l'âme, sa partie éminente. En son sens le plus vague, il est synonyme de « mental », de « psychique » souvent défini par son rôle d'opposition : l'esprit rassemble et résume un ensemble d'activités, d'opérations, de traits caractéristiques qui ne peuvent être réduits, ou même s'opposent à la matière ou à la nature.

L'esprit joue évidemment un rôle fondamental dans la pensée spirituelle. L'esprit vivifie, la lettre tue (saint Paul). Le *pneuma*, souvent traduit par *spiritus*, renvoie à une liberté qui s'oppose à l'asservissement de la lettre. Dans un sens voisin, on oppose aussi la chair, symbole de la faute, à l'esprit qui libère du péché et porte l'homme à la conversion. Conversion, vie, espérance, foi, charité : on est loin de la connotation intellectuelle d'esprit. Mais aussi, par différence avec l'âme, l'esprit désigne une essence dont la vocation n'est pas de donner vie au corps, ni de l'administrer comme une portion de l'univers visible, mais de rendre possible une vie purement spirituelle. *L'esprit n'est donc ni chair ni âme.* On aboutit alors, dans une perspective gnostique, à une anthropologie trinitaire : corps, âme, esprit. Ainsi saint Irénée : « Le corps est donc le lieu de l'âme, comme l'âme elle-même, le lieu de l'esprit. » L'âme est caractérisée par ses facultés cognitives, affectives, instinctives et physiologiques ; sa fonction essentielle est de réfléchir le monde et d'en organiser une partie, à savoir son corps. L'esprit, c'est l'ouverture de l'âme sur un autre monde : le spirituel, irréductible au psychique.

En philosophie, l'opposition âme-corps semble avoir éclipsé la structure ternaire encore présente dans la tradition qui, de Platon et Aristote à saint Thomas, s'interroge sur la signification du *nous* (intellect), la part immortelle de l'homme. Chez Descartes, la radicalisation de l'opposition de l'âme et du corps coïncide avec une réduction de l'esprit à l'âme entendue comme chose pensante. L'âme tout entière est élevée à l'esprit, détachée de son rôle traditionnel d'animation du corps, mais en même temps l'esprit est ramené à sa détermination la plus fondamentale, et de fait la plus pauvre, à savoir la pensée (conscience, idées, représentations) : « Je ne considère pas l'esprit comme une partie de l'âme, mais comme cette âme tout entière qui pense » (*Réponses aux cinquièmes objections*). L'esprit, c'est *mens* et non plus *nous* (intellect). Entre Dieu (l'infini, absolument extérieur à la conscience) et l'esprit (chose pensante), il n'y a plus de monde spirituel distinct du monde tout court. C'est toujours en dépassant ou en contournant l'opposition absolue de l'âme et du corps, et en général toute

position simplement dualiste, que la philosophie cherchera par la suite à ressaisir l'esprit (Hegel, Bergson).

Chez Hegel en particulier, l'esprit est plutôt opposé à la nature qu'à la matière et au corps. C'est dire qu'il n'est pas lui-même un être ou une essence qu'il faudrait confronter à d'autres essences (celles des corps), mais d'abord un *procès*, le développement d'une force ou d'un acte, qui est en fait le dépassement de la réalité naturelle simplement donnée. L'esprit « qui toujours nie » est ainsi le devenir même de la nature (*Encyclopédie*, §384), son dépassement vers la réalité humaine et les œuvres de la civilisation. Quant à l'âme, qui est encore engagée dans la nature par son rôle d'animation d'un corps, elle n'est que le « sommeil de l'esprit » (*Ibid.*, §389), « l'esprit nature » (*Ibid.*, §387), tout en étant déjà prise dans le mouvement de déploiement et de manifestation de l'esprit, qui est d'un autre point de vue le mouvement d'intériorisation de la nature. « On parle peu aujourd'hui de l'âme dans la philosophie, mais plus volontiers de l'Esprit. L'esprit se différencie de l'âme, qui est l'intermédiaire entre la vie organique et l'esprit, ou encore le lien entre les deux. L'esprit comme âme est immergé dans la vie organique, et l'âme est la vie du corps » (*Ibid.*, §34, add.). L'âme est ainsi le premier moment dans la marche de la nature vers l'esprit, le point de rebroussement où la nature dépasse son extériorité, sa dispersion, sa multiplicité, pour se recueillir dans l'intériorité de ce qui est universellement simple (*Ibid.*, §388).

cf. Spiritualisme.

EXPRESSION

Chez Spinoza, chaque attribut (Pensée, Étendue) exprime l'unique substance (Dieu), si bien que « l'ordre et la connexion des idées sont les mêmes que l'ordre et la connexion des choses » (*Éthique*, II, 7), et que par conséquent âme et corps sont une seule et même chose conçue sous deux attributs, l'ordre de leurs modifications s'accordant naturellement sans qu'il soit nécessaire de concevoir une influence réelle. C'est le fondement de la doctrine dite du « parallélisme ».

Chez Leibniz, dans le cadre de la doctrine de l'harmonie universelle, l'expression signifie :

(a) l'expression de l'univers par une substance (ou monade) : « Et comme une même ville regardée de différents côtés paraît tout autre et est comme multipliée perspectivement, il arrive de même que par la multitude infinie des substances simples, il y a comme autant de différents univers qui ne sont pourtant que les perspectives d'un seul selon les différents points de vue de chaque monade » (*Monadologie*, §57 ; cf. aussi *Discours de métaphysique*, §9) ;

(b) l'expression d'une substance par une autre, et plus généralement de toutes les substances par chacune : « Or cette liaison ou cet accommodement de toutes les choses créées à chacune, et de chacune à toutes les autres, fait que chaque substance simple a des rapports qui expriment toutes les autres, et qu'elle est par conséquent un miroir vivant perpétuel de l'univers » (*Ibid.*, §56). Les paragraphes 13 et 14 du *Système nouveau* (cf. texte cité), en introduisant l'idée d'une « masse organisée » inséparable du point de vue expressif de l'âme sur l'univers, ouvrent la perspective d'une compréhension plus précise de l'expression, en deçà de l'entr'expression des substances. C'est l'idée d'une expression organique, d'une expression selon les organes : « Ainsi quoique chaque monade créée représente tout l'univers, elle représente plus distinctement le corps qui lui est affecté particulièrement et dont elle fait l'entéléchie : et comme ce corps exprime tout l'univers par la connexion de toute la matière dans le plein, l'âme représente aussi tout l'univers en représentant ce corps qui lui appartient d'une manière particulière » (*Monadologie*, §62). L'harmonie, entendue seulement au sens d'une correspondance ou du parallélisme de deux séries, n'est pas l'idée la plus intéressante chez Leibniz ; c'est bien plutôt l'union expressive, qui permet de saisir l'harmonie comme une liaison interne que l'on ne saurait réduire à une simple concomitance. Comme Leibniz commence par l'opposer à Malebranche, « pour résoudre des problèmes, [...] il n'est pas assez de faire venir ce qu'on appelle

Deum ex machina ». L'harmonie elle-même serait un tel expédient, si Leibniz n'en élucidait le sens à partir du « détail des phénomènes », dans les replis de l'union de l'âme et du corps.

cf. Harmonie préétablie. Monade.

FORME

Au sens où l'entend Aristote, la forme est ce qui s'impose à une matière en elle-même indéterminée pour produire une individualité déterminée, une substance individuelle (cf. *De l'âme.* 412a-b). La matière n'existe pas à l'état pur, mais toujours sous une certaine forme. Les seules formes pures sont Dieu, les Intelligences qui font mouvoir les sphères, et peut-être l'intellect de l'homme, si son existence séparée est possible. Mais on ne saurait réduire la forme à n'être qu'un aspect du composé matière/forme : entendue au sens d'essence, la forme constitue l'élément *substantiel* des choses (*Métaphysique.* Z, 17). D'où l'expression scolastique de « forme substantielle ». La forme est donc aussi la *cause réelle* et le principe de toute explication des phénomènes physiques : la cause formelle sous-tend le jeu des causes mécaniques (matérielles, efficientes) et s'apparente le plus souvent à la cause finale.

cf. Forme substantielle. Substance.

FORME SUBSTANTIELLE

Héritée d'Aristote, cette notion scolastique qui a servi, durant tout le Moyen Âge, à exprimer le statut ontologique de l'âme a été rejetée par le mécanisme dont le projet consiste à ramener toute explication scientifique des phénomènes au jeu des figures et des mouvements (Descartes, Boyle), sans supposer d'essences immanentes aux choses (« qualités occultes », « petits dieux » animant la matière inerte). Leibniz réhabilite la notion en même temps qu'il réintroduit en physique celle de force, indissociable selon lui d'une métaphysique de l'âme ou de l'esprit (cf. *Discours de métaphysique.* §10).

cf. Forme. Substance.

GLANDE PINÉALE

cf. Cerveau.

HARMONIE PRÉÉTABLIE

Doctrine de Leibniz d'après laquelle il n'y a pas d'influence ou d'action directe d'une substance sur l'autre, mais seulement un cours parallèle qui maintient entre elles à tout moment un rapport mutuel (accord) et réglé d'avance (préétabli). Cela permet de résoudre la question de la communication des substances en général, et celle des rapports entre l'âme et le corps en particulier, qui s'accordent ensemble tout en suivant chacun leurs propres lois de développement. Mais cet « artifice divin » doit être éclairé par la notion d'expression : « L'âme suit ses propres lois et le corps aussi les siennes, et ils se rencontrent en vertu de l'harmonie préétablie entre toutes les substances, puisqu'elles sont toutes des représentations d'un même univers » (*Monadologie*, §78).

cf. *Expression. Monade,
Occasionnalisme.*

IMAGINAL

cf. *Monde imaginal.*

INTELLECT

L'intellect comme *nous* ou *intellectus* renvoie à la partie supérieure de l'âme qui peut contempler l'intelligible. Il a alors une portée métaphysique que n'ont pas nécessairement la raison (*dianoia, ratio*), entendue comme faculté du raisonnement discursif, ou l'entendement comme ensemble d'opérations mentales. Aristote parle de l'âme pensante ou de la partie de l'âme qui est principe de pensée (*De l'âme*, 431a14). L'intellect est en ce sens une réalité substantielle. Sa destination étant de tout connaître, il est par nature « séparé » du corps, c'est-à-dire qu'il ne dépend d'aucun organe du corps en particulier. Il est donc supérieur au niveau sensible, et en conséquence incorruptible. Une question qui a traversé tout le Moyen Âge est celle de savoir comment, dans son exercice pur, l'intellect peut encore être individuel. S'il y a identité de l'intellect et de l'intelligible en acte, ne faut-il pas poser un esprit ou un intellect universel unique chez tous les hommes ? Ne faut-il pas dire que l'intellect transcende l'âme individuelle ? Saint Thomas ne le

croit pas, et répond à Averroès en renvoyant aux sources aristotéliciennes (notamment, *De l'âme*, 414a12 et 429a23). Sur toute cette « dispute », cf. saint Thomas, *Contre Averroès*, et le commentaire d'Alain de Libera.

cf. *Parties de l'âme.*

JE

Le Je se révèle au cœur du doute cartésien dans la mise en suspens du monde, mais aussi bien de toutes les déterminations naturelles ou psychologiques de la personne et du moi (Seconde Méditation, texte cité). Chez Kant, l'opposition du Je et du moi recouvre celle du transcendantal (condition de toute expérience possible, et partant de toute connaissance) et de l'empirique, du « sujet transcendantal » et du « sujet empirique ». Le Je est inséparable d'une activité qui conditionne toute pensée : la synthèse, ou encore l'« unité originairement synthétique de l'aperception » (*Critique de la raison pure*, B 134). C'est la synthèse qui réalise immédiatement l'unité du divers de l'intuition en rassemblant une poussière d'impressions dans *une* représentation. Ainsi, « le *Je pense* doit pouvoir accompagner toutes mes représentations » (B 132-133). Autrement dit, le Je comme conscience de soi (« aperception transcendantale ») est la condition de toute représentation ; sans l'unité du Je, le monde serait un chaos d'impressions dispersées. L'unité de la conscience n'est que le corrélat de l'unité de l'objet, elle n'est pas différente de l'unité de l'expérience en général. Le Je n'a donc de sens que dans sa relation à un « dehors » (l'objet d'une pensée, la perception, l'intuition), il ne peut pas être saisi indépendamment du monde. Et puisqu'il s'agit d'une condition formelle de toute connaissance d'objet, on ne peut pas le connaître lui-même comme un objet qu'on saisirait « du dehors ».

Mais le Je est toujours en même temps un *J'existe*. Il y a là *quelque chose* qui se pose. Dès que je veux le saisir, pourtant, c'est déjà le moi que je trouve. Si donc quelque chose s'annonce dans la conscience de soi, c'est sous la forme d'un pur donné, indéterminé et originaire (Kant parle d'une « intuition empirique indéterminée », B 422, note), distinct du moi empirique que je puis déjà qualifier et décrire par des prédicats psychologiques. On dira donc que le Je est d'une certaine façon donné empiriquement, et cependant en deçà de toute objectivation. Le tort de la psychologie rationnelle et des paralogismes qu'elle produit consiste précisément à prolonger cette quasi-intuition du Je par un exercice illusoire de la connaissance sur la substance spirituelle.

cf. Chose en soi. Moi.
Paralogismes.

LANGAGE PRIVÉ

L'idée d'un langage privé suppose qu'à chacune de ses sensations privées l'individu puisse associer un nom, selon le modèle de la définition ostensive. Wittgenstein montre qu'une telle chose est impossible (*Investigations philosophiques*. §256-271), puisque l'application d'une règle (linguistique ou autre) suppose un critère de correction qui doit par principe pouvoir être publiquement attesté (§258). Cela ne signifie pas du reste que l'intériorité ou la subjectivité soient une illusion (§272-315). Au demeurant, la question de l'introspection en tant que telle n'est pas réellement ce qui intéresse Wittgenstein : il s'agit plutôt de voir de quelle manière l'intériorité se construit dans le langage. S'il y a donc lieu de parler d'un béhaviorisme des *Investigations*, il consiste à dire que l'on ne comprend l'expression d'une sensation que sur le fond de la possibilité permanente de l'associer à certaines formes de comportement publiquement observables qui fonctionnent alors comme des *critères*. Dans ces conditions, dire l'âme (l'intime, le privé, le vécu) n'a de sens que dans un rapport implicite à certaines possibilités du corps : « Peut-on dire d'une pierre qu'elle a une âme et que c'est elle qui souffre ? Qu'est-ce qu'une âme, qu'est-ce qu'une douleur ont à voir avec une pierre ? Ce n'est que de ce qui se comporte comme un être humain que l'on peut dire que ceci *a* des douleurs. Car on doit le dire d'un corps, ou, si vous préférez, d'une âme qui *a* un corps. Et comment un corps a-t-il une âme ? » (§283). On est loin du béhaviorisme, qui commence justement par réduire toute différence entre le comportement humain et les phénomènes naturels en général. Si le « jeu de langage » de l'âme est lié à la possibilité de principe de tout un ensemble d'attitudes, de poses, de mimiques, il n'est pas question d'*identifier* l'âme à ces gestes, comme le fait le béhavioriste qui ramène tout le mental à ses *symptômes* ou manifestations (qui ne sont justement plus des critères, cf. §254). Lorsque nous reconnaissons que quelqu'un a mal, nous ne décrivons pas son comportement (béhaviorisme), et pas davantage quelque chose qui aurait lieu dans son théâtre intérieur (Descartes et toute la philosophie « mentaliste »). L'âme se lit sur le corps et dans les mots, il n'y a pas besoin de l'inférer.

cf. Béhaviorisme.

MATÉRIALISME

Comme toute philosophie de combat, le matérialisme se définit mieux par ce qu'il rejette que par ce qu'il propose. Or il semble bien que la première chose dont cherche à se passer une pensée ou une explication matérialiste des phénomènes, c'est l'hypothèse même de l'âme comme entité spirituelle *sui generis* dotée d'une efficace propre, hypothèse qui semble concentrer toutes les vertus des principes d'explication « transcendants » (qualité occulte, forme, idée et, au niveau de la nature entière, âme du monde, finalité, Providence ou Dieu). Positivement maintenant, l'attitude matérialiste semble reposer sur l'intuition que la matière n'est pas moins riche ni complexe que la vie de l'esprit, et qu'il faut laisser à l'expérience (et à la science, fondée sur des bases matérialistes) le soin d'en révéler toutes les propriétés. La matière en ce sens n'est pas définie *a priori*. La science la construit sans cesse, c'est une Idée régulatrice plus qu'un concept. L'attitude matérialiste se confond alors avec l'espoir que la science puisse progresser sûrement vers une explication de tous les phénomènes qui semblent relever du « spirituel » ou du « moral ». Le matérialisme philosophique va cependant encore plus loin en passant d'un paradigme scientifique à une véritable métaphysique de la matière. On oppose alors matérialisme à spiritualisme, monisme (matérialiste) à dualisme.

Le matérialisme ancien (Leucippe, Démocrite, Épicure, Lucrèce) est un mécanisme atomiste. Par le jeu d'une combinaison infinie d'éléments simples, on élimine le mystère, le recours à la transcendance des principes surnaturels, des entités, des esprits ou des dieux : la philosophie de la nature ouvre sur une morale ou une sagesse délivrée des tourments entretenus par les mythologies et les religions. Le matérialisme a longtemps été éclipsé, cependant, par le paradigme aristotélicien d'une matière soutenue par une hiérarchie de formes et appréhendée selon une perspective finaliste où l'« inférieur » s'explique par le « supérieur ». Il faut attendre, pour le voir resurgir, la révolution mécaniste de la science moderne (Galilée), en réaction justement contre la physique d'Aristote, puis la fondation radicale de cette physique par Descartes (tout doit s'expliquer par les figures et les mouvements de la matière, identifiée à une étendue *a priori* soumise au travail mathématique). L'atome (Gassendi, Bacon, Boyle, Descartes) et la machine (Descartes, La Mettrie), l'atomisme et le mécanisme fournissent les bases scientifiques d'une doctrine philosophique matérialiste à portée générale, dont ne se réclament pas toujours ceux qui en sont historiquement responsables. Descartes, en particulier, est à la fois admiré pour la mathématisation absolue de la matière et critiqué pour avoir posé en vis-à-vis une substance pensante qui est au fondement du spiritualisme métaphysique, et qui dément l'intuition d'un principe unique d'action dans le monde (cf. La Mettrie, *L'Homme machine* et *Histoire naturelle de l'âme*). On retrouve ainsi les objections que Hobbes déjà adressait à Descartes, quand il disait que rien n'empêchait que la chose qui pense puisse être corporelle (*Troisièmes Objections*). La philosophie matérialiste de la nature au XVIIIᵉ siècle est tributaire de ce détournement de la philosophie cartésienne (Diderot, Helvétius, d'Holbach). La position matérialiste se trouve reformulée aujourd'hui dans le cadre du débat anglo-saxon sur le « *mind-body problem* » (problème esprit-corps), en termes de

« naturalisme » ou de « physicalisme ». La question n'est plus celle du dualisme ou du monisme comme positions métaphysiques, mais celle de l'articulation de régimes d'énoncés (les uns portant sur le « mental », le « subjectif », les autres sur le « corporel », l'« objectif »). Sur les diverses positions matérialistes contemporaines, des plus extrêmes (matérialisme éliminatif) aux plus modérées (qui reconnaissent deux genres de propriétés à la matière, objectives et subjectives), cf. Searle, *La Redécouverte de l'esprit*. chap. I.

cf. *Cerveau. Spiritualisme.*

MOI

Au sens courant, le moi est synonyme de moi empirique ou phénoménal : le moi tel qu'il apparaît à moi-même et aux autres. D'un point de vue psychologique, c'est la conscience d'une individualité humaine, l'ensemble plus ou moins harmonieux des caractéristiques psychophysiques au moyen desquelles l'individu se définit pour lui-même et pour ses semblables. On peut aussi *réaliser* l'ensemble de ces déterminations (faisceau de tendances, structure de la personnalité) en posant le moi comme une réalité invariable et permanente, substrat d'une multitude d'affections ou d'accidents physiques, biologiques, psychologiques, historiques et sociaux. Dans tous les cas, la notion du moi est au centre du problème de l'identité personnelle. Au sens métaphysique, le moi substantiel est l'âme, substance distincte de ses états. Hume emploie parfois le terme en ce sens, mais c'est surtout Descartes qui est responsable de cet usage, quand il parle, par exemple, d'une « substance dont toute l'essence ou la nature n'est que de penser et qui, pour être, n'a besoin d'aucun lieu ni ne dépend d'aucune chose matérielle ; en sorte que ce moi, c'est-à-dire l'âme, par laquelle je suis ce que je suis, est entièrement distincte du corps » (*Discours de la méthode*, IV). Le *Ich* ou Je transcendantal de Kant est parfois traduit par Moi, mais il faut toujours se garder de le confondre avec le moi empirique, donné à moi-même comme phénomène, autoaffection dans le sens interne, et susceptible de représentation. On trouve aussi, dans les traductions françaises, des occurrences du moi comme noumène.

cf. Chose en soi. Je. Psychologie empirique. Sens interne.

MONADE

Du grec *monas* (unité). La monade est définie par Leibniz comme une substance simple, indivisible, qui ne saurait naître ni périr et constitue l'élément dernier des composés (*Monadologie*, §1-5). En même temps qu'elle est une unité absolue, elle renferme une multiplicité d'affections et de rapports internes qui ne sont pas des parties, mais des perceptions, dans un flux perpétuel (§13-14). La monade est souvent identifiée à

l'âme (§14, §16), mais rigoureusement parlant, les âmes ne sont qu'une partie de l'ensemble des monades, celles dont la perception est plus distincte et accompagnée de mémoire (§19).

cf. Expression.

MONDE IMAGINAL

Dans la philosophie islamique, le monde imaginal (*âlam al'mithâl*) est souvent identifié au monde intermédiaire (*barzakh, malakut*) entre le monde des apparences sensibles et celui des formes saisies par l'intellect. C'est proprement le monde de l'âme. Mollâ Sadrâ explique ainsi, reprenant les intuitions de Sohravardî : « Il existe un autre monde, intermédiaire entre les deux mondes précédents (intelligible et matériel), un monde que l'âme crée et instaure parce qu'elle est l'*image* du Créateur, quant à son essence, ses attributs et ses opérations. Ce monde est le "royaume de l'Âme" […], un monde renfermant les images des substances et des accidents, immatériels aussi bien que matériels, ou mieux dit, ces substances et ces accidents à l'état ou en leur mode d'être *imaginal*. L'existence des formes des choses pour l'âme, leur manifestation d'une manière qui n'en manifeste pas les effets sensibles extérieurs, c'est cela qu'on appelle *existence mentale* et *épiphanie imaginale* » (in H. Corbin, *La Philosophie iranienne islamique aux* XVIIe *et* XVIIIe *siècles*, p. 59-60). Mais il faut se garder de confondre imaginal et imaginaire : le statut de ces formes imaginales, qui sont comme « en suspens » dans un miroir, n'étant immanentes à aucun substrat (Mollâ Sadrâ, in Sohravardî, *Le Livre de la sagesse orientale.* p. 646), n'est pas du tout celui de fantasmagories ou de fantômes de réalité ni même de modalités psychiques. Il faut leur reconnaître « une existence de plein droit, aussi réelle et substantielle que celle de l'intelligible et du sensible » (Corbin, *op. cit..* p. 77). Le monde imaginal a une consistance ontologique, il a un degré de réalité autonome, qui est précisément celui de l'entre-deux. Cela n'est possible que sous deux conditions : d'une part, une métaphysique qui n'oppose pas l'essence et l'existence, l'intelligible et le sensible, mais qui situe chaque être dans une échelle de tension et de dégradation de l'être, et d'autre part une philosophie de l'imagination créatrice. Les âmes ont le pouvoir de faire exister les Images, d'actualiser les formes des choses séparées et des choses matérielles : elles configurent un monde qui est leur monde propre (*Ibid..* p. 56-57). Mais il faut aller plus loin et dire que le monde intermédiaire – qui est aussi bien, comme on le voit, le monde intérieur de l'âme – est bien un *monde*. L'intermonde a son propre espace (inétendu), sa propre matière (immatérielle), son temps, sa causalité et ses lois qui gouvernent des phénomènes subtils et des événements imaginaux. Du point de vue du devenir de l'âme dans l'« autre monde », l'intermonde joue un rôle cen-

tral. On pourrait rapprocher la notion de celle de purgatoire, un lieu où l'âme qui n'est pas encore mûre acquiert ce qui lui manque (Mollâ Sadrâ, *op. cit..* p. 623, p. 666). Elle offre aussi une solution métaphysique à la question de la résurrection des corps, puisque l'âme y survit sous l'habit d'un « corps subtil » (*Ibid..* p. 664-666). Le monde imaginal est donc le lieu de la résurrection et du devenir posthume de l'âme (eschatologie), mais plus généralement aussi des visions et expériences spirituelles, des apparitions sublimes, de toute une dramaturgie imaginale (angéologie, théophanies) : une histoire, ou plutôt une métahistoire des événements spirituels, à laquelle l'âme a accès dès ici-bas en développant sa faculté de vision intérieure. C'est cette dimension dramatique qu'un Plotin, par exemple, ne pouvait concevoir, se contentant de faire la théorie de l'extase comme contemplation des essences immuables.

cf. Âme du monde.

NOUMÈNE

cf. Chose en soi.

NOUS

cf. Intellect.

OCCASIONNALISME

Doctrine des causes occasionnelles développée par Malebranche, selon laquelle Dieu est la seule cause efficace dans le monde. La cause est dite « occasionnelle » parce qu'elle n'est qu'une circonstance à l'occasion de laquelle la volonté divine peut s'exercer comme seule cause réelle (*De la recherche de la vérité*, VI, 2, 3). On a surtout retenu l'application de cette doctrine au cas de l'union de l'âme et du corps qui ne s'explique, dans ce cadre, que par l'union de chaque partie à Dieu : « Il a voulu que j'eusse certains sentiments, certaines émotions, quand il y aurait dans mon cerveau certaines traces, certains ébranlements des esprits. Il a voulu, en un mot, et il veut sans cesse, que les modalités de l'esprit et du corps fussent réciproques » (*Entretiens sur la métaphysique*, VII, 13).

cf. *Harmonie préétablie.*
Parallélisme.

PARALLÉLISME

On parle de parallélisme psycho-physique (par opposition à inter-actionnisme) en regroupant sous le même chef des doctrines très différentes dans leur fonctionnement et leur intention, mais qui ont ceci de commun de poser, à un moment ou à un autre, que le physique et le psychique, le corps et l'âme, n'interagissent pas, mais sont comme deux séries parallèles qui s'accordent terme à terme, selon le rapport qui serait celui d'un texte et de sa traduction. On substitue au modèle de la jonction ou du croisement celui de la correspondance ou de l'accord. En droit, il suffirait d'étudier une des séries pour connaître les deux, ce qui fait dire à Bergson que le parallélisme

n'est pas différent pratiquement du matérialisme.

Le parallélisme trouve sa source dans les difficultés rencontrées par la conception cartésienne de l'union de deux substances que tout oppose, et dont on ne voit pas bien comment l'une pourrait influencer l'autre. On refuse l'image, critiquée en premier lieu par Descartes lui-même, d'un « ange » habitant sa machine et la dirigeant par le moyen de sa glande pinéale : c'est une certaine conception de la causalité de l'âme sur le corps ou du corps sur l'âme qui est ainsi rejetée. Spinoza (cf. texte cité) et Leibniz (cf. texte cité), avec leurs théories de l'expression et de l'harmonie, fondent un parallélisme qui rompt avec la doctrine des causes occasionnelles de Malebranche, que l'on pourrait qualifier de parallélisme miraculeux – pour paraphraser Leibniz. Chez Spinoza, le parallélisme intervient entre les attributs comme expressions ou traductions différentes d'une même réalité, à savoir l'unique substance (Dieu). Chez Leibniz, il s'agit tantôt d'un parallélisme entre substances corporelles et substances spirituelles (comme chez Malebranche), tantôt d'un parallélisme entre les seules vraies substances qui sont spirituelles (les corps n'étant que des « phénomènes » ou des « songes bien réglés » c'est-à-dire des perceptions de ces substances). L'avantage du parallélisme, c'est évidemment qu'il laisse intacte l'apparence d'une interaction de type causal. Pour une critique du parallélisme

« classique » comme obstacle pour la pensée des rapports de l'âme et du cerveau, et comme origine d'une tradition matérialiste, cf. Bergson, *Matière et mémoire.* p. 254-261, et *L'Énergie spirituelle.* p. 39-41, 191-210.

On trouve chez Kant (*Critique de la raison pure.* A 384-395) une position « paralléliste » qui ne concerne plus le commerce de l'âme avec d'autres substances, mais le rapport entre les phénomènes du sens interne et ceux du sens externe, ces deux séries n'étant elles-mêmes que deux manières qu'a la chose en soi de s'exprimer dans le sujet pensant (auquel tous les phénomènes, internes ou externes, sont ultimement rapportés). Cette position peut être rapprochée des théories dite du monisme neutre (Russell) : il s'agit d'une sorte de parallélisme épistémologique pour lequel il n'y a pas à opposer le corps et l'âme ou à se poser la question de leur union, mais plutôt à reconnaître que la réalité peut être décrite et ordonnée de deux manières concurrentes, selon un point de vue « mental » (théories psychologiques) et selon un point de vue « physique » (théories physiques). « Neutre » signifie ici que l'on ne doit se prononcer sur la nature ultime (idée ou matière) du réel et de ses constituants. Mais la position de Kant est encore plus proche des théories de l'identité (Fechner, Schlick, Feigl), pour lesquelles la pensée, le psychique en général, est la chose en soi elle-même, qui, pour reprendre Feigl, se trouve diffrac-

tée en expériences subjectives directes et en constructions ou descriptions d'objets.

cf. Expression. Harmonie préétablie. Occasionnalisme.

PARALOGISMES

Le grief adressé par Kant aux métaphysiciens dogmatiques tels que Descartes, Leibniz ou Wolff, et indirectement aux matérialistes qui pensent pouvoir nier l'existence de l'âme, consiste à montrer que ces derniers passent subrepticement de l'Idée du Moi comme principe régulateur pour les connaissances de l'entendement aux notions d'âme, d'esprit, de substance pensante et simple, etc., comme s'il s'agissait là d'objets de plein droit, c'est-à-dire d'objets référables aux conditions d'une intuition sensible, donc d'une expérience possible (*Critique de la raison pure*, « Des paralogismes de la raison pure », B 399-428, et A 381-405 ; cf. aussi le texte cité). Le « texte unique » de la psychologie rationnelle, c'est le Je du « Je pense » qui accompagne toute pensée et qui n'est qu'une condition logique de la connaissance, la simple forme de la conscience (*Ibid.* A 382). Or, de ce que « quelque chose est pensé », il ne suit pas que « quelque chose pense », sauf à formuler une pure et simple tautologie. Il ne suit jamais, en tout cas, sauf *expérience* du contraire, que « quelque chose existe », quelque chose de substantiel et de simple. *On ne peut pas déduire l'existence de la seule pensée.* L'existence n'est jamais chez Kant une propriété du concept. Il faut toujours passer par l'expérience, et c'est précisément ce qui fait défaut dans le cas de la substance spirituelle : on ne rencontrera jamais dans l'expérience de substance absolue, pour la bonne raison que la structure même de toute expérience implique que toute substance soit relative et puisse à son tour être le prédicat d'une autre substance, dans une régression infinie, sans que l'on puisse jamais saisir la réalité ultime qui expliquerait toute la série (la chose en soi, à jamais inconnaissable).

Le paralogisme dit de la « substantialité » consiste donc à traduire le Je, condition logique de la pensée, en un Moi substantiel, ou Âme, autrement dit en une *chose existante*, dotée de prédicats. On pense bien entendu à Descartes, au passage du *cogito* à la chose pensante. Mais il y a aussi toute une machinerie des paralogismes. De la substantialité, c'est-à-dire de l'existence substantielle supposée du Je, on peut ensuite déduire, par simple application de la table des catégories de l'entendement, une série de caractéristiques associées qui définissent plus précisément son mode d'existence : la substantialité elle-même, et l'immatérialité qui lui est naturellement associée dans le sens interne, se doublent ainsi de la simplicité (et donc de l'incorruptibilité), de l'identité ou de l'unité dans le temps (et donc de la personnalité), enfin de la possibilité de rapports avec d'autres objets dans l'espace (et donc d'un commerce avec les corps). Immatérialité, incorruptibilité et personnalité constituent la *spiritualité* de l'âme, tandis que le commerce avec les corps définit l'âme comme principe de vie, autrement dit comme principe de l'*animalité* (*Ibid.*, B 402).

Mais toutes ces déductions ne sont que le fait d'une pensée qui tourne à vide, coupée des conditions de l'expérience possible. Le problème d'ailleurs n'est pas tant que de l'âme aucune expérience ne soit possible (la *pensée* n'a pas toujours à être *connaissance* d'objet). C'est plutôt que la métaphysique dogmatique joue sur les deux tableaux à la fois, pensée pure et connaissance. Elle fait comme si une connaissance de l'âme était possible (puisqu'en lui appliquant les catégories elle en fait un objet), alors même qu'en prenant appui sur un « Je pense » qui n'est qu'une forme logique, sans contenu, elle s'affranchit des conditions réelles de l'expérience possible (qui sont aussi conditions de l'objet). Livrée à elle-même, la raison se met à construire des hypothèses fantastiques et « vaines », comme dans les systèmes des « spiritualistes dogmatiques », à propos de la génération, de la destruction ou de la survivance de l'âme (*Ibid.*, B 711-712 et B 718).

Mais les paralogismes sont en fait dirigés contre les matérialistes tout autant que contre les spiritualistes. Le matérialiste n'est pas moins dogmatique dans son refus de l'âme que le spiritualiste quand il en affirme l'existence. Nier l'existence de l'âme, c'est en effet la tenir, négativement, pour un objet dont quelque chose pourrait être dit. C'est implicitement donner dans le paralogisme dénoncé. On n'est pas plus fondé, sur la seule base du « Je pense », à affirmer une substance spirituelle qu'à la nier. Il faudrait tout simplement s'abstenir d'en parler comme d'une *chose* (cf. à ce propos *ibid.*, A 383 – texte cité –, et B 805 sur l'usage des hypothèses fallacieuses comme « armes de guerre » contre les matérialistes).

cf. Chose en soi. Je. Psychologie rationnelle.

PARTIES DE L'ÂME

Poser la question des parties de l'âme n'implique pas nécessairement que l'on souscrive à une vision « spatiale » de l'âme ni que l'on fasse éclater la notion en admettant en l'homme une pluralité d'âmes (on parle parfois de façon trompeuse de l'âme rationnelle, opposée à l'âme ou aux âmes irrationnelles). Plus clairement que le terme « partie », responsable de l'équivoque, les termes de « puissance » et « faculté » permettent de concevoir des départements de l'âme sans pour autant la diviser. Pourquoi veut-on des parties de l'âme ? *Inétendue, indivisible,* l'âme peut bien encore admettre en son sein une différenciation, des modes de fonctionnement, des puissances. Mais ne dit-on pas aussi qu'elle est *simple* dans son essence ? Le problème des parties de l'âme ne se pose en fait que si l'on considère, au-delà de l'essence, l'âme incarnée et singu-

lière. Elle admet alors une différenciation interne dans une sorte de détente graduée, à mesure qu'elle s'engage dans le sensible. Mais en son fond elle demeure simple ; elle reste séparée du corps tout en s'y unissant. C'est pourquoi Platon lui-même répugne en fait à parler de parties de l'âme. Composite, elle risque toujours de n'être pas assez parfaite pour l'immortalité (*République*, 611b) : « Il est difficile que soit immortel – comme l'âme vient de nous apparaître – un composé de plusieurs parties, si ces parties ne forment point un assemblage parfait. » Il n'en reste pas moins que toute la tradition philosophique est redevable à Platon d'avoir établi la fameuse structure tripartite de l'âme, elle-même calquée sur un schème politique (cf. texte cité de la *République*, IV, 435d-445e) : la partie supérieure, rationnelle (*nous*), la partie intermédiaire ou irascible (*thumos*), la partie inférieure ou concupiscible (*epithumia*). Seule la partie inférieure de l'âme est intimement mêlée au corps sous les espèces des désirs et des appétits sensibles ; la partie supérieure doit pouvoir se tenir « au-dessus de l'eau » (Plotin dit que l'âme a la « tête » dans l'intelligible). Faut-il penser que l'âme se réduit en fait, dans la simplicité de sa vraie nature, à sa partie supérieure qui seule survivrait à la mort ? Ce serait opposer le supérieur et l'inférieur en l'âme, comme s'opposent l'âme elle-même et le corps, l'intelligible et le sensible, le simple et le composé. Mais d'une part la partie supérieure enveloppe une diversité d'aspects et d'activités qui ruine sa simplicité (par exemple, la partie rationnelle ne se contente pas de penser et de décider, mais elle a aussi des aspirations propres), d'autre part surtout, il faut rendre raison de la partie intermédiaire. Car il n'y aurait pas de doctrine des parties de l'âme si l'on se contentait de reproduire l'opposition âme-corps au sein de l'âme, en y distinguant le supérieur et l'inférieur. Il faut au moins trois parties, sans quoi l'on n'explique proprement rien du devenir de l'essence de l'âme dans le sensible, de son commerce avec un corps qu'elle a pour charge de contrôler et d'organiser sans déchoir. C'est donc autour du *thumos* que s'organise toute la discipline morale qui découle de la doctrine platonicienne des parties de l'âme. Il ne s'agit pas, avec cette partie intermédiaire, de raccorder le supérieur à l'inférieur pour « faire le lien » et maintenir l'unité de l'ensemble – c'est plutôt là le rôle de la partie supérieure –, mais d'empêcher la contamination du supérieur par l'inférieur, de permettre le gouvernement des désirs par la raison. Le modèle gagne ainsi en souplesse et en complexité : dès que l'on passe à trois, le renversement de la hiérarchie peut s'opérer à plusieurs niveaux, la submersion de la partie rationnelle dans le sensible n'étant plus qu'un cas limite – celui de la désorganisation pure et simple, distincte de toutes les formes d'inversions ou de pseudo-organisations selon l'inférieur.

Aristote, tout en reprochant à Platon d'avoir cherché à localiser les parties de l'âme dans différentes parties du corps (cf. *Timée*, 69d-73a), reprend à son compte la pluralité des niveaux d'organisation et de fonctions proposée par le schéma platonicien. L'âme n'est peut-être pas morcelable en parties autrement que par raison (*De l'âme*, 402b), mais elle admet bien des plans différents selon la nature de ses opérations, plus ou moins étroitement liées à l'organisation du corps (*Ibid.*, 413a-b). Depuis Aristote, et jusqu'à saint Thomas, on distingue dans l'âme le plan *rationnel* (correspondant aux opérations de l'intellect, de la raison et de la volonté, qui n'ont pas d'organe corporel propre), le plan *sensitif* (les cinq sens et les sens internes, notamment l'imagination), enfin le plan *végétatif* (nutrition, croissance, génération).

À partir de Maître Eckhart, les philosophes et mystiques rhénans (Tauler, Harphius, Louis de Blois) abandonnent la partie végétative, ou plutôt l'intègrent à la partie sensible ou sensitive, pour reconstruire la structure de l'âme à partir de sa cime : l'essence nue, la substance intime de l'âme, la partie sur-rationnelle, au-delà de toutes ses opérations et puissances, vient exhausser les deux parties inférieures, le plan rationnel et le plan sensible (cf. texte cité d'Eckhart). En ouvrant un espace pour l'union au divin, on bouleverse la représentation aristotélico-thomiste, on passe d'une structure biplanaire (sensitif/rationnel) à une structure multiplanaire qui enrichit considérablement les descriptions de la vie intérieure. Sainte Thérèse, avec l'image de la citadelle intérieure et de ses pièces en enfilade, saint Jean de la Croix avec l'idée du cheminement mystique, saint François de Sales surtout, avec la notion de « suprême pointe » ou de « cime de l'âme », tireront parti de ce réaménagement pour dessiner toute une topologie de la vie intérieure où les parties de l'âme correspondent aux niveaux ou aux stations d'une ascension spirituelle. Avec cette pointe de l'esprit où la « lumière du discours » s'éteint pour ne plus laisser que la « simple vue » ou « le simple sentiment » d'une opération supradiscursive (saint François de Sales, *Traité de l'amour de Dieu*. I, 5, in *Œuvres*. p. 366 ; cf. aussi I, 12, p. 389-391), c'est toute l'anatomie de l'âme qui est traversée par une ligne de fuite ou de débordement.

La disqualification des doctrines des parties de l'âme par Descartes ne vise pas la possibilité d'une topologie mystique, mais seulement l'idée qu'il puisse y avoir en l'âme un conflit entre des forces ou volontés contradictoires (sensitif et raisonnable, inférieur et supérieur) : « Il n'y a en nous qu'une seule âme, et cette âme n'a en soi aucune diversité de parties ; la même qui est sensitive est raisonnable, et tous ses appétits sont des volontés » (*Les Passions de l'âme*. art. 47). Il n'y a de contradiction – ou, pour mieux

dire, d'empêchement – qu'entre l'âme (qui est tout entière raisonnable) avec ses volontés d'une part et le corps et les mouvements des esprits animaux d'autre part (puissances sensitives et végétatives).

cf. Intellect.

POSTULAT

Au sens où l'entend Kant, le postulat est l'usage pratique (moral) d'une notion, distincte en cela de l'hypothèse théorique, mais aussi bien d'un certain usage pratique ou stratégique de l'hypothèse théorique comme « arme de guerre ». Tandis que l'hypothèse est arbitraire et contingente, le postulat, lui, marque une nécessité, mais une nécessité pratique. Il ne vise qu'à établir la condition de possibilité de l'effectivité de la loi morale : « Comme il y a des lois pratiques qui sont absolument nécessaires (les lois morales), si ces lois supposent nécessairement quelque existence comme condition de possibilité de leur force d'*obligation*. cette existence doit être *postulée* » (*Critique de la raison pure*. B 662). On pourrait parler d'une hypothèse pratique ou, comme Kant, d'une « croyance rationnelle » (*Critique de la raison pratique*. p. 174). Concernant l'âme, la perspective morale « conduit au problème pour la solution duquel la raison spéculative ne pouvait commettre que des paralogismes (savoir celui de l'immortalité) » (*Ibid.*, p. 180, « Sur les postulats de la raison pure pratique en général »). Si par les postulats notre connaissance n'est pas élargie (« nous ne connaissons par là ni la nature de notre âme, ni le monde intelligible, ni l'Être suprême, suivant ce qu'ils sont en eux-mêmes »), il n'en reste pas moins qu'il s'agit là de « vrais concepts ». Ainsi, les postulats « donnent aux idées de la raison spéculative *en général* (au moyen de leur rapport au pratique) de la réalité objective, et l'autorisent à former des concepts, dont autrement elle ne pourrait pas même s'arroger le droit d'affirmer la possibilité » (*Ibid.*, p. 179).

PSYCHOLOGIE EMPIRIQUE

Selon Kant, la psychologie empirique (par opposition à psychologie *rationnelle*) est l'étude du contenu du moi dans les déterminations du sens interne, tel qu'il s'apparaît effectivement à lui-même, comme objet de la nature. L'idée de l'âme fait office, à l'égard des phénomènes psychologiques, de schème unifiant, elle intervient comme le garant d'une unité systématique des connaissances relative au domaine considéré (*Critique de la raison pure*, B 711-712). Mais la psychologie empirique ne peut guère aller plus loin que la psychologie rationnelle dans la réalisation de son projet scientifique : outre les questions proprement empiriques (caractère douteux de l'introspection, qui modifie elle-même l'état qu'elle est censée saisir), elle ne peut rien contenir en effet de mathématique (*Premiers Principes métaphysiques de la science de la nature*, p. 7), parce que les

vécus psychologiques s'écoulent de manière continue dans un flux temporel où rien ne peut être isolé et où rien d'identique ne peut être repéré. L'ordre du temps et le cours du temps sont indiscernables, et il ne peut y avoir d'appréhension objective (constitutive d'un objet) des phénomènes du sens interne. Husserl ne dit pas autre chose dans son analyse phénoménologique du mode d'apparaître de l'ego psychique (ou âme) : pas de faces, d'esquisses ou de profils que l'on pourrait synthétiser dans un objet transcendant (selon le procédé que Husserl nomme « schématisme »), mais seulement une coulée immanente de vécus qu'il n'est plus même question, dès lors, de rapporter à un objet « en soi » qui serait le support des apparitions (*Recherches phénoménologiques pour la constitution*, §32). Pour Kant, l'impossibilité d'une synthèse objectivante signifie que l'on ne peut constituer une *nature* psychique. L'âme « sensible » n'est pas une nature, on ne peut lui appliquer les catégories de substance, de causalité, etc. On est donc réduit à se contenter d'une description phénoménologique, d'une « description naturelle de l'âme » (*Premiers Principes métaphysiques de la science de la nature*, p. 7), là où on aurait aimé une science. Mais si le psychique comme tel dépasse en grande partie notre pouvoir de connaître, la nature humaine, elle, est observable dans ses dimensions morales, sociales, esthétiques : sur la base d'une cartographie des facultés

un corpus de connaissances peut se constituer et être mis en système. À défaut d'une « science de l'âme », la psychologie empirique se prolonge ainsi dans une science de l'homme, comme on le voit dans l'*Anthropologie du point de vue pragmatique*.
cf. *Moi. Psychologie rationnelle*.

PSYCHOLOGIE RATIONNELLE

Ce n'est qu'avec Kant que le partage entre psychologie rationnelle et psychologie empirique est clairement tracé. La psychologie rationnelle, donc non empirique, établit *a priori* ce qui peut se dire de l'âme, par purs concepts. Dans le pire des cas, elle tombe dans l'usage transcendant de la raison, qui consiste à ne pas référer les concepts aux conditions d'une expérience possible, et elle produit alors les paralogismes critiqués dans la Dialectique transcendantale. Dans le meilleur des cas, la psychologie rationnelle peut s'affirmer comme science en examinant *a priori* ce qui peut se tirer du seul concept *empirique* du moi (cf. « Méthodologie de la raison pure », et le texte cité en A 381-383), de la même manière que les *Premiers Principes métaphysiques de la science de la nature* étudient ce que l'on peut tirer de l'application des catégories au seul concept empirique de la matière. Mais les résultats d'un tel examen, dans le cas de l'âme, sont bien maigres, et il ne reste plus qu'à « étudier notre âme suivant le fil de l'expérience » (*Ibid.*),

c'est-à-dire du point de vue de la psychologie empirique.
cf. *Paralogismes. Psychologie empirique*.

SENS INTERNE

Par analogie avec le « sens externe » qui se rapporte aux objets du monde physique, Kant définit un « sens interne », une réceptivité à un donné « interne » qui lui-même n'est rien d'autre que l'autoaffection de la représentation considérée en en elle-même, irréductible à ce qu'elle représente. Et de même que l'espace est la structure de notre réceptivité aux choses du dehors, le temps est pour nous la structure de notre réceptivité aux données internes, c'est-à-dire aux représentations elles-mêmes (*Ibid.*, §6b, B49-50). Le sens interne me donne donc le phénomène du sujet dans le temps : moi en tant que je m'affecte moi-même par mes représentations, moi comme objet pour moi-même (radicalement distinct en cela du Je ou du sujet transcendantal).
cf. *Je. Moi. Psychologie empirique*.

SPIRITUALISME

Ce terme entre en usage au XIXᵉ siècle, par opposition au matérialisme. Il regroupe une grande variété de positions, qui toutes cependant impliquent deux choses : (1) l'indépendance de l'esprit (âme ou autre) par rapport à la matière et à la nature, (2) la précellence ou la priorité de l'esprit, que ce soit en termes ontologiques (degrés de l'être) ou en termes de valeurs et de fins (pour l'action humaine). Le spiritualisme est souvent associé au dualisme qui oppose deux substances distinctes, âme et corps. L'indépendance de l'esprit peut être absolue (dans l'hypothèse d'un strict parallélisme des substances), ou seulement relative (si une interaction est possible, comme chez Descartes). Dans des sens plus particuliers, le spiritualisme renvoie à une position qui fait de l'esprit le principe de la nature, qu'on l'identifie à la vie elle-même, dans son irréductibilité au mécanisme (Bergson), ou encore que l'on résorbe dans l'esprit toute la réalité, matière y comprise (immatérialisme, idéalisme, qui sont des spiritualismes monistes, et non dualistes).

cf. Esprit. Matérialisme.

SUBSTANCE

Le latin *substantia* se décompose en *sub-* (au-dessous) et *stare* (rester). La substance est donc ce qui demeure en dessous, derrière les qualités, les accidents. L'âme est substance par opposition à ses affections changeantes, à ses états. Elle est sujet de tous les prédicats psychologiques : pensées, jugements, actions. L'état d'âme passe, mais l'âme reste. La substance au sens absolu, le sujet ultime dont nous ne pouvons connaître que les prédicats, nous ramène chez Kant à la chose en soi (tandis que dans l'ordre des phénomènes, la catégorie de la substance est toujours d'un usage relatif). Chez Aristote, substance s'entend aussi au sens de la source ou de la cause originelle des choses, et elle est alors synonyme d'essence (*Métaphysique.* Z, 17). « Toute chose dans laquelle réside immédiatement comme dans son sujet, ou par laquelle existe quelque chose que nous concevons, c'est-à-dire quelque propriété, qualité ou attribut dont nous avons en nous une idée réelle, s'appelle *substance* » (Descartes, *Réponses aux secondes objections.* texte conclusif en forme géométrique). Mais la substance peut aussi être définie comme ce qui subsiste et se tient tout seul, ce qui peut être conçu par soi seul, et qui n'a pas besoin d'autre chose pour exister, ou du moins qui n'a besoin que du « concours ordinaire de Dieu » (cf. Descartes, *Principes de la philosophie.* §51). L'âme en ce sens aussi est substance, au même titre d'ailleurs que la matière (*Ibid.*, §52). Spinoza réserve la notion pour Dieu, substance unique et infinie. Chez Leibniz, les vraies substances ou « points métaphysiques » sont les monades. La substance est donc en résumé : (1) *sujet d'inhérence* des propriétés, (2) *cause* des propriétés, (3) chose *indépendante* de toutes les autres.

cf. Forme substantielle.

BIBLIOGRAPHIE

ŒUVRES PHILOSOPHIQUES (NON CITÉES EN EXTRAITS)

ALAIN, *Définitions*, Paris, Gallimard, 1953 [p. 23-24, p. 98].

ALAIN, « À la recherche de l'âme » in *Sentiments, passions et signes*, Paris, Gallimard, 1935 [p. 132].

ARISTOTE, *Parties des animaux*, livre I, Paris, GF-Flammarion, 1995 [cf. p. 43-44 sur l'âme, la forme, la cause finale, en écho au traité *De l'âme*].

BERGSON H., *Œuvres*, Paris, PUF (Édition du centenaire), 1959 [notamment *Essai sur les données immédiates de la conscience. Matière et mémoire. L'Énergie spirituelle*].

BERGSON H., « La nature de l'âme », « Le problème de la personnalité », « L'âme humaine », respectivement in *Études bergsoniennes*, t. VII, Paris, PUF, 1966, p. 5-15 et p. 89-108, et in *Études bergsoniennes*, t. IX, Paris, PUF, 1970, p. 11-34.

BERGSON H., « Leçons sur les théories de l'âme », in *Cours*, vol. III, Paris, PUF, 1995 [p. 201-251].

BINET A., *L'Âme et le corps*, Paris, Flammarion, 1905 [psychophysiologie, retour à Aristote et réponse à Bergson, p. 234 sq.].

DESCARTES R., *Les Passions de l'âme*, Paris, GF-Flammarion, 1996.

HUSSERL E., *Recherches phénoménologiques pour la constitution*, Paris, PUF, 1982 [§30 et §32 notamment, sur l'âme comme « sujet psychique réal », et son mode d'apparaître radicalement distinct de celui des corps].

JAMES W., *Principles of Psychology*, 2 vol., Cambridge, Harvard University Press, 1981 [notamment I, 10 : sur l'usage de la notion d'âme en psychologie].

JAMES W., « Human immortality », in *Essays in Religion and Morality*, Cambridge, Harvard University Press, 1982, p. 75-101 [à rapprocher du texte de Bergson sur l'âme et le corps : conciliation du spiritualisme et des données de la science sur le cerveau].

JUNG C. G., *L'Âme et la vie*, Paris, Buchet-Chastel, 1963, repris par Le Livre de poche [anthologie de textes, cf. notamment p. 25-59].

JUNG C. G., *L'Homme à la découverte de son âme*, Paris, Payot, 1962 [notamment p. 35-56, « Visages de l'âme contemporaine »].

JUNG C. G., *Problèmes de l'âme moderne*, Paris, Buchet-Chastel, 1960 [notamment p. 78-94 et p. 171-200].

KANT E., *Rêves d'un visionnaire*, Paris, Vrin, 1967 [à propos des récits visionnaires de Swedenborg, une critique de la spéculation spirituelle].

KANT E., *Premiers Principes métaphysiques de la science de la nature*, Paris, Alcan, 1891 [p. 3-7 : sur le statut d'une prétendue science de l'âme].

LAVELLE L., *De l'âme humaine*, Paris, Aubier, 1951 [l'âme est une essence en voie d'accomplissement].

LAVELLE L., *Psychologie et spiritualité*, Paris, Albin Michel, 1967 [p. 156-163 : recension du livre de Souriau, *Avoir une âme*].

LEIBNIZ G. W., *Principes de la nature et de la grâce, Monadologie et autres textes*, Paris, GF-Flammarion, 1996 [entre autres].

MERLEAU-PONTY M., *La Structure du comportement*, Paris, PUF, 1942 [p. 239-305 : l'âme et le corps, l'introspection, la perception].

PLATON, *Timée*, Paris, GF-Flammarion, 1992 [sur l'âme du monde].

SAINT AUGUSTIN, *Les Confessions*, Paris, GF-Flammarion, 1964 [notamment livres X-XI : âme et vie intérieure].

SAINT FRANÇOIS DE SALES, *Traité de l'amour de Dieu*, in Œuvres, Paris, Gallimard, Bibliothèque de la Pléiade, 1969 [notamment I, 12, p. 389-391].

SAINT THOMAS, *Contre Averroès*, Paris, GF-Flammarion, 1994 [utile pour la compréhension d'Aristote autant que pour la dispute Thomas-Averroès].

SAINT THOMAS, *Somme théologique*, Paris, Cerf [I, q. 75-102, et notamment I, q. 75-76, in vol. 9, 1954, sur l'âme en elle-même et sur son union au corps].

SARTRE J.-P., *La Transcendance de l'ego*, Paris, Vrin, 1988 [critique de la thèse du Je transcendantal au nom de la radicalité de la conscience ; textes très utiles en appendice].

STRASSER S., *Le Problème de l'âme, études sur l'objet respectif de la psychologie métaphysique et de la psychologie empirique*, Louvain, Publications universitaires de Louvain, 1953.

HISTOIRE DES DOCTRINES

BAERTSCHI B., *Les Rapports de l'âme et du corps : Descartes, Diderot et Maine de Biran*, Paris, Vrin, 1992 [où l'on voit que le débat contemporain sur le *mind-body problem* emprunte souvent ses termes aux questions soulevées après Descartes autour du naturalisme, de la sensation, de la conscience, etc.].

BERGAMO M., *L'Anatomie de l'âme*, Grenoble, Jérôme Millon, 1994 [la topologie mystique de la vie intérieure élaborée au XVIIᵉ siècle, de saint François de Sales à Fénelon, à partir de l'héritage thomiste et rhéno-flamand].

BERNHARDT J., *Platon et le matérialisme ancien*, Paris, Payot, 1971.

BOUVERESSE J., *Le Mythe de l'intériorité*, Paris, Minuit, 1976 [exposé de la critique wittgensteinienne de la subjectivité].

BOUVERESSE R., *Spinoza et Leibniz, l'idée d'animisme universel*, Paris, Vrin, 1992.

BRÉHIER É., *La Philosophie de Plotin*, Paris, Vrin, 1982 [notamment chapitre V].

BREMMER J. N., *The Early Greek Concept of the soul*, Princeton, Princeton University Press, 1983.

CORBIN H., *La Philosophie iranienne islamique aux XVIIᵉ et XVIIIᵉ siècles*, Paris, Buchet-Chastel, 1981 [en particulier, p. 49-83 sur Mollâ Sadrâ et p. 245-291 sur Qommî].

CORBIN H., *Face de Dieu, face de l'homme*, « Mundus imaginalis », Paris, Flammarion, 1983 [p. 7-40 sur le monde imaginal].

DE LIBERA A., *La Mystique rhénane*, Paris, Points-Seuil, 1994 [p. 231-316 sur Maître Eckhart].

FRAISSE J.-C., *L'Intériorité sans retrait : lectures de Plotin*, Paris, Vrin, 1985 [notamment chap. II et IV].

FROMAGET M., *Corps, Âme, Esprit*, Paris, Question de/Albin Michel, 1991 [une étude très informée sur les sources religieuses et philosophiques d'une anthropologie ternaire, faisant droit à la dimension de l'esprit au-delà de l'opposition de l'âme et du corps].

GARDEIL A., *La Structure de l'âme et l'expérience mystique*, Paris, V. Lecoffre, 1927.

GOURINAT J.-B., *Les Stoïciens et l'âme*, Paris, PUF, 1996.

GREENE M., *Hegel on the Soul, a speculative Anthropology*, La Haye, Nijhoff, 1972.

KAMBOUCHNER D., *L'Homme des passions*, 2 vol., Paris, Albin Michel, 1995 [sur la théorie cartésienne des passions de l'âme].

MOREAU J., *L'Âme du monde de Platon aux stoïciens*, Hildesheim, G. Olms, 1965.

VAN PEURSEN C. A., *Le Corps - l'Âme - l'Esprit*, La Haye, Nijhoff, 1979 [sur Platon, Aristote, La Bible, saint Augustin, Descartes, Wittgenstein et Ryle, Merleau-Ponty].

VIEILLARD-BARON J.-L. (éd.), *Le Problème de l'âme et du dualisme*, Paris, Vrin, 1991 [le dualisme de l'âme et du corps de Platon à Husserl et aux sciences cognitives].

YERBEKE G., *L'Évolution de la doctrine du pneuma : du stoïcisme à saint Augustin*, Paris, Desclée de Brouwer, 1945.

WORMS F., *L'Âme et le corps (1912), Bergson*, Paris, Hatier, 1992 [commentaire du texte complet dont on a cité un extrait].

L'ÂME COMME CATÉGORIE ESTHÉTIQUE

BÉGUIN A., *L'Âme romantique et le rêve*, Paris, José Corti, repris par Le Livre de poche, 1991 [notamment p. 100-134 et 535-547 : les aspects nocturnes de la vie, le rêve, l'âme du monde, des romantiques allemands à Rimbaud et aux surréalistes].

HENRY M., *Voir l'invisible, Sur Kandinsky*, Paris, François Bourin, 1988 [sur la dimension de l'intériorité, de l'autoaffection, de la Vie, le cœur même de l'abstraction picturale].

HOCQUENGHEM G., Schérer R., *L'Âme atomique*, Paris, Albin Michel, 1986 [surtout Introduction et chap. I, « Pourquoi les poupées ont une âme » : à partir de Baudelaire, Rilke, Artaud, Benjamin, l'âme comme catégorie fondamentale d'une esthétique contemporaine].

SIMMEL G., *Philosophie de la modernité*, t. II, Paris, Payot, 1990 [p. 26-42 et 129-185. La notion d'âme en poésie – Stefan George – et en peinture – Rembrandt, le portrait].

VALÉRY P., « L'âme et la danse », in *Eupalinos*, Paris, Gallimard, 1945 [le corps de la danseuse « lutte de vitesse et de variété avec son âme »].

LE PROBLÈME ESPRIT-CORPS (*MIND-BODY PROBLEM*)

DESCOMBES V., *La Denrée mentale*, Paris, Minuit, 1995 [défense de la thèse de l'extériorité de l'esprit, placé dans les signes et les échanges plutôt que dans le flux interne des représentations ; dialogue extrêmement habile avec la philosophie anglo-saxonne sur le problème du « mental »].

ECCLES J. C., *Évolution du cerveau et création de la conscience*, Paris, Champs-Flammarion, 1994 [défense du dualisme, hypothèse du *psychon*. unité psychique en interaction avec le cerveau].

HAROCHE M.-P., *L'Âme et le corps, philosophie et psychiatrie*, Paris, Plon, 1990, [articles de A. Comte-Sponville et J.-M. Besnier : la machine et les antinomies de l'intelligence artificielle].

POPPER K. R. et ECCLES J. C., *The Self and its Brain*, New York, Springer International, 1977 [p. 176-208, exposition claire et originale des positions dualistes et parallélistes par Popper].

SEARLE J., *La Redécouverte de l'esprit*, Paris, Gallimard, 1995 [cf. surtout le chap. I, pour la position du problème et l'état des lieux].

SIMON M. (éd.), *La Peau de l'âme*, Paris, Cerf, 1994 [sciences cognitives et philosophie].

SWINBURNE R., *The Evolution of the Soul*, Oxford, Clarendon Press, 1986 [défense analytique du dualisme].

TEICHMAN J., *The Mind and the Soul*, New York, Humanities Press, 1974 [une excellente introduction à la question, sur la base d'analyses notionnelles éclairantes].

WARNER R. et SZUBKA T. (ed.), *The Mind-Body Problem, a Guide to the current Debate*, Oxford, Blackwell, 1994 [sans doute un des meilleurs recueils de contributions sur la question ; cf. notamment les textes de Nagel, McGinn, Searle, Swinburne, Vendler, Warner].

RÉFLEXIONS CONTEMPORAINES SUR LA NOTION

Communio, XII, 3, mai-juin 1987, « L'âme » [en particulier les articles de R. Brague, P. Imbs, M. Henry].

CASTORIADIS C., « Épilégomènes à une théorie de l'âme que l'on a pu présenter comme science » in *Carrefours du labyrinthe*, Paris, Seuil, 1978 [sur la psychanalyse, notamment p. 51-57 : comprendre l'âme comme une « chose »].

EDWARDS P., *Immortality*, New York, Mac Millan, 1992 [une anthologie de textes philosophiques sur la question, garnie d'une très longue préface et d'une bibliographie critique].

ELAHI B., *Fondements de la spiritualité naturelle*, Paris, Dervy, 1996 [une théorie originale du développement spirituel : les parties de l'âme et sa croissance envisagées selon une analogie systématique avec la théorie cellulaire et l'immunologie].

FLEW A., *Body, Mind and Death*, New York, Mac Millan, 1964 [anthologie de textes sur la question de la mortalité et de l'immortalité de l'âme ; bibliographie utile].

FOREST A., *L'Avènement de l'âme*, Paris, Beauchesne, 1973 [dans la tradition augustinienne, un essai sur le discernement de l'âme].

HENRY M., « Le concept d'âme a-t-il un sens ? », in *Revue philosophique de Louvain*, t. 64, p. 5-33, 1966 [présentation et critique des thèses kantiennes et phénoménologiques ; penser l'âme au-delà de la représentation comme autoaffection].

KREMER K. (ed.), *Seele : ihre Wirklichkeit, ihr Verhältnis zum Leib und zur menschlichen Person*, Leiden, E. J. Brill, 1984 [études d'histoire de la philosophie, avec introduction générale montrant l'actualité de la question].

LÉVINAS E., *Autrement qu'être ou au-delà de l'essence,* Nijhoff, 1978, repris par Le Livre de poche [sur la subjectivité et la notion d'animation : p. 105-116, 120-128, 160-166, 173-181].

PUCELLE J., *L'Essor de l'âme,* Paris, Beauchesne, 1987 [sur l'intériorité, l'intimité, la présence ; cf. Lavelle, Forest, etc.].

QUINTON A., « The soul », *in* Perry J. (ed.), *Personal Identity,* Los Angeles, University of California Press, 1975 [le concept empirique de l'âme comme solution valable au problème de l'identité personnelle].

SHOEMAKER S., *Self-Knowledge and Self-Identity,* Ithaca, Cornell University Press, 1963 [autour de Hume, de l'identité personnelle ; cf. surtout chap. II, « Are selves substances ? »].

VIEILLARD-BARON J.-L., « La validité actuelle de la notion d'âme », *in* Vieillard-Baron J.-L. (éd.), *Penser le sujet aujourd'hui,* Paris, Klincksieck, 1988.

TRESMONTANT C., *Le Problème de l'âme,* Paris, Seuil, 1971 [pertinence de la notion d'âme en biologie, problème de l'immortalité].

GF Flammarion

13/10/185013-X-2013 – Impr. MAURY Imprimeur, 45330 Malesherbes.
N° d'édition L.01EHPN000622.N001. – novembre 2013. – Printed in France.